Software Design plus

Kubernetes 実践入門

プロダクションレディなコンテナ&アプリケーションの作り方

須田 一輝、稲津 和磨、五十嵐 綾、坂下 幸徳、
吉田 拓弘、河 宣成、久住 貴史、村田 俊哉［著］

技術評論社

●本書をお読みになる前に

・本書に記載された内容は、情報の提供のみを目的としています。したがって、本書を用いた運用は、必ずお客様自身の責任と判断によって行ってください。これらの情報の運用の結果について、技術評論社および著者はいかなる責任も負いません。

・本書記載の情報は、2018年9月現在のものを掲載していますので、ご利用時には、変更されている場合もあります。

・また、ソフトウェアに関する記述は、特に断わりのないかぎり、2018年9月現在での最新バージョンをもとにしています。ソフトウェアはバージョンアップされる場合があり、本書での説明とは機能内容や画面図などが異なってしまうこともあり得ます。本書ご購入の前に、必ずバージョン番号をご確認ください。

以上の注意事項をご承諾いただいた上で、本書をご利用願います。これらの注意事項をお読みいただかずに、お問い合わせいただいても、技術評論社および著者は対処しかねます。あらかじめ、ご承知おきください。

●商標、登録商標について

本書に登場する製品名などは、一般に各社の商標または登録商標です。なお、本文中に™、®などのマークは記載しておりません。

はじめに

筆者が初めてKubernetesに触れたのは2014年でした。当時の筆者は、構成管理ツール（Chef、Ansible）やパッケージ（Debianパッケージ）などを利用して再現性のある自動デプロイをどうやって実現するかといったことに頭を悩ませていました。そのころは、Dockerなどのコンテナ型の仮想化技術が普及しはじめ、再現性の高いデプロイ方法として注目を集めていましたが、まだDockerを利用した構成管理を実現するには周辺システムが不足していました。

こういった状況の中、2014年にKubernetesが登場しました。Kubernetesはまさに筆者が抱えていた問題を解決してくれるツールそのものでした。再現性のあるデプロイに加え、スケールのしやすさや自動復旧といった運用面にも優れ、さらに堅牢なアーキテクチャを持ったKubernetesに筆者は心奪われました。

それ以降、Kubernetesは多くの企業や巨大なOSSコミュニティの多大な貢献により発展し続けており、現在はコンテナを動作させる基盤であるコンテナオーケストレーションツールのデファクトスタンダードと言える状態になっています。2018年12月に、Cloud Native Computing Foundation（CNCF）が米ワシントン州シアトルで開催したKubeCon + CloudNativeCon North America 2018には、8,000人が参加し、チケットは完売しています。そのような状況からも注目度の高さがうかがえます。

Kubernetesは巨大なOSSコミュニティに支えられ、多くの機能を持つ優れたシステムとなりましたが、機能が多く改修も頻繁に行われるため、すべての機能を把握することは難しくなってきています。筆者の周りでも本番環境へのKubernetesの導入が進んでいますが、Kubernetesの学習コストが課題となってきています。このような現状をふまえて、本書を執筆することなりました。

対象となる読者

本書は、これからKubernetesに触れる方や、本番環境での利用を検討している方が、最短でKubernetes上でアプリケーションを本番運用できるようになることを目的として構成されています。具体的には、最初にアプリケーションをKubernetes上で動作させ、それを本番環境で運用するために必要な変更を徐々に行っていく構成にすることで、多くの機能の中から実際に必要となる機能を厳選して紹介しています。単なるKubernetesの機能の紹介ではなく、実践的な要件とひもづけることで、その機能の利用方法をイメージしやすくすることも狙っています。

本書の内容

まず第1章で、KubernetesやDockerの簡単な紹介とKubernetesの基本概念の説明を行います。続いて第2章で、Kubernetesクラスタを紹介し、本書の内容を体験するためのKubernetesクラスタをローカル環境に構築します。第3章では、第2章で構築したクラスタ上で具体的なアプリケーション（MattermostとMySQL）を動作させます。第4章では、デプロイしたアプリケーションに問題があったときのために、Kubernetes上のアプリケーションのデバッグ方法を紹介します。第5章では、問題があった場合に修正を行うためのアプリケーションの更新方法と、更新を自動化するために必要なKubernetesの認証・認可について説明します。第6章では、Kubernetes上でアプリケーションを本番運用するために、アプリケーションを安定化する方法について紹介し、第7章では、本番環境でも安全に運用するために、セキュリティを向上させる方法を紹介します。最後に第8章で、アプリケーションの異常を検知するためのモニタリングの方法を紹介します。

このように、本書では本番環境でアプリケーションを運用するために必要な内容を、ひとつひとつ丁寧に紹介していきます。

ソフトウェアのバージョン

Kubernetesはコミュニティによる開発が非常に活発なため更新が早く、本書が出版されるころには新たなバージョンのKubernetesがリリースされているでしょう。

本書の内容は長い間利用できることを目指して安定版となった機能を中心に紹介していますが、新たなバージョンを利用すると本書の内容のとおりに動作しない可能性があります。そのため、本書の内容を試す場合には、本書指定のバージョンで進めることをお勧めします。本書が利用しているソフトウェアのバージョンは次のとおりです。

・Kubernetes 1.11.3
・minikube 0.28.2

本書がKubernetes上のアプリケーションの運用のお役に立てれば幸いです。

著者代表　村田 俊哉

本書を読むにあたって

本書の表記

コマンドラインインターフェースにおける操作や実行結果は、次のような形式で表現しています。

```
$ kubectl get pod my-pod
NAME      READY     STATUS    RESTARTS   AGE
my-pod    1/1       Running   0          2m
```

Kubernetesのマニフェストファイルや Dockerfileなどの設定ファイルや、プログラムのソースコードは、次のような形式で表現しています。

```
apiVersion: v1
kind: Namespace
metadata:
  name: my-namespace
```

設定ファイルの書式や、コマンドの書式などは、次のような形式で表現しています。下線の付いている項目は、任意の値が入る項目であることを表しています。

```
- image: registry-server/mattermost:4.10.2
```

ちょっとしたコツやノウハウなどの情報は、次のアイコンで示しています。

注意事項、警告事項などの情報は、次のアイコンで示しています。

サンプルコードの使い方

本書のサンプルコードは次のURLからダウンロードできます。

- https://github.com/kubernetes-practical-guide/examples

本書は実践入門として、アプリケーションやそれを構成するためのファイルに変更を付け加えながら進みます。サンプルコードは章、節、項ごとにディレクトリが分かれており、第3章以降のディレクトリでは、ディレクトリに含まれるKubernetesマニフェストファイルをKubernetesクラスタに適用すると、その章、節、項の状態を再現できます。たとえば、3.4.3項の状態を再現する場合は、次のようにコマンドを実行してください。

```
$ git clone https://github.com/kubernetes-practical-guide/examples.git && cd examples
$ kubectl apply -f ch3.4.3/manifests/mattermost/
```

本書に登場するコンテナイメージについて

本書の中で利用するコンテナイメージを、次のDocker Hubオーガナイゼーションにキャッシュしています。

- https://hub.docker.com/u/k8spracticalguide

オリジナルのコンテナイメージとの対応は、次の**表**のとおりです。

表　オリジナルのコンテナイメージとキャッシュの対応

オリジナル	キャッシュ
busybox:1.28	k8spracticalguide/busybox:1.28
mysql/mysql:5.7.22	k8spracticalguide/mysql:5.7.22
mattermost/mattermost-preview:4.10.2	k8spracticalguide/mattermost-preview:4.10.2
mattermost/mattermost-team-edition:4.10.2	k8spracticalguide/mattermost-team-edition:4.10.2
node:10.11.0	k8spracticalguide/node:10.11.0
nginx:1.15.5	k8spracticalguide/nginx:1.15.5
debian:9-slim	k8spracticalguide/debian:9-slim
prom/prometheus:v2.4.2	k8spracticalguide/prometheus:v2.4.2
prom/node-exporter:v0.16.0	k8spracticalguide/node-exporter:v0.16.0
prom/mysqld-exporter:v0.11.0	k8spracticalguide/mysqld-exporter:v0.11.0
quay.io/coreos/kube-state-metrics:v1.4.0	k8spracticalguide/kube-state-metrics:v1.4.0
grafana/grafana:5.2.4	k8spracticalguide/grafana:5.2.4
alpine:3.8	k8spracticalguide/alpine:3.8

目次

第2章 Kubernetesを構築する 53

第3章 Kubernetes上にアプリケーションをデプロイする 65

COLUMN

Hello Kubernetes world! コンテナオーケストレーションと Kubernetes

本章では、Kubernetesとはどのようなソフトウェアなのか、その特徴を述べます。次に、Kubernetesが解決する課題をインフラ面とアプリケーション面から説明します。そして、Kubernetesでサービスの状態を表すKubernetesオブジェクトについて説明します。最後に、Kubernetesのアーキテクチャについて概観します。

1.1 Kubernetesとは

1.1.1 コンテナオーケストレーションとKubernetes

Kubernetes(クーバネティス)(**図1-1**)は、コンテナ化されたアプリケーションのデプロイ、設定、管理を自動的に行うオープンソースソフトウェア(OSS)です。このようなソフトウェアを「コンテナオーケストレーションツール」と呼んでいます。

図1-1　Kubernetesのロゴマーク[注1]

開発者は、コンテナ化されたアプリケーションから構成されるサービスのあるべき状態を設定ファイルに宣言的に記述し、複数のノード(VMや物理マシン)から成るKubernetesクラスタに反映します。そして、Kubernetesは反映された設定ファイルに従ってクラスタ上にアプリケーションを展開します。Kubernetesの抽象化機能、自己回復機能などによりスケーラブルで信頼性の高いサービスをクラスタ上に構築できます。また、Webサービスのようなステートレスなアプリケーションから、データベースのようなステートフルなアプリケーションまでをKubernetesで構築できます。

そのほかにも、マイクロサービス指向なサービスを開発するためのサービスディスカバリや、クラスタを論理的な複数のクラスタに分割する名前空間、柔軟な認証・認可など、サービスの成長はもちろん、開発チームの拡大にも対応できる機能を持っています。小さなサービスからとても大きなサービスまで恩恵を受けることができ、あらゆる規模のサービスの構築に適しています。

Kubernetesは、Googleの社内システムであるBorgにインスパイアされ、当初はGoogleが開発していましたが、その後Linux Foundation傘下の組織であるCloud Native Computing Foundation(CNCF)に寄贈され、今では多くの企業が参加するコミュニティ主体のプロジェクトとなっています。10年以上に渡ってコンテナを本番環境で運用してきたGoogleの経験と、コミュニティの優れたアイデアと手法がKubernetesに組み込まれています。

注1　https://github.com/kubernetes/kubernetes

1.1.2 Linuxコンテナ技術とDocker

Kubernetesは、複数のアプリケーションを複数のマシンから構成されるクラスタにデプロイし、管理するソフトウェアです。開発者はアプリケーションのデプロイを指示するだけで、あとはKubernetesが適切なマシン上でアプリケーションが実行されるようにスケジュールします。その結果、個々のマシン上ではさまざまな種類のアプリケーションが複数実行されることになります。

通常、アプリケーションの実行は言語ランタイムやライブラリ、実行環境の共有リソースであるネットワークポートなどに依存します。たとえば、あるアプリケーションがNode.js v8.11に依存していたとします。もし同じマシン上で実行されるようにスケジュールされた別のアプリケーションが、Node.js v10.9に依存していたとしたらどうでしょうか。また、共有ライブラリやコマンドラインツールも一般的にマシンの共有コンポーネントであり、インストールされているバージョンで正しく実行できるかはわかりません。このようなことから、それぞれのアプリケーションの実行環境を分離しなければいけません。Kubernetesは、このアプリケーション実行環境の分離にコンテナ技術を利用しています。

これまで実行環境の分離と言えば、VM（Virtual Machine、仮想マシン）が利用されてきました。これまでのVMを利用した環境では、アプリケーションごとにVMを用意するなどしてアプリケーションの実行環境を分離していました（**図1-2左**）。しかし、当初は小さかったサービスも、成長とともに管理するVMが増加します。フロントエンドやバックエンド、データベースやキャッシュサーバなどの役割が異なるVMは、それぞれに特化した設定が必要な場合が多く、構築やメンテナンスにかかる人的リソースが増加していきます。また、それぞれのVMでの余分なハードウェアリソースも無視できないものになってきます。

図1-2 仮想マシンとコンテナの比較

VMはハードウェアレベルの仮想化で
インスタンスは互いに厳密に分離されている

アプリ1 | アプリ2
ランタイム／ライブラリ | ランタイム／ライブラリ
ゲストOS | ゲストOS
VM | VM
ハイパーバイザ
ホストOS
インフラストラクチャ

仮想マシン（VMs）

コンテナはOSレベルのリソースの分離にすぎず、
ホストOSのカーネルを共有している

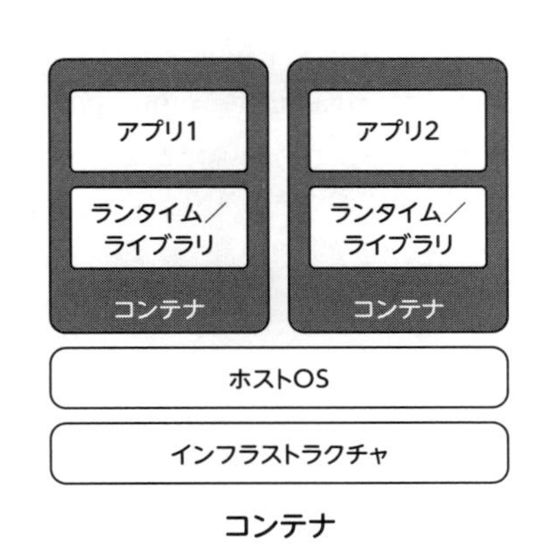

コンテナ

そこでVMに代わり、アプリケーションの実行環境の分離にLinuxコンテナ技術を利用します。コンテナ技術を利用することで、1つのVM上で複数の異なる要件を持つアプリケーションの実行環境を分離して実行できます（**図1-2右**）。この際、VMのホストOSからみると、アプリケーションのプロセスはほかのプロセスと同様に実行されているように見えます。しかし、アプリケーションのプロセスからみると、ホストOS上のプロセスはもちろん、ほかのコンテナのプロセスも確認することはできません。そのほか、ファイルシステムやユーザ、ネットワークポートも分離されていることから、専用のVM上でアプリケーションを実行するのと同様の使い勝手です。このことからコンテナ仮想化と呼ぶこともあります。

VMとコンテナを比較すると、VMは、CPUやメモリ、ストレージなどのハードウェアリソースを仮想化していることから、各インスタンスが独立したカーネルを持ち互いに厳密に分離されています。そのため、インスタンスの起動には、完全なOSの起動が必要となり実行が遅いです。一方、コンテナはプロセスごとのリソースの分離と制限にすぎません。そのため、同一ホスト上のコンテナは、ホストOSのカーネルを共有しており厳密に分離されていないことから、VMと比較してセキュリティに弱みがあります。しかし、コンテナの起動はOSの起動が不要なことから非常に高速であり、通常のプロセスと同等の速さで実行されます。

2018年現在では、LinuxコンテナでVMレベルの分離を実現するためのソフトウェアが登場しています。その1つが、Googleが開発するgVisor[注2]です。gVisorはユーザランドで実行されるカーネルで、ホストカーネルへのシステムコードを先に受け取り、その後ホストカーネルに渡すことでサンドボックス化を実現しています。gVisorは、Google App Engineがサポートするいくつかの言語の実行環境として採用されています。

Linuxコンテナを実現する機能

Linuxコンテナの実現には、Linuxカーネルの2つの機能が利用されています。

1つめは、Linux Namespacesです。これは、プロセスに対して専用の名前空間を作成する機能です。プログラミング言語における名前空間は、関数や変数の名前が衝突しないように分離しますが、ここではファイルやプロセス、ネットワークなどのLinuxのリソースを分離します。これによってアプリケーションの分離を実現しています。

2つめは、Linux Control Groups（cgroups）です。これは、プロセスに対して利用できるリソース（CPUやメモリなど）を制限します。この制限によって、同一のマシン上に複数のアプリケーションを実行した際に一部のアプリケーションがリソースを使いすぎる（うるさい隣人）などの問題を防ぎます。

これらの機能によって、OSレベルでアプリケーションの分離を実現しています。

注2　https://github.com/google/gvisor

Dockerとは

Linuxコンテナ技術はこれまでも利用されていましたが、Docker（**図1-3**）の登場で広く利用されるようになりました。

図1-3 Dockerのロゴ[注3]

Dockerは、Linuxコンテナ技術とレイヤ（層）のファイルシステムを利用して、アプリケーションのパッケージングと配布、実行を行うソフトウェアです。アプリケーションの実行に必要な言語ランタイムやライブラリ、ソフトウェアなどをすべて含んだコンテナイメージという1つのバイナリのような塊（かたまり）として、アプリケーションを管理、実行できるようにしたことで、いつどこで実行しても必ず同じものとなるイミュータブル（不変）でポータブルな性質をアプリケーションにもたらしました。コンテナイメージにアプリケーションが依存するすべてが含まれていることから、ローカル環境と本番環境でまったく同一のアプリケーションを実行できます。これまでよく遭遇した開発環境では正常に実行できたが、本番環境ではうまく実行されなかったなどの環境の違いによる問題は起きにくくなります。

Dockerの本質は、開発したコード、アプリケーションの本番環境への高速なデリバリにあります（**図1-4**）。コンテナイメージの作成から本番環境で実行するまでの流れは次のとおりです。

①BUILD：アプリケーションの実行に必要なすべてを含むコンテナイメージのビルド
②SHIP：コンテナイメージを配布するためのレジストリへのアップロード
③RUN：本番環境でのコンテナイメージの取得と実行

注3 https://www.docker.com/

図1-4 コンテナイメージのビルドから本番マシンで実行されるまで

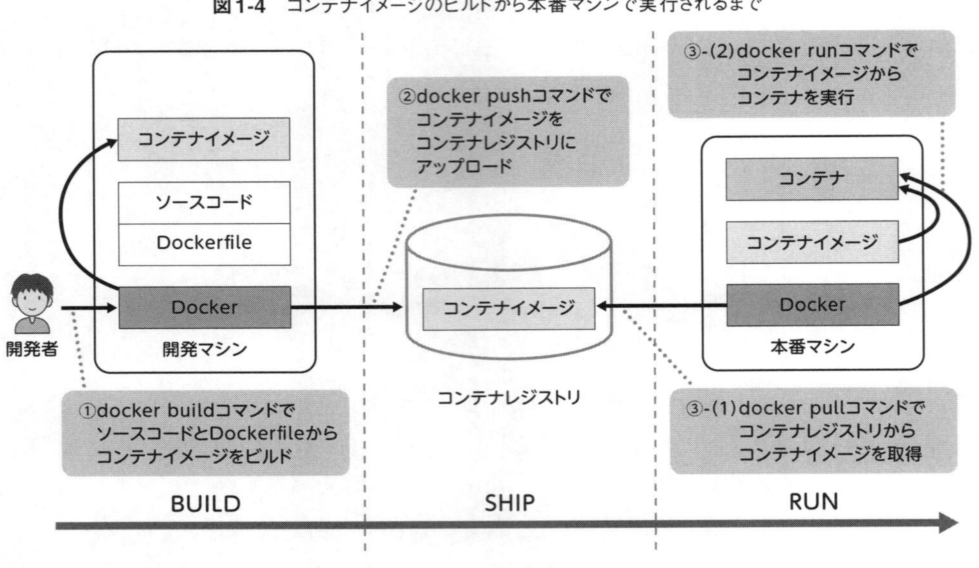

BUILDフェーズでは、Dockerfileと呼ばれるファイルをもとにコンテナイメージを作成します。Dockerfileは、UbuntuなどのOSやNode.jsなどの特定の言語ランタイム向けの基本となるコンテナイメージ（ベースイメージと呼びます）をベースにして、ファイルを追加するCOPYやコマンドを実行するRUNなどの複数の命令をステップとして記述します。**リスト1-1**は、Node.jsのアプリケーションの例です。

リスト1-1 Node.jsアプリケーションのDockerfile

```
FROM k8spracticalguide/node:10.11.0

WORKDIR /src/app

COPY package*.json ./

RUN set -x && \
    npm install --production

COPY . .

ENV NODE_ENV production
USER node
EXPOSE 8080
CMD ["npm", "start"]
```

このテキストファイルをDockerfileというファイル名で保存します。その後、Dockerのコマンドラインインターフェース（CLI）であるdocker buildコマンドを利用してビルドすることでコンテナイメージを作成します。

```
カレントディレクトリのDockerfileを利用してコンテナイメージを作成する
-t(--tag)オプションでイメージ名を指定する
$ docker build -t registry.example.com/demo/app:v1 .
```

コンテナイメージの作成は、ラップトップなどのローカルの開発マシンでも行えますが、テスト用途以外の本番マシンで実行するためのコンテナイメージは、一般的にGitなどのソースコードリポジトリへのプッシュを契機に継続的インテグレーション（CI）システム上でビルドを実行します。これは、コンテナイメージの作成を一般的なソフトウェア開発方法と同様に、継続的にテストできることを意味します。

次にSHIPフェーズです。ここではビルドしたコンテナイメージを、docker pushコマンドを利用してコンテナレジストリにアップロードします。コンテナレジストリはコンテナイメージの保存、管理、配信を行うシステムです。

```
ローカルのコンテナイメージをリモートのレジストリにアップロード
$ docker push registry.example.com/demo/app:v1

一度アップロードすればどこからでも取得できる
$ docker pull registry.example.com/demo/app:v1
```

これにより、ほかのホストからアップロードしたコンテナイメージを取得できるようになります。また、コンテナイメージは環境ごとに用意する必要はなく、同じコンテナイメージを開発や本番などのすべての環境で利用できます。コンテナレジストリは、パブリックなSaaSであるDocker Hub[注4]を利用したり、自身で構築することでプライベートなレジストリを用意したりすることもできます。レジストリには認証機能が付属していることが多く、docker loginコマンドで事前に認証を行います。

最後にRUNフェーズです。ここではdocker runコマンドを利用します。コンテナレジストリからコンテナイメージを取得して実行します。コンテナはLinuxコンテナ技術を利用してホスト環境やほかのコンテナから分離されています。これにより、いつどこで実行しても同じものが実行されるようになっています。

注4 https://hub.docker.com/

```
nginxコンテナをバックグラウンド(-d)で実行する
-p(--port)オプションでコンテナ内の80/tcpをローカルの8080/tcpに割り当てる
$ docker run -d -p 8080:80 k8spracticalguide/nginx:1.15.5
66a0871aeddc1c138167c58eb1b9f75e394e6a64dc10ca25ce9ee9274217ca75
```

```
実行中のコンテナを一覧する
$ docker ps
CONTAINER ID        IMAGE                             COMMAND                  CREATED
66a0871aeddc        k8spracticalguide/nginx:1.15.5    "nginx -g 'daemon ..."   31 seconds ago

            STATUS              PORTS                    NAMES
            Up 30 seconds       0.0.0.0:8080->80/tcp     elated_bartik
```

```
実行中のコンテナにアクセスする
$ curl -sS localhost:8080 | head
<!DOCTYPE html>
<html>
<head>
<title>Welcome to nginx!</title>
<style>
    body {
        width: 35em;
        margin: 0 auto;
        font-family: Tahoma, Verdana, Arial, sans-serif;
    }
コンテナIDを指定して実行中のコンテナを終了する
$ docker stop 66a0871aeddc
66a0871aeddc
```

コンテナイメージの構造を理解する

最後にコンテナイメージを構成するレイヤ（層）のファイルシステムについて説明します。

レイヤのファイルシステムはDockerの大きな特徴の1つです。VMのイメージは大きな1つのファイルでしたが、コンテナイメージは、前述したDockerfileの各行が1つのイメージレイヤとしてその1つ前のレイヤ（親レイヤ）からの差分を積み重ねて1つのファイルシステムを構成しています（**図1-5**）。これはGitのしくみとよく似ていて、コンテナレイヤもGitのコミットのようにユニークなIDと親レイヤのIDへの参照を持つツリー構造となっています。この構造からコンテナイメージ名は一般的に、もっとも上の層のイメージレイヤのエイリアス（別名）となっています。

図1-5 コンテナイメージの構造

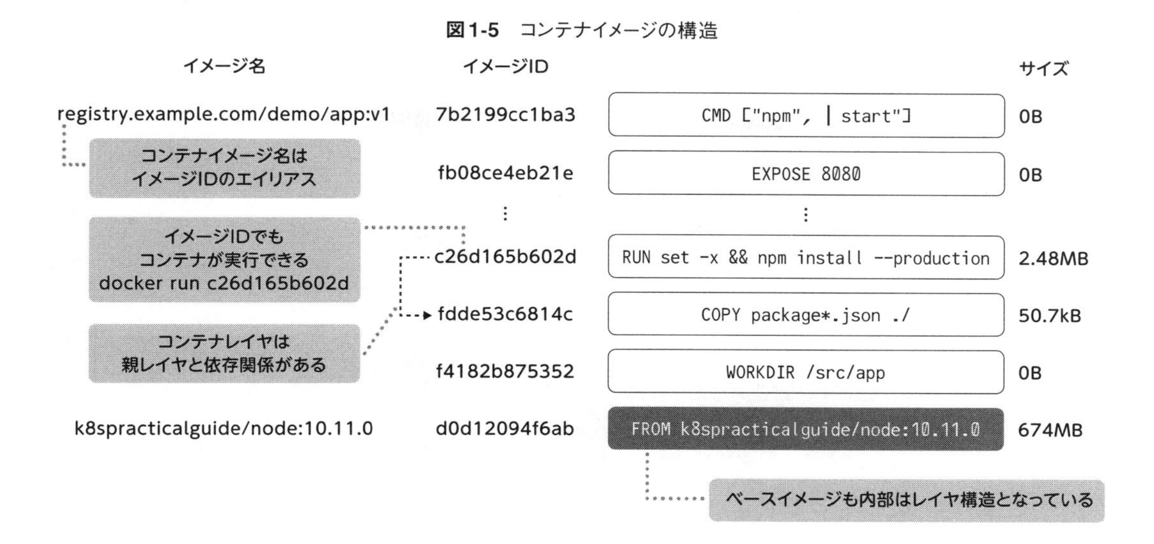

加えてイメージレイヤは読み込み専用となっており、このことから3つの高速化を実現しています。

1つめは、コンテナイメージのビルドの高速化です。Dockerは、コンテナイメージのビルド時にすでにビルド済みのイメージレイヤが存在する場合、それをキャッシュとして再利用します。そのため、Dockerfileで変更があるレイヤ以降のみをビルドするだけで済みます。

2つめは、コンテナイメージの取得の高速化です。1つめのビルドの高速化と同様に、取得に関してもすでにキャッシュしているイメージレイヤを再利用できるため、キャッシュしていないイメージレイヤのみの取得だけで済みます(**図1-6**)。たとえば、先ほどの**リスト1-1**のDockerfileはk8spracticalguide/node:10.11.0をベースイメージとしています。もしほかのアプリケーションも同じベースイメージであれば、キャッシュを利用でき再取得する必要がありません。

3つめは、コンテナの起動の高速化です。VMはインスタンスを作成する際にイメージをコピーする必要があり、それが起動が遅い1つの原因でした。コンテナは起動時に読み込み専用のイメージレイヤの上位として書き込み可能なレイヤを作成します(**図1-6**)。コンテナ内のファイルの作成、変更、削除はすべてこの書き込み可能なレイヤに記録されます。これにより、コンテナは起動時にコンテナイメージのコピーが不要となるため、非常に高速な起動を実現しています。また、キャッシュを利用できることで、ストレージ容量を節約できるメリットもあります。

図1-6 コンテナイメージとコンテナ

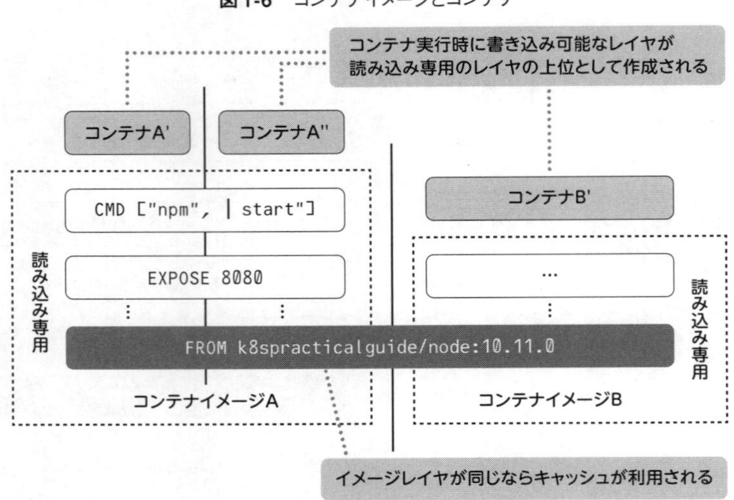

Dockerとコンテナの登場、そしてKubernetesへ

これまででコンテナを仮想化技術であるVMと比較してきましたが、Dockerにおけるコンテナは、パッケージングシステム（aptやyum）とプロセス管理システム（systemd）と比較したほうが、わかりやすいかもしれません。Dockerは、1つのアプリケーション（プロセス）を確実に実行し、高速なデリバリを実現するために、Linuxコンテナ技術を利用しているにすぎません。

コンテナイメージやコンテナネットワークなど、コンテナに関する仕様の多くは標準化されており、必ずDockerを利用しなければならない状況ではなくなっています。Kubernetesにおいてもコンテナの実行にDocker以外を利用できるようになっています。それでも、2018年現在も利用者の多さからDockerが広く利用されています。

コンテナは、それまでのChefやPuppetなどの構成管理ツールを利用した一連の手続きによるサービス構成とはまったく異なる概念をサービス開発にもたらしましたが、コンテナイメージを実行するVMの管理は引き続き開発者が行う必要がありました。そこで登場したのがコンテナオーケストレーションツール、Kubernetesです。Kubernetesはコンテナの特徴であるイミュータブルでポータブルな性質を利用して、さまざまな強力な機能を開発者に提供します。

1.1.3 頻繁なデプロイを可能にする「宣言的設定」

ここからは、Kubernetesの特徴を説明していきます。最初は、Kubernetesでどのようにサービスの構成を管理するかを見ていきます。

Kubernetesにおけるサービスの構成管理は、デプロイした結果のサービスの状態を設定ファイルに記述する「宣言的設定」で行います。これはこれまでの命令的設定（一連の手続きによる変更）が壊れやすく、ロールバックが難しいことと比較して、確実性が高くロールバックが容易なデプロイを実現します（**図1-7**）

図1-7 命令的設定と宣言的設定の違い

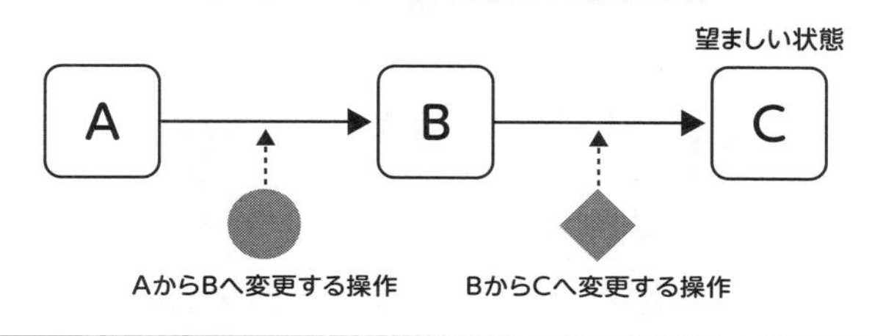

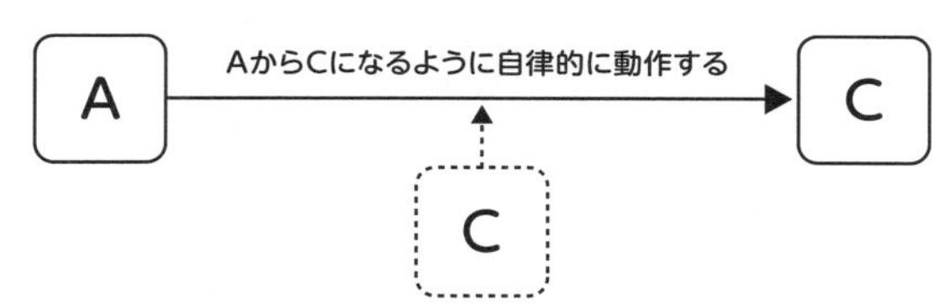

一般的な「AからBへ変更する操作を実行してから、BからCへ変更する操作を実行する」のような命令的設定による変更は、各命令が実行される前の状態に依存していることで、いくつか問題があります。たとえば、一部のホストで把握していない変更が加えられていたとします。その場合、手続きの前提条件が満たされずに正常に実行されない可能性があります。また、この方法は変更していくことはできても問題があった際にロールバックすることは容易ではなく、開発者はデプロイにリスクを感じるでしょう。それは、デプロイ頻度の低下につながり、開発された新しいサービスの価値がエンドユーザに届けられるまでに時間がかかることを意味します。

Kubernetesにおけるデプロイは、このような命令的設定によるものではなく、デプロイした結果の「望ましい状態（構成）」を設定ファイルに記述する「宣言的設定」で行います。開発者は、サービスの望ましい状態を記述した設定ファイルをKubernetesに反映します。Kubernetesは、「現在のサービスの状態を、設定ファイルに記述された望ましい状態に一致させる」ように変更します。そのため、事前にどのような変更が加えられていても、ゼロからであっても、必ず同じ状態になること（べき等性）が保証されます。また、その性質から宣言的設定におけるロールバックは、以前の戻したい時点の設定ファイルで再度デプロイするだけです（**図1-8**）。

図1-8 宣言的設定におけるロールバック

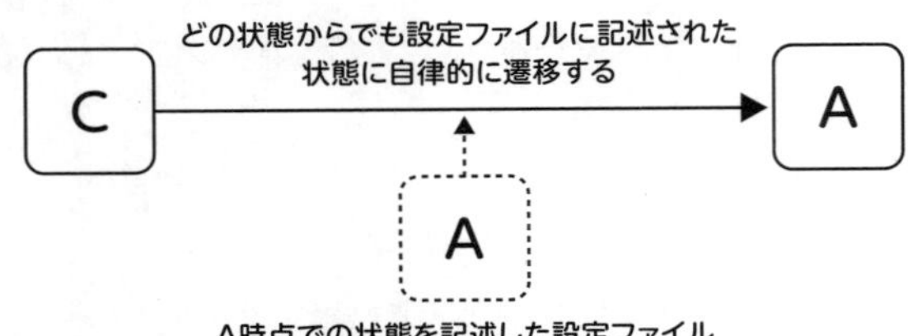

リスト1-2は、実際のKubernetesにおける望ましい状態を記述した設定ファイルです。この設定ファイルでは、「nginx:1.15.5のコンテナがクラスタで3つ実行されていること」と宣言されています。この設定ファイルについては、本章の後半で詳しく説明します。

このKubernetesの宣言的設定によるデプロイは、現在の状態に左右されず必ず設定ファイルに記述した「望ましい状態」になることと、ロールバックが容易なことから、デプロイの不確実性が低くリスクが小さいため、頻繁なデプロイを実現できます。その結果、新たなサービスの価値をエンドユーザにいち早く届けることで、より早く多くのフィードバックを得ることにつながります。

リスト1-2 Kubernetesにおける宣言的設定

```
apiVersion: apps/v1
kind: ReplicaSet
metadata:
  name: my-rs
spec:
  replicas: 3  …コンテナを作成する数
  selector:
    matchLabels:
      app: my-rs
  template:
    metadata:
      labels:
        app: my-rs
    spec:
      containers:  …コンテナの設定情報
      - name: nginx
        image: k8spracticalguide/nginx:1.15.5  …コンテナイメージの指定
```

1.1.4　強力な自己回復機能「セルフヒーリング」

宣言的設定の解説でも述べたように、Kubernetesはサービスの現在の状態を、望ましい状態に一致させるように動作します。しかし、これは望ましい状態が変更されたときだけではありません。サービスの現在の状態に変更があったとしても望ましい状態に一致させるように動作します。これにより、Kubernetesは強力な自己回復機能「セルフヒーリング」を実現しています。

たとえば、何らかの理由によってKubernetesを構成するノードが突然壊れたとします。物理的な機器は常に壊れる可能性があるためしかたがないことですが、そのノード上にデプロイされていたコンテナがいなくなることでサービスを継続して提供できなくなるかもしれません。そのとき、Kubernetesは「現在実行されているコンテナ数」が「実行されているべきコンテナ数（望ましい状態）」に一致していないことを把握し、必要な数のコンテナを健全なノード上に新たにデプロイします。つまり、これまでサービス運用者が行う必要があった復旧作業をKubernetesが自動的に行います。**図1-9**は、3ノードのクラスタのうち1ノードで障害が発生してもクラスタの望ましい状態が維持される例です。

図1-9　セルフヒーリングによって望ましい状態が保たれる

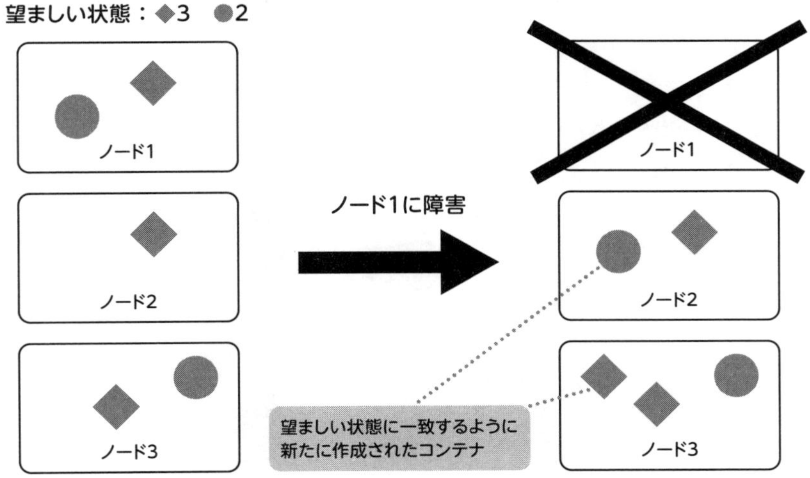

この強力なセルフヒーリングによって、開発者はKubernetesで高い信頼性を持つサービスを構築できます。運用者は休日にノードが数台ダウンしたとしてもサービスを継続して提供するのに十分なノードが残っている限り、翌営業日に対応すればいいのです。さらに、一部のマネージドKubernetesサービスではノードの自動復旧にも対応しています。その結果、自動化などのサービス運用の改善に対して多くの時間を使うことができます。

1.1.5 VM中心ではなく「コンテナ中心のインフラ」

これまでのVMを利用したサービス開発では、一般的にフロントエンドサーバやAPIサーバのような役割に応じてVMを用意していました。役割によって実行に必要なCPUやメモリなどのリソースが異なるため、サービスをスケールさせる単位はそれら役割ごとのVMでした。このやり方には次のような課題があります。

- アプリケーションの仕様変更により実行に必要なリソースが足りなくなると、より大きなVMに移行する必要がある
- 逆に必要なリソースが減ると、リソースが余り無駄なコストがかかる
- サービスの成長によりVMの数が増えるにつれ、管理コストも増大する

Kubernetesは、複数のノード（物理マシンやVM）を1つのクラスタ（大きなリソースプール）として扱うことで、物理マシンやVMを抽象化します（**図1-10**）。開発者がクラスタにコンテナをデプロイすると、Kubernetesはそのコンテナの実行に必要なリソース要求や各ノードの空きリソースの状況などを踏まえて、適切なノードで実行されるようにコンテナをスケジュールします。コンテナが互いに分離される特徴から、異なる役割を持つ複数のコンテナが1つのノードで実行されます。これはノードが特定の役割を持たないことを意味します[注5]。もし特定のコンテナで実行に必要なリソース要求が増えたとしても、その要求を満たすノードに再スケジュールされます。クラスタ全体としてリソースが足りなくなっても、これまでのようにVMの役割を気にすることなく、ただ新しいノードを追加すればいいだけです。役割を持たないノードはイミュータブルで、その数が数百、千となっても、管理にこれまでのような大きなコストはかかりません。また、クラスタレベルでキャパシティプランニングやリソース需要の分析ができることで、これまでより精度の高い予測をできるようになるでしょう。

図1-10 クラスタはノードの集合体

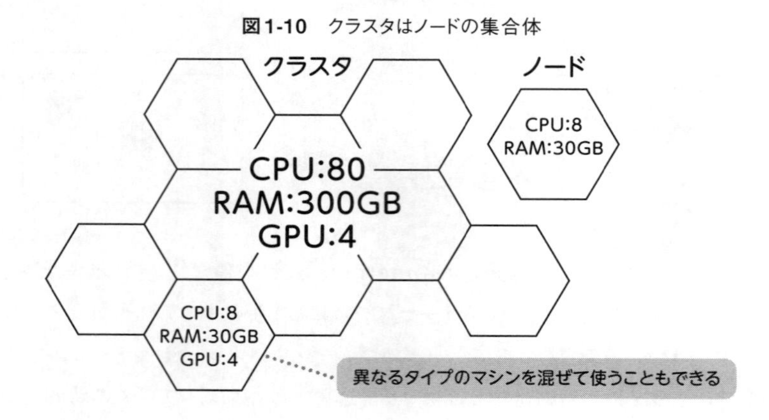

注5　ノードに役割を持たせることは可能です。たとえば、GPUを利用するコンテナをそれを持つノードにスケジュールすることなどができます。

VMの抽象化に加えて、KubernetesはVMやロードバランサ、永続ストレージなどのITインフラをアプリケーション指向に抽象化したAPIオブジェクトを持っています。開発者は、このオブジェクトを利用してサービスの構成を宣言的に定義し、Kubernetesクラスタに反映することでサービスをデプロイします。ステートレスなアプリケーションに限らずステートフルまで表現する多くのオブジェクトが用意されており、開発者はそれらを利用してサービスを構成できます。APIオブジェクトについては、本章の後半でより詳しく説明します。

Kubernetesでは、開発者がコンテナの実行に必要なCPUやメモリなどのリソース要求を定義することで、適切なノードにコンテナが自動的にスケジュールされ実行されます。これまでのようなVMの役割や数を意識することはありません。また、Kubernetesの持つアプリケーション指向のAPIオブジェクトのおかげで、開発者はコンテナを利用しつつも、VMやロードバランサなどに相当するオブジェクトを利用してサービス構成を宣言的に表現できます。Kubernetesは、これら2つの抽象化によりVM中心ではなくコンテナ中心のインフラを実現しています。

1.1.6　ベンダーロックインされない「クラウド・ポータビリティ」

サービスを構築するうえで必要なITインフラであるロードバランサや永続ストレージなどをプロビジョニングする（動的に割り当てる）サービスは、一般的にGoogle Cloud Platformなどのパブリッククラウドや OpenStackなどを利用したプライベートクラウドから提供されます。しかし、クラウドサービスはそれぞれで異なるAPIを持っているため、開発者はそれぞれ独自の操作方法を会得しなければならず、特定のクラウドサービスにロックインされるリスクがあります。

Kubernetesは、クラウドサービスが提供するITインフラを抽象化するAPIを備えています。これによって開発者はどのパブリッククラウド、プライベートクラウドでも同じ方法でサービスを構成できます。このようなクラウドサービスを抽象化するしくみは、特定のクラウドサービスへの依存度を下げ、ロックインされるリスクを小さくできます。

2018年現在では、複数のパブリッククラウドを組み合わせて利用するマルチクラウドや、パブリッククラウドとプライベートクラウドを組み合わせたハイブリッドクラウドなど、それぞれの環境の特徴を活かしたサービス展開の事例も増えつつあります。Kubernetesのクラウドサービスを抽象化するしくみを利用することで、単純に複数のクラウドサービスを組み合わせて利用するものから、それらを同じものとして扱うもう1段上のレベルのマルチクラウドやハイブリッドクラウドが実現できるでしょう。

Kubernetesの読み方

COLUMN

Kubernetesは、まず「読み方がわからない」と言われます。これは英語話者でも同様で、それはこの単語が「船の舵取り」の意味であるギリシャ語からきているためです。Kubernetesのco-founder（共同創設者）で、2018年6月現在MicrosoftのDistinguished EngineerであるBrendan Burns氏は、Kubernetesの読み方をTwitterで尋ねられた際に「チームでは“koo-ber-net-ees”、または“k8s”（k-eights）と言っているよ」と回答しています（**図1-11**）。

図1-11 Brendan Burns氏のツイート[注6]

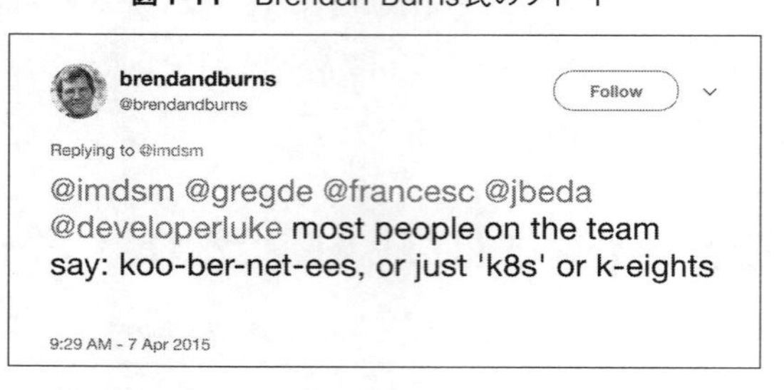

日本のコミュニティにおいてもたびたびこの話題になりますが、「クバネテス」、「クーバネティス」、「クーベ」やKubernetesの略語である“k8s”[注7]から「ケイエイツ」、「ケイハチエス」などの読み方をよく耳にします。

1.2 Kubernetesが解決する課題

ここでは、Kubernetesによってどんな課題が解決され、どんなメリットがあるのかについて説明します。とくにKubernetesと一緒に語られることの多い、マイクロサービスの観点から見ていきます。次に具体的に解決される課題について、インフラとアプリケーションの側面から見ていきます。

1.2.1 マイクロサービスとKubernetes

マイクロサービスは、アプリケーション開発手法の1つです。この手法では、アプリケーションを複数の小さ

注6 https://twitter.com/brendandburns/status/585479466648018944

注7 KubernetesのKからsまでの文字数が8文字であることから。Internationalization（多言語化）がi18nと略されるのと同様です。

なサービスに分解し、それらを組み合わせて1つのアプリケーションを実装します。各サービスは独立した小さなアプリケーションであるため、開発やデプロイを個別に行えるようになり、変化に迅速に対応できるメリットがあります。また、各サービスの担当チームの人数を少なくできます。小さなチームはコミュニケーションコストが小さく高いパフォーマンスを発揮できます。一方で、運用するコンポーネントが増え、構成が複雑になるため、新たな管理上のコストが生じます。Kubernetesはマイクロサービスでの利用に限定されたソフトウェアではありませんが、マイクロサービスを採用したアプリケーションをKubernetes上で動かすことには大きなメリットがあります。

これまでのコンポーネントごとにサーバを分けて管理する方法は、従来の一枚岩のアプリケーション（モノリシック）に比べて管理すべきサーバの数や種類が増え、管理コストが膨らみます。また、コンポーネントごとに冗長化が必要になるため、有効活用されないリソースの隙間（すきま）が増えてしまう課題があります。

この課題を解決するものとしてHerokuやCloud FoundryのようなPaaS（Platform as a Service）があります。PaaSはサーバやランタイムを抽象化し、アプリケーション開発に専念できる点で優れています。一方で、自由度の点ではIaaS（Infrastructure as a Service）に比べると制限があり、既存のミドルウェアやステートフルなアプリケーションなど、PaaS上で運用するのが難しいものもあります。

Kubernetesは、IaaSとPaaSの中間に位置づけられ、IaaSの自由度とPaaSのインフラ抽象化の両方をバランス良く実現しています（**図1-12**）。インフラ層は抽象化され、サーバ管理の課題が解決される一方で、ランタイムやミドルウェアは制限されず、コンテナ技術によってアプリケーションをまとめて管理できます。また、永続ストレージやロードバランサ、ローカルディスクなどIaaSの機能をそのまま利用でき、幅広い種類のアプリケーションを運用できます。Kubernetesを実行基盤としたPaaSであるOpenShiftや、FaaS（Function as a Service）であるOpenFaaS、kubelessなど、さまざまなものが登場していることからも、扱えるアプリケーションの範囲が広いことがわかります。

図1-12　KubernetesとIaaS、PaaSの比較

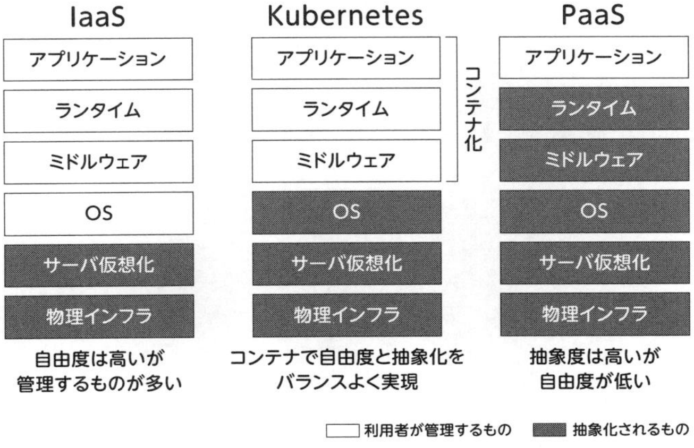

もちろんPaaSに比べればアプリケーション開発者が管理すべきものは多くなります。また、IaaSで動作していたアプリケーションの中には、Kubernetesで動かせないものもあるかもしれません。しかし、マイクロサービス化の流れによって、コンポーネントがより細かく多種多様になっていく時代にKubernetesの抽象化のバランスはアプリケーション実行環境の基盤として「ちょうど良い」と考えられます。

1.2.2 Kubernetesが解決するインフラ面の課題

Kubernetesは、インフラを抽象化することで、さまざまなインフラの課題を解決します。

サーバ管理コスト

従来のサーバ管理方法では、アプリケーションが依存するランタイムやライブラリをサーバに直接インストールすることが一般的でした。アプリケーションとサーバがひもづいたサーバ管理は、アプリケーションの種類が増えると管理するサーバの種類が増え、管理コストが膨らむ課題があります。

Kubernetesは、コンテナ技術でサーバとアプリケーションを分離することでこの課題を解決します。コンテナ化されたアプリケーションは、Kubernetesが管理するノードという汎用的なサーバ上に自動的に配置されます。アプリケーションの種類が増えたり規模が大きくなったりしても、Kubernetesを構成するマスタとノードという2種類のサーバ群[注8]だけを管理すれば良くなり、アプリケーションに依存したサーバ管理から解放されます。また、Kubernetesのマネージドサービスを利用すれば、このサーバ管理もクラウドプロバイダに任せられます。

アプリケーションによっては、大量のメモリやGPUといった特別な環境を必要とすることで、サーバタイプを分けたいことがあるかもしれません。Kubernetesは複数の種類のノードを混ぜるといった柔軟な運用もでき、アプリケーション基盤としてちょうど良いバランスでインフラの抽象化を実現してくれます。

リソースの利用効率

アプリケーションごとにサーバを分けて運用する場合、どうしてもリソース（CPU、メモリなど）の隙間が生まれてしまいます。とくにマイクロサービスのような複数の小さなアプリケーションを運用する場合、冗長化もそれぞれ必要で、この隙間の合計は無視できないものとなります（**図1-13**）。

注8　構成しだいですが、2種類が一般的な構成です。

図1-13 サーバリソースの隙間問題

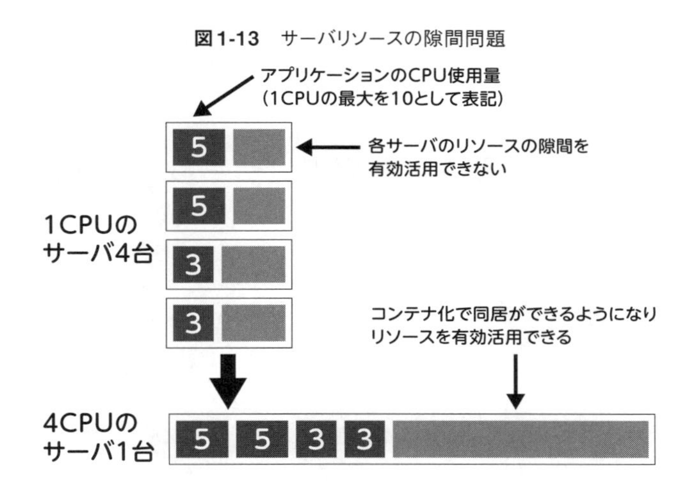

解決策として1台のサーバに複数のアプリケーションをデプロイする方法があります。しかし、サーバ上のライブラリやネットワークポートなどの各種リソースが共有されるため、同居するアプリケーション間の調整が必要になります。また、どのアプリケーションを同居させれば利用効率が最大化するか考える必要があります。

Kubernetesは、コンテナ技術によってアプリケーション間が分離されているため、互いを気にすることなく1つのサーバ上に複数のアプリケーションが同居できます。また、アプリケーションにはそれぞれ異なるIPアドレスが割り当てられるため、ほかのアプリケーションとのポート番号の衝突を気にする必要がありません。リソース効率を考慮したアプリケーションの配置もKubernetesが自動的に行います。

Kubernetesのこの特徴によって、サーバのリソース利用効率が向上します。リソースの隙間が少なくなることで、全体として用意すべきリソースが少なくなり、コストの削減が実現できます。

サーバの監視、障害対応

サーバの死活監視やリソースの逼迫(ひっぱく)などの監視に関しても、Kubernetesが自動で行います。Kubernetesは問題のあるサーバを自動的にクラスタから外し、そのサーバで動作していたアプリケーションをほかのサーバ上に再配置します(セルフヒーリング)。また、サードパーティのアドオン[注9]を利用することで、カーネルログの監視や独自のサーバのログ監視といった詳細な障害検知も定義できます。Kubernetesのマネージドサービスである Google Kubernetes Engineでは、このアドオンに基づいた監視でノードの自動修復の機能[注10]も提供しています。

この特徴により、サーバ1台1台の状態を気にする運用から解放され、クラスタ全体のリソース管理を行うだけで良くなります。また、クラスタ全体のリソースに関しても、アプリケーションの要求するリソースに応じて自

注9 https://github.com/kubernetes/node-problem-detector

注10 Google Kubernetes Engineのノードの自動修復は、2018年8月時点でベータ機能です。

動的にクラスタにサーバを追加／削除するクラスタオートスケーラ[注11]を利用することで、オートスケールも実現できます。

1.2.3 Kubernetesが解決するアプリケーション面の課題

次にアプリケーションの側面で解決される課題を見ていきます。

アプリケーションの依存関係

開発したアプリケーションを本番環境にデプロイしようと思ったとき、依存関係をどう解決するかというパッケージングの課題があります。

アプリケーションの依存は大きく分けると言語ランタイム（Node.jsやJavaなど）とそのライブラリの2つがあります。ランタイムはaptやyumなどのディストリビューションごとのパッケージ管理システムがあり、ライブラリはnpmやMavenなど言語ごとに独自のしくみがあることが一般的です。ディストリビューションのパッケージはサーバ全体に影響があり、また、異なるバージョンを同時に扱いにくいなどの課題があります。各言語のパッケージマネージャーはライブラリの依存関係を解決してくれますが、言語ごとに違うこともあり、本番環境のセットアップの用途としては不向きです。

Kubernetesは、コンテナ技術によってアプリケーションを「依存するランタイムとライブラリを1つにまとめたコンテナイメージとして管理します（**図1-14**）。ランタイムとライブラリというアプリケーションが依存する2つが内包されたことにより、サーバへの依存がなくなり、再現性の高いデプロイが可能になります。また、言語によらず開発した成果物をコンテナイメージに統一できます。

図1-14 コンテナによる依存関係のパッケージング

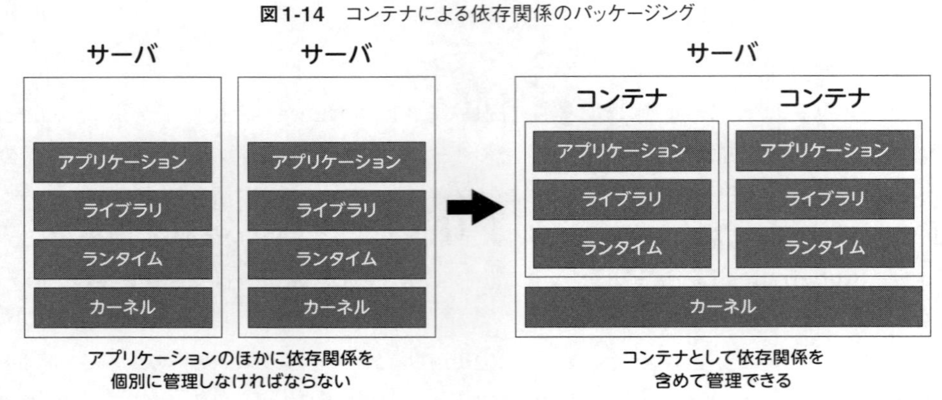

注11 https://github.com/kubernetes/autoscaler/tree/master/cluster-autoscaler

サービスディスカバリ

マイクロサービスでアプリケーションを構成する場合、各サービスに接続するための情報（IPアドレスやポート番号）をどうやって知るかという課題があります。この課題を解決するしくみはサービスディスカバリ（サービスの発見）と呼ばれており、Kubernetesでは環境変数とクラスタ内のDNSにより提供されています。

Kubernetesが標準でサービスディスカバリを提供していることで、急速なアプリケーションの成長に対応できます。

サービス間通信

マイクロサービス間の通信が複雑になるにつれて、サービス間の認証やモニタリング、タイムアウトやリトライなどの制御といった新たな課題が生まれています。これに対して、Kubernetes上にデプロイできるIstio[注12]のようなサービスメッシュと呼ばれるプロダクトが登場してきています。サービスメッシュは、サービス間通信の制御は透過型のプロキシ[注13]として実装されており、アプリケーションに変更を加えることなくマイクロサービスの新たな課題を解決します。

サービスメッシュはKubernetesが直接解決している課題ではありませんが、Kubernetesの拡張性の高さと抽象化によってサービスメッシュのようなレイヤが実現可能になっています。

Kubernetesのこれまで

COLUMN

Kubernetesのほかにも近いコンセプトのソフトウェアやサービスがある中で、何がKubernetesをデファクトスタンダードにしたのでしょうか。ここでは、3つの要因を紹介します。

①活発なコミュニティによる貢献

1つめは、Googleが2015年7月にKubernetes v1.0がリリースされると同時に、新たに組織されたCloud Native Computing Foundation (CNCF) にプロジェクトを寄贈したことです。OSSを好み、特定の企業に大きく依存するリスクを嫌う風潮と、コミュニティ主体のプロジェクトとなったことで、多くの企業が開発に加わるようになりました。その結果、ほかのプロジェクトと比較してコミュニティが非常に活発になりました。

Kubernetesの急激な成長は、コミュニティの貢献によるものだと考えています。

②マネージドKubernetesサービスによる、本番環境での事例、ノウハウの蓄積

2つめは、マネージドKubernetesサービスの存在です。Kubernetesは、けっして構築が簡単とは言えない中[注14]で、2017年8月、GoogleがマネージドKubernetesサービスのGoogle Container Engine（2017年11月にGoogle Kubernetes Engineに改名）を一般公開しました。開発者はワンクリックでKubernetes

注12 https://istio.io/

注13 透過型プロキシは、開発者が意識することなくアプリケーションのリクエストとレスポンスが必ず中継されるように設定されたサーバのことです。

注14 当初ゼロからの構築は難しいと言われていましたが、その後のkopsやkubeadmなどのクラスタを構築するソフトウェアの登場によりさほど難しくなくなりました。

クラスタを作成できるようになり、利用開始までのコストが最小化されました。

マネージドKubernetesサービスが登場し、Kubernetesの本番環境での利用が増えたことで、事例やノウハウが蓄積・共有され、普及につながったと考えています。

③主要クラウドプロバイダのCNCF加入

3つめは、2017年7月ごろに、大手クラウドプロバイダであるMicrosoftとAmazon Web Services (AWS) がCNCFへ加入したことです。これによって、すべての大手クラウドプロバイダがKubernetesに取り組んでいくことが明確になりました。また、CNCF加入に続いて2017年10月に、MicrosoftはAzure Container Service (2018年5月にAzure Kubernetes Serviceに改名) でKubernetesのサポートを開始し、その翌月にはAWSが米国ネバダ州ラスベガスで開催された「AWS re:Invent 2017」で、マネージドKubernetesサービスであるAmazon Elastic Container Service for Kubernetes (Amazon EKS) を発表しました。Amazon EKSは、2018年6月に一般公開 (GA) となりました。

MicrosoftとAWSのCNCFへの加入、そして各社のマネージドKubernetesサービスのリリースは、Kubernetesがコンテナオーケストレーションツールのデファクトスタンダードになったことを決定づけました。

1.3 Kubernetesオブジェクト

Kubernetesでは、アプリケーションの構成をKubernetesオブジェクト（おもにVMや永続ストレージ、ロードバランサなどのITインフラをアプリケーション指向に抽象化したもの。APIオブジェクトとも言う）を使って表現します。さまざまな性質のアプリケーションをデプロイするために、多くの種類のオブジェクトが提供されています。ここでは代表的なオブジェクトを説明します。

1.3.1 Namespace —— 論理的にクラスタを分割する

Namespaceは、クラスタを論理的に複数のクラスタに分割します（**図1-15**）。Namespaceを分ける単位は、ステージングや本番のような環境であったり、マルチテナントのために管理するチームであったり自由です。そのほかに、特定のNamespaceにアプリケーションをデプロイできるチームを制限したり、利用できるCPU、メモリなどのリソースを制限したりできます。特殊なNamespaceとして、デフォルトで作成されるdefault Namespaceやシステムコンポーネントが管理されるkube-system Namespaceなどがあります。

図1-15　Namespace（論理的にクラスタを分割する）

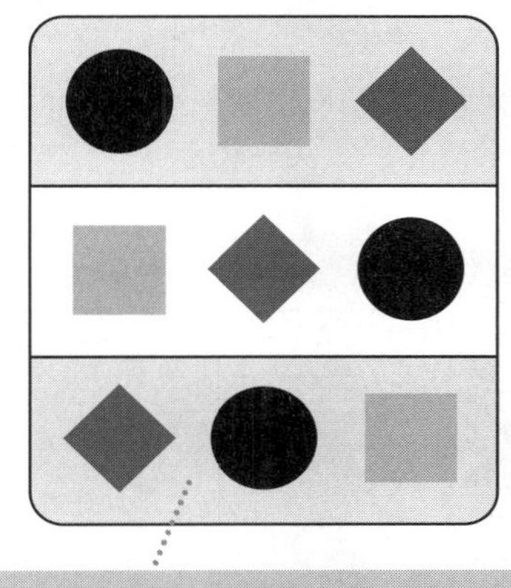

リスト1-3は、my-namespaceという名前のNamespaceオブジェクトのマニフェストです。このように、KubernetesオブジェクトをYAMLまたはJSON形式で表したものをマニフェストと言います。(a) のようにオブジェクト名はすべてのオブジェクトで共通して`metadata.name`フィールドで設定します。

リスト1-3　Namespaceオブジェクトのマニフェスト（my-namespace.yaml）

```
apiVersion: v1
kind: Namespace
metadata:
  name: my-namespace  …(a)オブジェクト名
```

Kubernetesの多くのオブジェクトはNamespaceに属します。それらは「Namespaceレベルのオブジェクト」や「ネームスペースド（namespaced）オブジェクト」と言います。Namespaceレベルのオブジェクトは、Namespace単位で名前がユニーク（一意）でなければなりません。次項で説明するPodオブジェクトはNamespaceレベルのオブジェクトなので、たとえば、my-podという名前のPodオブジェクトは、1つのNamespaceの中に複数作成できません。そこで、Namespaceを分けることにより同じ名前のオブジェクトを複数作成できます。

逆に、Namespaceに属さないオブジェクトは「クラスタレベルのオブジェクト」や「ネームスペースドではない（non-namespaced）オブジェクト」と言います。それらのオブジェクトはクラスタ単位で名前がユニークでなければなりません。もちろんNamespaceオブジェクト自体は、Namespaceに属せないのでクラスタレベルのオブジェクトです。そのほかにもノードを表すNodeオブジェクトや払い出されたストレージを表すPersistentVolumeオブジェクトなどがあります。クラスタレベルのオブジェクトを扱うには、Namespaceレベルのオブジェクトの操作と比較してクラスタ管理者の強い権限が必要です。クラスタ操作の権限については、

第5章の後半で詳しく説明します。

Kubernetesのほとんどのオブジェクトは Namespace レベルのオブジェクトで、クラスタレベルのオブジェクトは多くありません。それらを知るにはKubernetesのCLIである`kubectl api-resources`コマンドが利用できます。`--namespaced`オプションを利用することで、Namespaceレベルのオブジェクトだけ、またはクラスタレベルのオブジェクトだけを絞り込むこともできます。

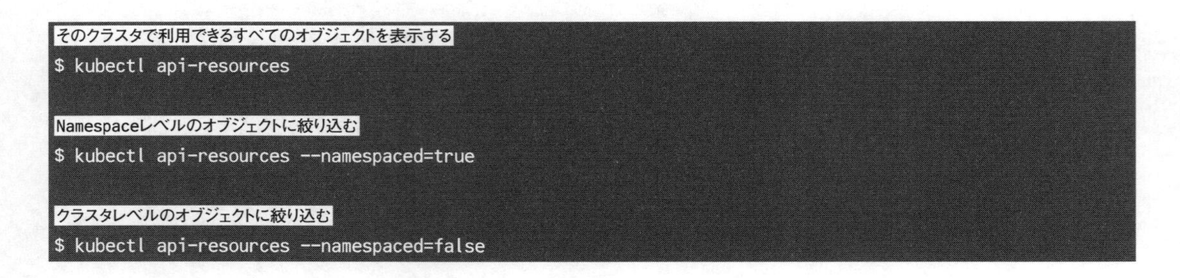

```
そのクラスタで利用できるすべてのオブジェクトを表示する
$ kubectl api-resources

Namespaceレベルのオブジェクトに絞り込む
$ kubectl api-resources --namespaced=true

クラスタレベルのオブジェクトに絞り込む
$ kubectl api-resources --namespaced=false
```

1.3.2　Pod —— デプロイの最小単位

Podは、Kubernetesにおけるデプロイの最小単位で、ボリューム（ストレージ）とネットワークを共有する1つ以上のコンテナのグループです（**図1-16**）。Pod内のコンテナは必ず同じノードに展開され、ボリュームを共有することで同じファイルを参照できますし、ネットワークも共有しているため、Pod内のコンテナ同士はローカルネットワーク（127.0.0.1）で通信できます。このことから、Pod内のコンテナをVMにおけるプロセスととらえることで、Podを「論理的なホスト」として見ることができます。

図1-16　Pod（複数のコンテナとボリューム）

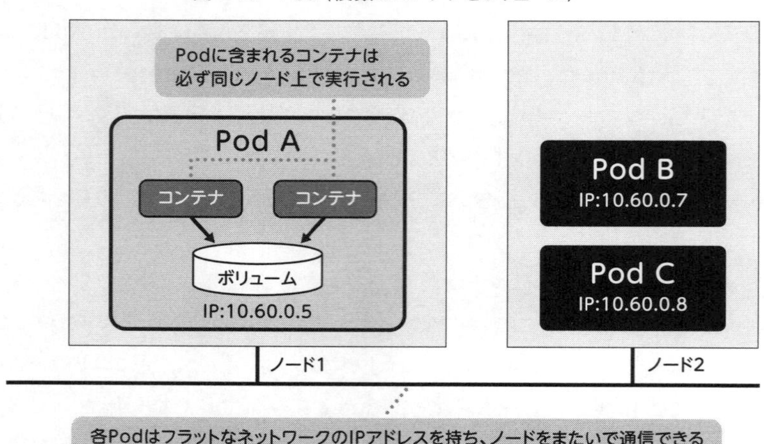

Podのマニフェストを見てみましょう(**リスト1-4**)。my-podという名前のPodオブジェクトです。このマニフェストをクラスタに展開することでPodオブジェクトが作成され、その後、いずれかのノードでコンテナが実行されます。(a)のspec.containersフィールドはPodに含むコンテナのリストを定義します。ここでは、Webサーバであるnginxのコンテナイメージを指定しています。

リスト1-4 Podオブジェクトのマニフェスト(my-pod.yaml)

```
apiVersion: v1
kind: Pod
metadata:
  name: my-pod  …このオブジェクトの名前
spec:
  containers:  …(a)Podに含むコンテナのリスト
  - name: nginx  …コンテナの名前
    image: k8spracticalguide/nginx:1.15.5  …コンテナイメージ
    ports:
    - containerPort: 80
```

実際にこのマニフェストからオブジェクトを作成するには、kubectl applyコマンドを利用します。Podに限らず、すべてのオブジェクトをこのコマンドで作成します。

```
リスト1-4のマニフェストが記述されたmy-pod.yamlをクラスタに適応する
$ kubectl apply -f my-pod.yaml
pod/my-pod created

Pod my-podの情報を取得する
$ kubectl get pod my-pod
NAME      READY     STATUS    RESTARTS   AGE
my-pod    1/1       Running   0          2m
```

kubectl getコマンドはオブジェクトの情報を取得するコマンドです。ここでは作成したPod my-podの情報を取得しています。出力されている中で、Podの状態を表すSTATUSがRunning(稼働中)となっているため、ここではコンテナが正常に稼働していることがわかります。そのほかにSTATUSには**表1-1**のようなものがあります。

表1-1 おもなPodのSTATUSの値と説明

値	説明
Pending	Podオブジェクトがノードにスケジュールされていない
ContainerCreating	コンテナの作成中
Running	稼働中
Terminating	終了中
ErrImagePull	コンテナイメージの取得に失敗
CrashLoopBackOff	コンテナの頻繁な起動と終了
Completed	Pod内のすべてのコンテナが正常終了（再起動しない）
Error	Pod内のすべてのコンテナが終了し、1つ以上のコンテナが異常終了（再起動しない）
Unknown	なんらかの理由でPodの状態が取得できない

作成したオブジェクトはkubectl deleteコマンドで削除します。

```
マニフェストファイルに含まれるオブジェクトの削除
$ kubectl delete -f ./my-pod.yaml
pod "my-pod" deleted

または、オブジェクト名を指定して削除することもできる
$ kubectl delete pods my-pod
```

Kubernetesの初学者によくある間違いとして、Podにアプリケーションサーバとデータベースを同梱してしまうということがあります。これはアンチパターンの1つです。PodはKubernetesにおけるデプロイの最小単位と述べたように、もしアプリケーションサーバとデータベースを同梱してしまっていると、それら2つのコンテナが一緒にスケールアウトされることになります。アプリケーションサーバは、一般的にステートレスで現在の状態をデータとして保持しないため、スケールアウトさせるのは容易です。一方で、データベースはステートフルで現在の状態をデータで保持します。そのため、データベースのスケールアウトは一般的に複雑な手順が必要で容易ではありません。また、通常、アプリケーションサーバとデータベースではスケールアウトさせる要件が異なるでしょう。この場合、アプリケーションサーバとデータベースは必ずしも同一のノードで実行される必要がなく、ネットワークを介してデータをやりとりできるため、Podを分けたほうが良いでしょう。

データベースのようなステートフルアプリケーションをKubernetesで扱うことはできますが、ステートレスアプリケーションと比較して難易度が高いです。格納するデータの内容などの要件によってほかの選択肢も検討したほうが良いでしょう。Kubernetesにステートフルアプリケーションをデプロイする方法は第3章の後半で説明します。

Podに複数のコンテナを同梱するパターンの1つとして、サイドカーパターンがあります。たとえば、アプリケーションサーバのログを外部の分散ストレージに保存したい場合、アプリケーションコンテナとローカルの

ファイルシステムを介してデータをやりとりするコンテナを同梱することになります。このようにメインのコンテナにサイドカーのように付属されるコンテナをサイドカーコンテナと呼びます。また、このほかにも、メインのコンテナと外部とのやりとりを中継するアンバサダーパターンや、外部からのアクセスに共通のインターフェースを提供するアダプターパターンなどがあります。

kubectl explainコマンドでオブジェクトの構造を調べてみよう

COLUMN

本項では、Podのマニフェストで必須のフィールドのみを説明しました。Podにはこのほかにも多くの任意の設定を行うフィールドがありますが、それらをすべて覚えることは難しいです。

kubectl explainコマンドは、オブジェクトやそのオブジェクトの持つフィールドを調べるコマンドです。たとえば、Podオブジェクトは次のように調べます。

```
$ kubectl explain pods
KIND:     Pod
VERSION:  v1

DESCRIPTION:
     Pod is a collection of containers that can run on a host. This resource is
     created by clients and scheduled onto hosts.

FIELDS:
   apiVersion   <string>
(..略..)
```

オブジェクトのフィールドを調べるには、ルートからのフィールドをドット区切りで指定します。たとえば、Podオブジェクトでコンテナイメージを指定するspec.containers.imageフィールドは次のように調べます。

```
オブジェクト名.フィールド名.[フィールド名] を引数に取る
$ kubectl explain pods.spec.containers.image
KIND:     Pod
VERSION:  v1

FIELD:    image <string>

DESCRIPTION:
     Docker image name. More info:
     https://kubernetes.io/docs/concepts/containers/images This field is
     optional to allow higher level config management to default or override
     container images in workload controllers like Deployments and StatefulSets.
```

本書では、「spec.containers.imageフィールド」のようにマニフェストのフィールドをkubectl explainコマンドと同じルートからのドット区切りで表現します。ぜひこのコマンドを使って、オブジェクトやフィールドを調べてみてください。

1.3.3 LabelとLabelセレクタ —— オブジェクトのグルーピング

次に、LabelとLabelセレクタです。これらはKubernetesにおける唯一のグルーピング機能で、Kubernetesオブジェクトではありませんが、非常に重要な概念なのでここで説明します。

Label

リスト1-5の(a)は、Podオブジェクトのメタ情報部分です。Podに限らずすべてのKubernetesオブジェクトは、メタ情報を保持するためのmetadataというフィールドを持っています。metadataにはオブジェクトの名前などが含まれますが、Labelは(b)のmetadata.labelsフィールドで設定します。

リスト1-5 Labelの設定

```
apiVersion: v1
kind: Pod
metadata:  …(a)すべてのオブジェクトが共通で持つメタ情報
  name: my-pod
  namespace: my-namespace
  labels:  …(b)Labelの設定
    environment: production
    release: canary
spec:
  (..略..)
```

Labelは、キー名と値で構成されます。次のリストはLabelの使用例です。

- app: web、app: api
- environment: production、environment: staging、environment: development
- release: stable、release: canary

Labelのキー名は、スラッシュ(/)で区切られた接頭詞と名前で構成されます。接頭詞の有無は任意です。63文字以下で始まりと終わりが英数字(a～z、0～9、A～Z)である必要があります。また、ハイフン(-)、アンダースコア(_)、ドット(.)と英数字を利用できます。kubernetes.io/hostnameのようなスラッシュを利用したキー名は、システムやツールが付与するものとしてよく利用されます。

Labelの値は、63文字以下で始まりと終わりが英数字（a～z、0～9、A～Z）である必要があります。また、ハイフン（-）、アンダースコア（_）、ドット（.）と英数字を利用できます。

Labelセレクタ

次に、Labelを利用してオブジェクトをグルーピングするLabelセレクタです。Labelセレクタには、2つの表現方法があります。

1つめが=、!=を使った単純な条件です（**図1-17**）。たとえば、「キー名がenvironmentで値がproductionである」を表現するとenvironment=productionになります。条件をカンマ（,）区切りで記述することで複数条件を利用できます。先ほどの条件に「キー名がreleaseで値がcanaryではない」を追加すると、environment=production,release!=canaryとなります。

図1-17　=、!=を利用したLabelセレクタ

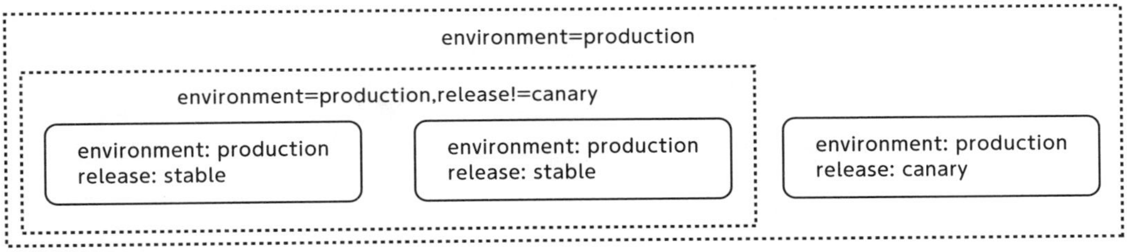

2つめがin、notin、exists（キー名の指定のみ）で表現するより高度な条件です（**図1-18**）。たとえば、「キー名がenvironmentで、値がproductionまたはqaである」を表現するとenvironment in (production, qa)になります。キー名のみの指定で、そのキー名が存在するかどうかを条件することもできます。たとえば、「キー名にreleaseを持つ」はrelease、「キー名にreleaseを持たない」は!releaseとなります。また、この条件についても複数条件をカンマ区切りで指定できます。

ここで説明した単純な条件とより高度な条件は、environment in (production, qa),release!=canaryのように同時に利用することもできます。

図1-18 in、notinを利用した高度なLabelセレクタ

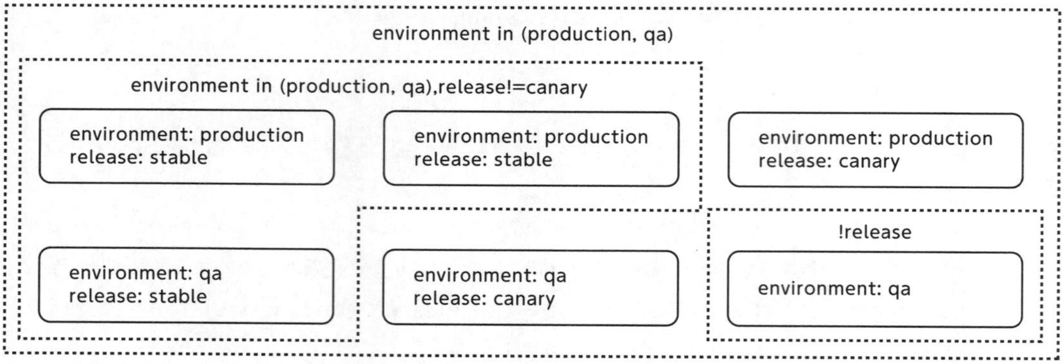

environment in (production, qa)

environment in (production, qa),release!=canary

environment: production
release: stable

environment: production
release: stable

environment: production
release: canary

!release

environment: qa
release: stable

environment: qa
release: canary

environment: qa

Labelセレクタによるオブジェクトのグルーピングは、Kubernetesのあらゆる機能で利用されています。たとえば、Podを水平スケールさせるReplicaSetオブジェクトでは、オブジェクトが管理するPodオブジェクトのグルーピングに利用されています。リクエストを分散させるServiceオブジェクトでは、分散させる対象のPodオブジェクトのグルーピングに利用されています。このように、LabelセレクタはKubernetes中で非常に重要な概念です。しっかり理解しておきましょう。ReplicaSetとServiceは、このあとで詳細を説明します。

Annotation

最後にLabelとは異なりグルーピングには利用できませんが、似たものとしてAnnotationを説明します。**リスト1-6**は、Serviceオブジェクトのメタ情報部分です。AnnotationもLabelと同様にすべてのオブジェクトで定義でき、(a)のmetadata.annotationsフィールドで設定します。構造もLabelとまったく同じですが、グルーピングには利用できません。用途としてはリリースの番号や日付などの任意の情報を入れておくなどがあります。また、kubectlやサードパーティのツールなどが一時的な情報を保持するために利用しています。**リスト1-6**の例は、Prometheus[注15]によるアプリケーションメトリクスの収集に必要な設定をAnnotationを利用して行っています。

Annotationは今後の章で登場しますので、頭の片隅に入れておいてください。

リスト1-6 Annotationの設定

```
apiVersion: v1
kind: Service
metadata:
  name: my-service
  annotations:  …(a)Annotationの設定
    prometheus.io/scrape: "true"
```

注15 Prometheusは、Kubernetesと非常に相性が良いオープンソースのメトリクスモニタリングツールです。第8章で詳しく説明します。

```
    prometheus.io/path: "/metrics"
    prometheus.io/port: "9102"
(..略..)
```

1.3.4 ReplicaSet ── 実行されているPodレプリカ数を保証する

ReplicaSetは、実行されているPodレプリカの数を保証します(**図1-19**)。ReplicaSetに定義されているPodのテンプレートをもとに、Podのレプリカ[注16]を指定された数に一致するように作成します。

図1-19 ReplicaSet(実行されているPodレプリカの数を保証)

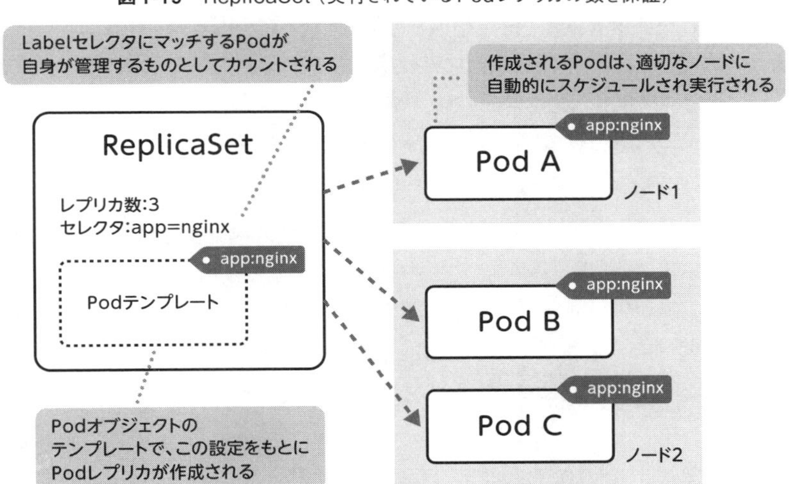

ReplicaSetのマニフェストを見てみましょう(**リスト1-7**)。my-rsという名前のReplicaSetオブジェクトです。(a)のspec.replicasフィールドは、Podレプリカの数を指定します。ここでは3つのレプリカを作成するように設定しています。次に(b)のspec.templateフィールドは、PodレプリカのもととなるPodテンプレートです。ほぼPodと同じフィールドを持っています。

リスト1-7 ReplicaSetオブジェクトのマニフェスト(my-rs.yaml)

```
apiVersion: apps/v1
kind: ReplicaSet
metadata:
  name: my-rs
spec:
  replicas: 3  …(a)Podレプリカ数
  selector:
```

注16 まったく同じ構成、設定の複製のこと。

```
    matchLabels:
      app: my-rs
  template:   …(b)Podレプリカのもととなるpodテンプレート
    metadata:
      labels:
        app: my-rs
    spec:
      containers:
      - name: nginx
        image: k8spracticalguide/nginx:1.15.5
```

ReplicaSetの責任は、単に指定された数のPodレプリカを作成するだけでなく、指定された数のPodレプリカの実行を保証することです。もし「現在正常に実行されているPodレプリカの数」が「指定されたPodレプリカの数」に足りなければ、指定されたレプリカ数に一致するようにPodテンプレートからPodオブジェクトを作成します。また、Podレプリカの数が指定されたレプリカ数より多ければ、Podオブジェクトを削除します。このしくみによってセルフヒーリングが実現されていて、ノードの障害などで正常なPodの数が足りなくなれば、自動的にPodオブジェクトが再作成され、ほかの健全なノードにスケジュールされ実行されます。

ここまで見てきたとおり、Pod単体ではスケールを管理できないため、基本的にはPodを直接開発者が利用することはありません。また、ReplicaSetもPodレプリカの数を管理する責任だけを持っており、Podレプリカをどのようにアップデートするかの責任を持ちません。そのため、Podと同様にReplicaSetも開発者が直接利用することはありません。我々が利用するのは次に説明するDeploymentです。

リスト1-7のReplicaSetオブジェクトの名前はmy-rsでした。rsというのはReplicaSetの略称です。Kubernetesオブジェクトの名前はものによって長いため、たびたび略称が使われます。オブジェクトの略称は`kubectl api-resources`コマンドで知ることができます。

1.3.5 Deployment —— デプロイ戦略とロールバック

Deploymentは、ReplicaSetとPodのアップデートを提供します(**図1-20**)。前項で説明したとおり、ReplicaSetはPodを指定されたレプリカ数分作成することだけに責任を持つオブジェクトで、Podの更新はできませんでした。Deploymentは、ReplicaSetを管理し、実行されているPodレプリカの数を一定に保ちながら徐々に新しいPodオブジェクトに更新します。また、更新前の状態を保持していることでロールバックも提供します。

図1-20 Deployment（ローリングアップデートとロールバック）

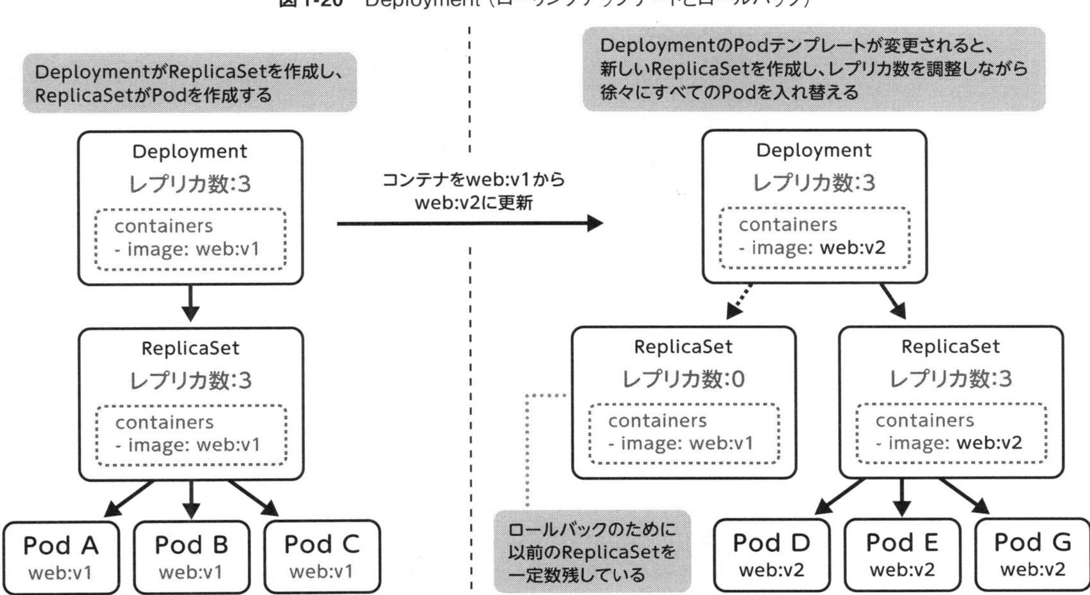

Deploymentオブジェクトのマニフェストを見てみましょう（**リスト1-8**）。my-deployという名前のDeploymentオブジェクトです。見てわかるとおり、ほぼReplicaSetと同じです。

リスト1-8 Deploymentオブジェクトのマニフェスト（my-deploy.yaml）

```
apiVersion: apps/v1
kind: Deployment
metadata:
  name: my-deploy
spec:
  replicas: 3  …Podレプリカの数
  strategy:  …(a)デプロイ戦略の指定
    type: RollingUpdate
    rollingUpdate:  …(b)RollingUpdateの設定
      maxSurge: 25%
      maxUnavailable: 25%
  selector:
    matchLabels:
      app: my-deploy
  template:  …Podテンプレート
    metadata:
      labels:
        app: my-deploy
```

```
spec:
  containers:
  - name: nginx
    image: k8spracticalguide/nginx:1.15.5
```

(a) のspec.strategyフィールドは、どのようにPodレプリカを更新するかのデプロイ戦略を指定します。ここではデプロイ戦略としてRollingUpdateを指定しています（デフォルト値)。RollingUpdateは、新しいPodレプリカを一定数作成しつつ古いPodレプリカを一定数削除することを続けて更新する戦略です。(b) のspec.strategy.rollingUpdateフィールドで詳細を設定できます。

maxSurge

・更新中にspec.replicasフィールドで指定したPodレプリカ数を上回って新しいPodを作成することを許容する数。5のような絶対値、もしくは20%のような百分率を指定できる。デフォルトは25%(端数切り上げ)。maxUnavailableが0の場合、0に設定できない

maxUnavailable

・更新中にspec.replicasフィールドで指定したPodレプリカ数を下回って古いPodを削除することを許容する数。5のような絶対値、もしくは20%のような百分率を指定できる。デフォルトは25%(端数切り捨て)。maxSurgeが0の場合、0に設定できない

たとえば、Podレプリカ数が10、maxSurgeが25%、maxUnavailableが25%に設定されているとします。この場合、更新開始と同時に25%（3個）の新しいPodの作成が始まり、一時的に指定したPodレプリカ数の10個を上回り最大で125%（13個）のPodが作成されている状態になる可能性があります。また、それと同時に25%（2個）の古いPodの削除が始まり、一時的に指定したPodレプリカ数の10個を下回り最小で75%（8個）のPodだけが利用可能な状態になる可能性があります。

次の例では、Podレプリカ数が10、maxSurgeが100%、maxUnavailableが0に設定されているとします。この場合、更新開始とともに100%（10個）の新しいPodの作成が始まります。その後、利用できないPodの数が指定したPodレプリカ数の10個を下回らないように古いPodの削除が行われます。これは、いわゆるブルーグリーンデプロイメント[注17]です。この設定では一時的に最大で指定したレプリカ数の2倍のPodが存在することとなり、その分の余剰リソースが必要になることに注意が必要です。

DeploymentはReplicaSetを管理し、ReplicaSetはPodを管理する関係になっています。各オブジェクトは1つの役割を持つように設計されていて、オブジェクトの仕様変更がほかのオブジェクトに影響しないようになっています[注18]。開発者は、オブジェクトがほかのどのオブジェクトによって作成されたかをmetadata.ownerReferencesフィールドで知ることができます。

注17 古い環境を「ブルー」、新しい環境を「グリーン」として、新しい環境の準備ができたら古い環境と切り替えるデプロイメント手法のこと。

注18 単一責任の原則（SRP：Single Responsibility Principle）。

1.3.6　Service —— 仮想IPと負荷分散

Serviceは、サービスに対してアクセス可能なエンドポイントを提供します（**図1-21**）。より具体的に言えば、Podの集合に対するアクセスのL4ロードバランス（TCP、UDP）を行います。ClusterIPと呼ばれるクラスタ内でのみ有効な仮想IPアドレスを持ち、ClusterIPに対するアクセスは、Labelセレクタでグルーピングされた Podの集合に分散されます。

図1-21　Service（仮想IPと負荷分散）

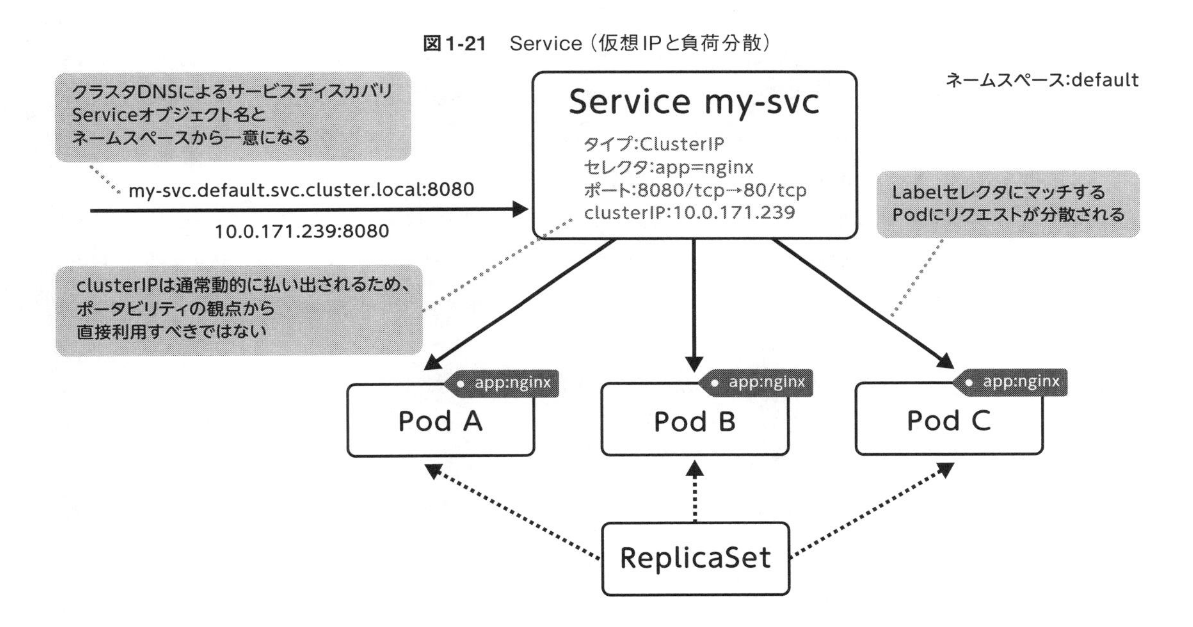

Serviceオブジェクトのマニフェストを見てみましょう（**リスト1-9**）。my-svcという名前のServiceオブジェクトです。(a) の`spec.selector`フィールドは、Labelセレクタです。このオブジェクトでは、ClusterIPに対するアクセスがapp=nginxのLabelを持つPodの集合に分散されます。(b) の`spec.ports`フィールドは、公開するポートのリストです。ここでは8080/tcpで公開し、Podの80/tcpに転送するように設定されています。

リスト1-9　Serviceオブジェクトのマニフェスト（my-svc.yaml）

```
apiVersion: v1
kind: Service
metadata:
  name: my-svc
  namespace: default
spec:
  type: ClusterIP
  selector:  ···(a)Podの集合をグルーピングするLabelセレクタ
```

```
    app: nginx
  ports:  …(b) 公開するポートのリスト
  - protocol: TCP
    port: 8080  …サービスが公開するポート
    targetPort: 80  …転送先のPodのポート
```

開発者は、Serviceオブジェクトを利用してサービスにアクセスするわけですが、サービスのエンドポイントであるClusterIPは、Serviceオブジェクトの作成時に動的に割り当てられます。しかし、KubernetesはDNSによるサービスディスカバリ（サービスの発見）を提供しているため、ClusterIPを事前に調べておく必要はありません。Kubernetesは、Serviceオブジェクトが作成されると、service.namespace.svc.cluster.localのドメインとそれに対応するClusterIPのAレコードを、Kubernetes内部のDNSサーバに登録します[注19]。**リスト1-9**のService my-svcオブジェクトの場合、my-svc.default.svc.cluster.localになります。

このドメインへのアクセスは、同一ネームスペースからであれば、「Serviceオブジェクト名:ポート番号」でアクセスできます。Service my-svcオブジェクトの場合、defaultネームスペースのほかのPodからならmy-svc:8080です。ほかのネームスペースからであれば「service.namespace:ポート番号」でアクセスできます。Service my-svcオブジェクトであればmy-svc.default:80です。

この機能によって、開発者はClusterIPを知ることなく、Serviceオブジェクトの名前を使ってサービスにアクセスできます。ClusterIPと異なり、Serviceオブジェクトの名前は事前に決まっているため、異なる環境、クラスタにデプロイした場合でも同じ名前でサービスにアクセスできます。アプリケーションのポータビリティ（移植性）の観点から、ClusterIPを直接アプリケーションで利用することは避け、Serviceオブジェクト名によるサービスディスカバリを利用しましょう。

なぜServiceオブジェクト名だけでアクセスできるかというと、デプロイされたコンテナの/etc/resolv.confが次のように設定されるためです。

```
search namespace.svc.cluster.local svc.cluster.local cluster.local
```

searchキーワードはホスト名ルックアップのための検索リストです。これによって同一ネームスペースのPodからであればServiceオブジェクト名だけでアクセスできるようになっています。

Serviceには、ClusterIPのほかに、サービスを外部に公開する「NodePort」、「LoadBalancer」、外部のサービスをクラスタ内部のサービスのように見せる「ExternalName」などのタイプが用意されています。第3章でより詳しく説明します。

注19 cluster.localはデフォルト値です。Kubernetesの設定で変更が可能です。

1.3.7 ConfigMap —— アプリケーションと設定情報の分離

ConfigMapは、データベースの接続先ホストや設定ファイルなど、アプリケーションの設定情報を扱うオブジェクトです（**図1-22**）。開発環境や本番環境などのさまざまな環境に同一のコンテナ化されたアプリケーションをデプロイするためには、設定情報をアプリケーションから厳格に分離しなければいけません。ConfigMapに設定情報を格納することで、コンテナはファイル、環境変数またはコマンドライン引数として設定情報を使うことができ、アプリケーション（コンテナ）と設定情報を分離できます。

図1-22 ConfigMap（アプリケーションと設定情報の分離）

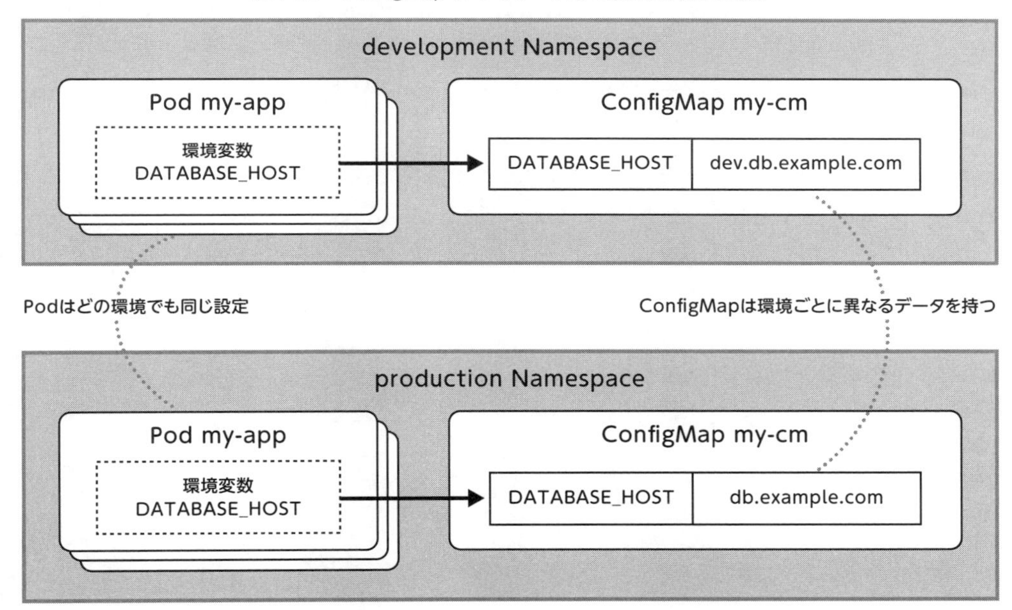

ConfigMapのマニフェストを見てみましょう（**リスト1-10**）。my-cmという名前のConfigMapオブジェクトです。(a)のdataフィールドに、任意のキーバリューを持てます。もし値に改行が含まれる場合、バーティカルバー（|）を利用するとそのブロックの改行が保持されます。これはnginx.confのような設定ファイルをConfigMapとして利用する場合に便利です。

リスト1-10 ConfigMapオブジェクトのマニフェスト（my-cm.yaml）

```
apiVersion: v1
kind: ConfigMap
metadata:
  name: my-cm
data:  …(a)キーバリューで設定情報を格納する
```

```
DATABASE_HOST: db.example.com
nginx.conf: |
  server{
    listen 80 default;
    server_name _;
    access_log /dev/stdout;

    location / {
      root /var/www/html;
      index index.html;
    }
  }
```

次にConfigMapをPodから利用する方法について見ていきます。冒頭で述べたように、ConfigMapはPodからファイル、環境変数、コマンドライン引数として使えます。

リスト1-11は、ConfigMapをファイルとして扱います。まず（b）のPod spec.volumesフィールドでコンテナでマウントするボリュームを設定します。ここでは、ConfigMap my-cm（**リスト1-10**）をボリュームとして設定しています。次に（a）のPod spec.containers.volumeMountsフィールドで先ほど設定したボリュームを読み込み専用で/var/nginxにマウントするように設定しています。

リスト1-11 ConfigMapをボリュームとしてマウントする（cm-volume.yaml）

```
apiVersion: v1
kind: Pod
metadata:
  name: cm-volume
spec:
  containers:
  - name: nginx
    image: k8spracticalguide/nginx:1.15.5
    ports:
    - containerPort: 80
    volumeMounts:  …(a)コンテナ内でマウントするボリュームのリスト
    - name: my-cm  …下記(c)のボリュームの名前と一致しなければならない
      readOnly: true
      mountPath: /var/nginx
  volumes:  …(b)コンテナでマウントするボリュームのリスト
  - name: my-cm  …(c)ボリュームの名前
    configMap:
      name: my-cm  …ConfigMap名と一致しなければならない
      items:  …省略するとdataのすべてがファイルとして配置される
      - key: nginx.conf  …dataのキー名
        path: nginx.conf  …別名として配置することもできる
```

実際にConfigMap my-cm、Pod cm-volumeを作成してPod内の/var/nginxパスを見てみると、指定したファイルが配置されていることを確認できます。kubectl execコマンドは、Pod内で任意のコマンドを実行するコマンドです。

```
ConfigMap my-cmの作成
$ kubectl create -f my-cm.yaml
configmap/my-cm created

Pod cm-volumeの作成
$ kubectl create -f cm-volume.yaml
pod/cm-volume created

Pod cm-volume内でls /var/nginxを実行する
$ kubectl exec cm-volume -- ls /var/nginx
nginx.conf
```

リスト1-12は、ConfigMapを環境変数として扱います。(a)のPod spec.containers.envフィールドを見てください。ここでは、DATABASE_HOST環境変数にConfigMap my-cm(**リスト1-10**)のDATABASE_HOSTキーの値を設定するようにしています。

リスト1-12 ConfigMapを環境変数として扱う(cm-env.yaml)

```
apiVersion: v1
kind: Pod
metadata:
  name: cm-env
spec:
  containers:
  - name: nginx
    image: k8spracticalguide/nginx:1.15.5
    ports:
    - containerPort: 80
    env:  …(a)コンテナで設定される環境変数のリスト
    - name: DATABASE_HOST  …設定する環境変数名
      valueFrom:
        configMapKeyRef:
          name: my-cm  …ConfigMap名を指定
          key: DATABASE_HOST  …ConfigMapのキー名を指定
```

このPodを作成して環境変数を見てみると、正しくDATABASE_HOST環境変数に値が設定されていることがわかります。

```
Pod cm-envの作成
$ kubectl create -f cm-env.yaml
pod/cm-env created

Pod cm-envに定義された環境変数の確認
$ kubectl exec cm-env -- sh -c "env | grep DATABASE"
DATABASE_HOST=db.example.com
```

たくさんの環境変数をひとつひとつ設定するのが面倒な場合は、Pod spec.containers.envFromフィールド（**リスト1-13**の（a））を利用するとConfigMapのすべてのdataが環境変数として定義できます。ただしこの場合、環境変数名はdataのキー名となります。

リスト1-13　ConfigMapのすべてのdataを環境変数として定義する

```
apiVersion: v1
kind: Pod
(..略..)
spec:
  containers:
  - name: nginx
    image: k8spracticalguide/nginx:1.15.5
    envFrom:  …(a)ConfigMap my-cmのすべてのdataが環境変数として定義される
    - configMapRef:
        name: my-cm
```

最後に**リスト1-14**は、ConfigMapをコマンドライン引数として扱います。Pod spec.containers.envフィールドは、環境変数として定義した際とまったく同じ設定です。コマンドライン引数として参照する場合は、（a）のPod spec.containers.commandフィールドで$(VAR_NAME)として参照し、echoコマンドで標準出力に出力しています。

リスト1-14　ConfigMapをコマンドライン引数として扱う（cm-arg.yaml）

```
apiVersion: v1
kind: Pod
metadata:
  name: cm-arg
spec:
  restartPolicy: Never  …再起動のポリシー
  containers:
  - name: busybox
    image: k8spracticalguide/busybox:1.28
    command: ["/bin/sh", "-c", "echo $(DATABASE_HOST)"]  …(a)環境変数として定義したConfigMapを参照する
    env:  …環境変数として設定
```

```
    - name: DATABASE_HOST    …設定する環境変数名
      valueFrom:
        configMapKeyRef:
          name: my-cm    …ConfigMap名を指定
          key: DATABASE_HOST    …ConfigMapのキー名を指定
```

正しく出力されているかを確認するには、Pod内のコンテナのログを表示するkubectl logsコマンドを利用します。

```
Pod cm-argの作成
$ kubectl create -f cm-arg.yaml
pod/cm-arg created

Pod cm-argのログを出力する。--timestampsオプションで日時を付与できる
$ kubectl logs cm-arg --timestamps
2018-10-03T11:54:05.093203717Z db.example.com
```

1.3.8 Secret —— アプリケーションと秘密情報の分離

Secretは、パスワードやトークン、TLS証明書の秘密鍵などアプリケーションの秘密情報を扱うオブジェクトです(**図1-23**)。前項で説明したConfigMapと使い方はほぼ同じで、ファイルまたは環境変数として扱えます。ConfigMapと異なる点としてデータがBase64エンコードされて保存されるなどの違いがあります。

図1-23 Secret（アプリケーションと秘密情報の分離）

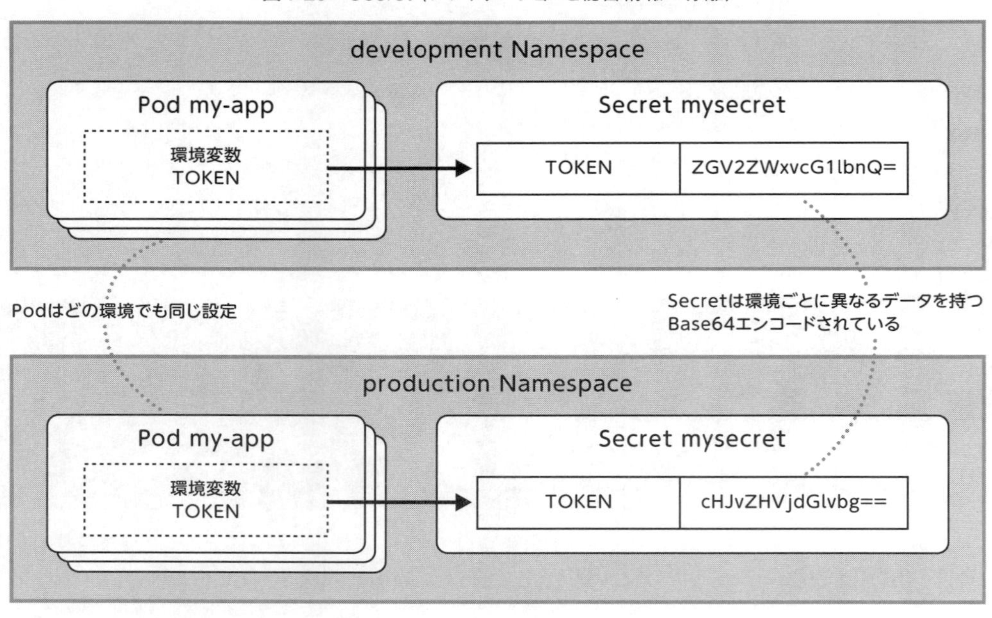

ここでは、Secretオブジェクトの作成を命令的なコマンドであるkubectl create secretコマンドで行います。--from-fileオプションは、ファイル名がキー名、ファイルのデータが値になります。--from-literalオプションは、key=valueの形式で値を指定します。

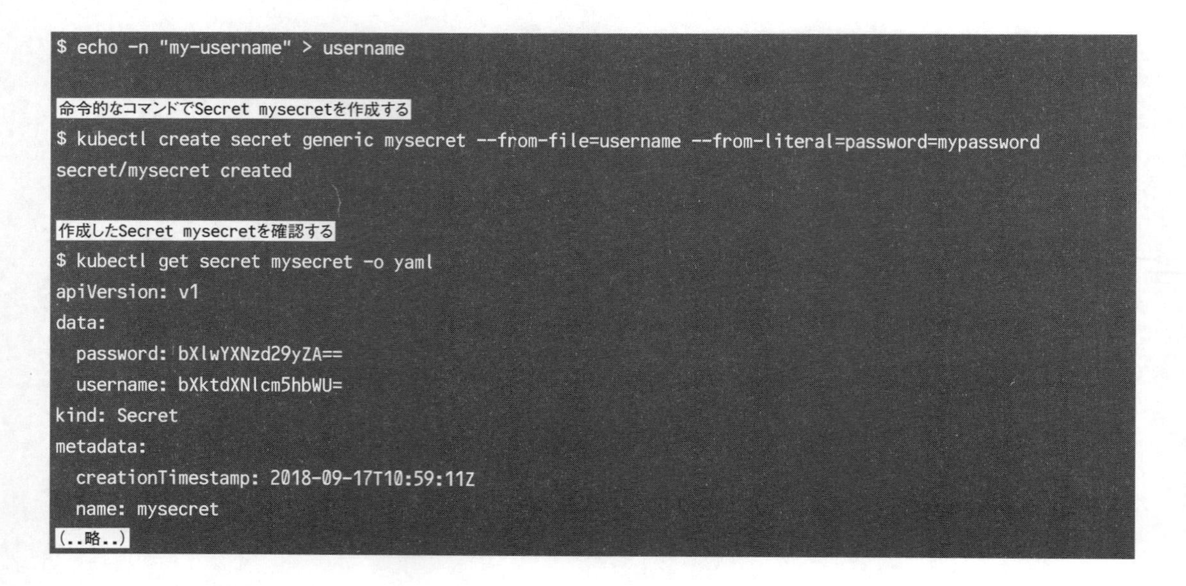

```
$ echo -n "my-username" > username

命令的なコマンドでSecret mysecretを作成する
$ kubectl create secret generic mysecret --from-file=username --from-literal=password=mypassword
secret/mysecret created

作成したSecret mysecretを確認する
$ kubectl get secret mysecret -o yaml
apiVersion: v1
data:
  password: bXlwYXNzd29yZA==
  username: bXktdXNlcm5hbWU=
kind: Secret
metadata:
  creationTimestamp: 2018-09-17T10:59:11Z
  name: mysecret
(..略..)
```

作成したSecret mysecretを見てみると、値がBase64エンコードされていることがわかります。Podから利用するときは自動的にデコードされます。

Secretオブジェクトももちろんマニフェストとして定義できます。しかし、秘密情報が含まれるマニフェストファイルをソースコードリポジトリでは管理できません。そのため、Secretオブジェクトは命令的コマンドで先に作成しておくか、HashiCorp Vaultのような秘密情報を保存するためのシークレットストアとの連携を検討したほうが良いでしょう。

次にSecretをPodから利用する方法について見ていきます。

リスト1-15は、Podからファイルとして扱う方法です。ConfigMapとほぼ同じですが、ボリュームの定義に(a)のPod spec.volumes.secretフィールドを利用する点が異なっています。また、マウントされたファイルはtmpfsを利用して作成されるため、ディスクに書き込まれることはありません。

リスト1-15　Secretをボリュームとしてマウントする

```
apiVersion: v1
kind: Pod
metadata:
  name: secret-volume
spec:
  containers:
  - name: nginx
    image: k8spracticalguide/nginx:1.15.5
    ports:
    - containerPort: 80
    volumeMounts:
    - name: mysecret-volume  …下記のボリューム名と一致しなければならない
      readOnly: true
      mountPath: /secrets/mysecret
  volumes:
    - name: mysecret-volume
      secret:  …(a)ボリュームとして投入するSecretの設定
        secretName: mysecret  …Secret名と一致しなければならない
```

リスト1-16は、Secretを環境変数として扱います。環境変数の場合もConfigMapとほぼ同じですが、(a)のPod spec.containers.env.valueFrom.secretKeyRefフィールドを利用する点が異なっています。

リスト1-16　Secretを環境変数として扱う

```
apiVersion: v1
kind: Pod
metadata:
  name: secret-env
```

```
spec:
  containers:
  - name: nginx
    image: k8spracticalguide/nginx:1.15.5
    ports:
    - containerPort: 80
    env:
    - name: SECRET_PASSWORD   …設定する環境変数名
      valueFrom:
        secretKeyRef:   …(a)環境変数の値として利用するSecretのキーの参照
          name: mysecret   …Secret名を指定
          key: password   …Secretのキー名を指定
```

ここまでSecretについて説明しましたが、ConfigMapとほぼ同じものなのに、なぜ別のオブジェクトとして定義されているか疑問に思うかもしれません。わざわざ別のオブジェクトとなっているのは、Kubernetesの認可の機能によってSecretオブジェクトを操作できる人を制限できるからです。ConfigMapはデータベースの接続先ホストなどの設定情報が格納されるオブジェクトです。このような設定情報は、一般的に広く開発者が閲覧できても問題ありません。しかし、パスワードやトークンなどが格納されるSecretオブジェクトは、上位の開発者や管理者（アドミン）のみに操作を許したいことがあるでしょう。Kubernetesの認可により、誰がどのオブジェクトをどのように操作できるのかを細かく制御できるため、ほぼ同じ機能ながらConfigMapとSecretが分けられています。Kubernetesの認可機能の1つであるRBAC（Role-Based Access Control）については、第5章で詳しく説明します。

Secretは、データがBase64エンコードされていると説明しましたが、Kubernetes v1.11からアルファレベルの機能として任意のオブジェクトを暗号化して保存する「Encrypting Secret Data at Rest」が提供されています。任意のオブジェクトですが、一般的にはSecretオブジェクトを暗号化して保存するための機能です。サードパーティのキーマネジメントシステム（KMS）と連携し、鍵をローテーションすることもサポートしています。詳しくはドキュメント[注20]を参照してください。アルファレベルの機能のため現時点での本番での利用は難しいですが、Kubernetes v1.13からベータレベルに昇格する予定となっています。

1.3.9 その他のオブジェクト

ここでは、Namespace、Pod、ReplicaSet、Deployment、Service、ConfigMap、Secretの6つのオブジェクトを説明しました。ほかにも便利なオブジェクトがありますので一部を**表1-2**にて説明します。この中でいくつかのオブジェクトは、第3章以降で具体的な使い方を説明します。

注20 https://kubernetes.io/docs/tasks/administer-cluster/encrypt-data/

表1-2 その他のオブジェクト

オブジェクト	説明
StatefulSet	ステートフルアプリケーション
DaemonSet	すべてのノードにPodレプリカをスケジュール
Job	ワンショットジョブ
CronJob	ジョブの定期実行
Ingress	アプリケーションロードバランサ
PersistentVolume	管理者により払い出されたストレージ
PersistentVolumeClaim	開発者による永続ボリュームの要求
StorageClass	ストレージの動的プロビジョニング
HorizontalPodAutoscaler	Podの水平オートスケール
VerticalPodAutoscaler	Podの垂直オートスケール

Kubernetes APIのバージョニング

COLUMN

ここまでKubernetesオブジェクトを見てきましたが、説明していなかったものに`apiVersion`があります。

すべてのKubernetesオブジェクトにはAPIバージョンがあり、`$GROUP_NAME/$VERSION`のようにAPIグループとそのバージョンで構成されます。たとえば、DeploymentオブジェクトのAPIバージョンはapps/v1で、APIグループがapps、バージョンがv1です。一部例外として歴史的な事情によりPodやServiceなどの初期からあるオブジェクトのAPIバージョンはv1となっており、APIグループを持ちません[注21]。

Kubernetes APIは、3段階でバージョン付けされており、アルファレベル、ベータレベル、ステーブルレベルがあります。

アルファレベル

- バージョンにv1alpha1のようにalphaを含む
- 実験的な実装で将来的に削除される、または互換性のない破壊的な変更が追加される可能性がある
- デフォルトでは機能が有効になっていない
- テスト用途での利用が推奨される

ベータレベル

- バージョンにv1beta1のようにbetaを含む
- ステーブルレベルへのアップグレード時に互換性のない変更が追加される可能性がある（アップグレード手順は提供される）。また、アップグレード時にダウンタイムを伴う可能性がある
- デフォルトで機能が有効
- ビジネスクリティカルな場面での利用は推奨されない

注21 内部的にはcore APIグループとなっています。

ステーブルレベル

・バージョンはv1のようなvXで表現される

・十分にテストされた安定版

・デフォルトで機能が有効

ここまでで説明してきたオブジェクトはすべてステーブルレベルでしたが、第3章以降で説明するオブジェクトの中にはベータレベルのものもあります。新しいオブジェクトを利用する際には、APIバージョンに注意を払ってください。

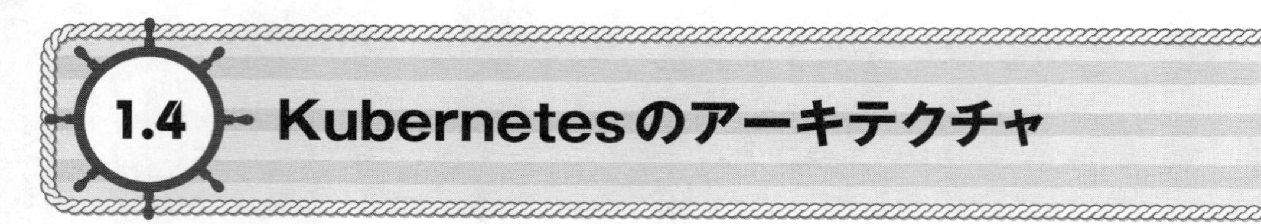

1.4 Kubernetesのアーキテクチャ

ここでは簡単にKubernetesを構成するコンポーネントを説明します（**図1-24**）。Kubernetesを利用するうえで、アーキテクチャを深く理解しておく必要はありません。とくにマネージドサービスを利用しているならなおさらです。しかし、Kubernetesを構成するコンポーネントの役割を知っておくことで、利用していく中で機能をスムーズに理解することにつながります。

図1-24　Kubernetesのアーキテクチャ

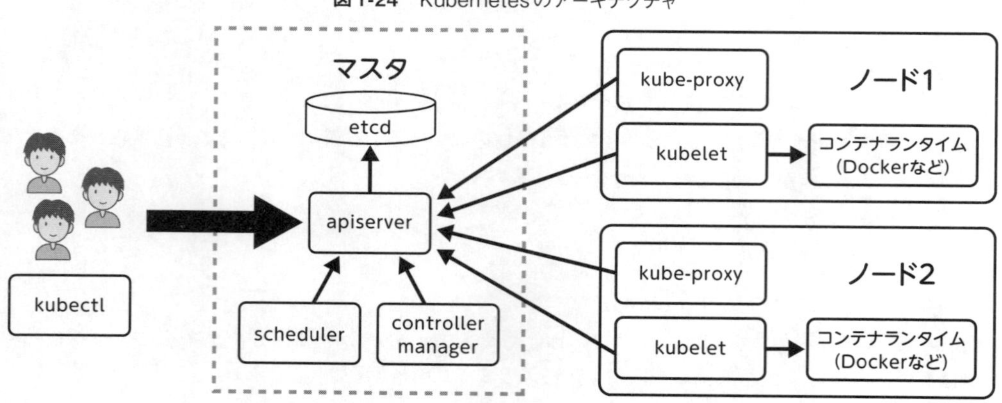

1.4.1 クラスタを操作するコマンドラインツール「kubectl」

kubectl[注22]は、KubernetesのCLIです。kubectlには多くのコマンドが用意されており、開発者はこの

注22　kubectlの読み方にはさまざまな流派がありますが、Kubernetes v1.9.0のCHANGELOGでキューブコントロール（cube-control）であると明記されました。

CLIを利用してクラスタの情報の取得や変更など、クラスタの操作を行います。

クラスタの情報を取得するコマンドとしてkubectl getコマンド、kubectl describeコマンドがあります。これらのコマンドは、クラスタに作成されているKubernetesオブジェクトの情報を取得します。引数にリソース名とオブジェクト名を取り、オブジェクトの情報を出力します。コンテナが正しく実行されないなどの問題が起きた場合、これらのコマンドを利用して状態を知ることができます。

```
defaultネームスペースのPodの一覧を表示する
$ kubectl get pods --namespace=default
NAME                          READY     STATUS    RESTARTS   AGE
my-deploy-77645ff5c4-nmqzn    1/1       Running   0          12s
my-deploy-77645ff5c4-pvlkk    1/1       Running   0          12s
my-deploy-77645ff5c4-v9wft    1/1       Running   0          12s

kubectl describeコマンドは、関連する情報を一緒に表示する
$ kubectl describe pod my-deploy-77645ff5c4-nmqzn
Name:               my-deploy-77645ff5c4-nmqzn
Namespace:          default
Priority:           0
PriorityClassName:  <none>
Node:               minikube/10.0.2.15
Start Time:         Wed, 03 Oct 2018 20:34:12 +0900
Labels:             app=my-deploy
                    pod-template-hash=3320199170
Annotations:        <none>
Status:             Running
IP:                 172.17.0.7
Controlled By:      ReplicaSet/my-deploy-77645ff5c4
Containers:
  nginx:
    Container ID:   docker://12be768f1efeecdce3afd446fed221c894900d1f907dce8c82814f2f5cd36c71
    Image:          k8spracticalguide/nginx:1.15.5
    Image ID:       docker-pullable://k8spracticalguide/nginx@sha256:204a9a8e65061b10b92ad361dd6f40624⏎
8404fe60efd5d6a8f2595f18bb37aad
    Port:           <none>
    Host Port:      <none>
    State:          Running
      Started:      Wed, 03 Oct 2018 20:34:13 +0900
    Ready:          True
    Restart Count:  0
    Environment:    <none>
    Mounts:
      /var/run/secrets/kubernetes.io/serviceaccount from default-token-lmq4d (ro)
Conditions:
```

```
  Type              Status
  Initialized       True
  Ready             True
  ContainersReady   True
  PodScheduled      True
Volumes:
  default-token-lmq4d:
    Type:        Secret (a volume populated by a Secret)
    SecretName:  default-token-lmq4d
    Optional:    false
QoS Class:       BestEffort
Node-Selectors:  <none>
Tolerations:     node.kubernetes.io/not-ready:NoExecute for 300s
                 node.kubernetes.io/unreachable:NoExecute for 300s
Events:
  Type    Reason     Age   From               Message
  ----    ------     ----  ----               -------
  Normal  Scheduled  50s   default-scheduler  Successfully assigned default/my-deploy-77645ff5c4-nmqzn⏎
to minikube
  Normal  Pulled     49s   kubelet, minikube  Container image "k8spracticalguide/nginx:1.15.5" already⏎
present on machine
  Normal  Created    49s   kubelet, minikube  Created container
  Normal  Started    49s   kubelet, minikube  Started container
```

次にクラスタにオブジェクトを作成するコマンドとしてkubectl createコマンド、kubectl applyコマンドがあります。kubectl createコマンドは、命令的なコマンドでNamespaceオブジェクトやSecretオブジェクトを直接作成できます。kubectl applyコマンドは宣言的に設定されたマニフェストファイルを引数に取り、オブジェクトを作成します。

```
my-namespaceネームスペースを作成する
$ kubectl create namespace my-namespace
namespace/my-namespace created

マニフェストファイルを引数に取り、オブジェクトを作成する
ここで指定しているマニフェストファイルにはService my-serviceオブジェクトが定義されている
$ kubectl apply -f my-service.yaml
service/my-service created
```

そのほかにも、Pod内のコンテナのログを表示するkubectl logsコマンドやコンテナ内でコマンドを実行するkubectl execコマンドなど、クラスタを操作するための多くのコマンドが用意されています。

```
Pod my-deploy-77645ff5c4-nmqznのログを出力する
$ kubectl logs my-deploy-77645ff5c4-nmqzn
127.0.0.1 - - [03/Oct/2018:11:37:57 +0000] "GET / HTTP/1.1" 200 612 "-" "curl/7.47.0" "-"
127.0.0.1 - - [03/Oct/2018:11:37:58 +0000] "GET / HTTP/1.1" 200 612 "-" "curl/7.47.0" "-"
127.0.0.1 - - [03/Oct/2018:11:37:59 +0000] "GET / HTTP/1.1" 200 612 "-" "curl/7.47.0" "-"

コンテナで任意のコマンドを実行する
Podにコンテナが複数ある場合は、--container(-c)オプションでコンテナ名を指定する
$ kubectl exec my-deploy-77645ff5c4-nmqzn -- ls /usr/share/nginx/html
50x.html
index.html

docker execコマンドと同様に--stdin(-i)、--tty(-t)オプションを指定するとインタラクティブにコンテナ内でコマンドを実行できる
$ kubectl exec -it my-deploy-77645ff5c4-nmqzn -- /bin/sh
```

ここでは簡単にkubectlを使ったクラスタの操作について説明しました。より実践的な使い方は、第3章以降で説明していきます。

kubectl getコマンドやkubectl describeコマンドなどで指定されるオブジェクト名は、複数形、単数形、略称が利用できます。たとえば、Serviceオブジェクトでは、services、service、svcが利用できます。kubectlコマンドはKubernetesを利用する中で多用するため、より短いタイプ数で済む略称を覚えて利用していくといいでしょう。

- 複数形：　kubectl get services
- 単数形：　kubectl get service
- 略称：　kubectl get svc

1.4.2 マスタコンポーネント

REST、CRUD、認証認可「kube-apiserver」

kube-apiserver（Kubernetes APIサーバ）は、APIオブジェクトのオペレーションとしてREST、CRUDやデータの検証、そのほかに認証認可などに責任を持つコンポーネントです。開発者からのAPIオブジェクトに対する操作はもちろん、ほかのコンポーネントからの操作もすべてこのコンポーネントを通じて行われます。また、認証認可のフェーズのあとに実行されるAdmission Controlと呼ばれるリクエストを制御する機能を持っています。リクエストを受け付けるかどうかやリクエストの一部分を変更するなどの制御を行います。任意の制御機構を導入できる拡張性があります。

唯一のデータストア「etcd」

etcdは、CoreOS[注23]が開発したCP型の分散キーバリューストア[注24]です。唯一のデータストアでKubernetesが扱う情報はすべてetcdに保存されます。ほかのコンポーネントはkube-apiserverを通じてetcdに保存されたAPIオブジェクトの変更を監視していて、変更があるとただちに通知されます。通知を受け取ったコンポーネントは、その内容により処理を実行します。

Podのスケジューリング「kube-scheduler」

kube-schedulerは、Podを適切なノードにスケジュールすることに責任を持つコンポーネントです。できる限りノードの中で実行中のPodの数に偏りがないようにスケジュールします。また、Podに設定されたリソース要求やGPUの利用などの要求を考慮します。独自のスケジューラをデプロイしておくことでデフォルトのスケジューラの代わりに利用することもできます。

クラスタを望ましい状態に「kube-controller-manager」

kube-controller-managerは、APIオブジェクトの変更をトリガとして現在の状態を望ましい状態に一致させることに責任を持つコンポーネントです。DeploymentオブジェクトなどのAPIオブジェクトのビジネスロジックが実装されています。マネージャーという名前になっているのは、個々に実装されているコントローラが便宜上の理由から1つのバイナリとしてまとめられているためです。

1.4.3 ノードコンポーネント

ノードに常駐するエージェント「kubelet」

kubeletは、すべてのノードに常駐するエージェントです。自身がインストールされているノードにPodがスケジュールされたらコンテナランタイムを操作してコンテナを作成し､Podが削除されたらコンテナを削除します。このほかにコンテナのヘルスチェックや、コンテナ、ノードのステータスをkube-apiserverに通知するなどを行います。

Serviceの抽象化を実現する「kube-proxy」

kube-proxyは、すべてのノードにインストールされ、Serviceオブジェクトによるクラスタ内の負荷分散の実現に責任を持つコンポーネントです。内部的にはデフォルトでiptablesが利用され実現されています。Kubernetes v1.9.0からipvsをベータとして利用できるようになり、v1.11.0でステーブルになりました。

注23 CoreOSは、2018年1月にRed Hatに買収されました。https://www.redhat.com/en/about/press-releases/red-hat-acquire-coreos-expanding-its-kubernetes-and-containers-leadership

注24 CAP定理における一貫性(C)と分断耐性(P)を保証する分散システムです。ほかにはApache HBaseがCP型です。

コンテナの取得と実行「コンテナランタイム」

コンテナランタイムは、kubeletから操作され、コンテナイメージの取得と実行を行います。Kubernetesは、CRI（Container Runtime Interface）と呼ばれるコンテナランタイムを操作するためのインターフェースを策定し、kubeletはこのインターフェースを使ってコンテナランタイムを操作します。そのため、CRIのインターフェースを持つコンテナランタイムであればKubernetesで利用できます。Docker/containerdが代表的ですが、cri-o、rktletなども利用できます。

1.4.4 クラスタアドオン

最後に、クラスタアドオンです。アドオンと聞くと任意で利用すればいいもののように感じるかもしれませんが、いくつかのアドオンはKubernetesクラスタを動作させるうえで必須のコンポーネントです。

まず、ネットワークアドオン（ネットワークプラグイン）です。これは、異なるホストで実行されるPod間で通信を可能にするためのネットワークを構築します。選択肢としてflannel[注25]やWeave Net[注26]、Calico[注27]などがあります。ネットワークアドオンは、ものによってPod間の通信を制御する機能であるNetworkPolicyオブジェクトをサポートしていません。この機能を利用したい場合は注意する必要があります。NetworkPolicyは第7章で詳しく説明します。

次に、クラスタDNSです。これは、KubernetesのDNSによるサービスディスカバリを利用するために必要です。これには、skydnsとdnsmasqを利用したkube-dns[注28]とCoreDNS[注29]が選択できます。CoreDNSによるクラスタDNSの提供は、v1.10.0からステーブルになりました[注30]。kube-dnsと比較して信頼性や柔軟性に優れています。

ネットワークアドオンとクラスタDNSは、マネージドKubernetesサービスであればデフォルトでインストールされていることがほとんどです。そのほかには、ノードやPodのメトリクス情報を提供するmetrics-server[注31]、クラスタの状態をブラウザで閲覧できるKubernetes Dashboard[注32]などのアドオンがあります。

注25 https://github.com/coreos/flannel
注26 https://github.com/weaveworks/weave
注27 https://github.com/projectcalico/calico
注28 https://github.com/kubernetes/dns
注29 https://github.com/coredns/coredns
注30 https://kubernetes.io/blog/2018/07/10/coredns-ga-for-kubernetes-cluster-dns/
注31 https://github.com/kubernetes-incubator/metrics-server
注32 https://github.com/kubernetes/dashboard

Kubernetesのコミュニティに参加しよう

COLUMN

Kubernetesの利用は世界中で広がっており、もちろん日本においても広く利用され始めています。世界のKubernetes利用者が参加するSlack Kubernetesワークスペース[注33]には、日本の利用者が集まる#jp-usersチャンネルがあります。Kubernetesの学習コストは高いと言われていますので、わからないことがあれば積極的に先人の知恵に頼りましょう。

また、「Kubernetes Meetup Tokyo」[注34]や「Cloud Native Meetup Tokyo」[注35]などのKubernetesに関連する勉強会が東京を中心として開催されています。過去開催の動画も公開されていますので、チェックしてみてください。

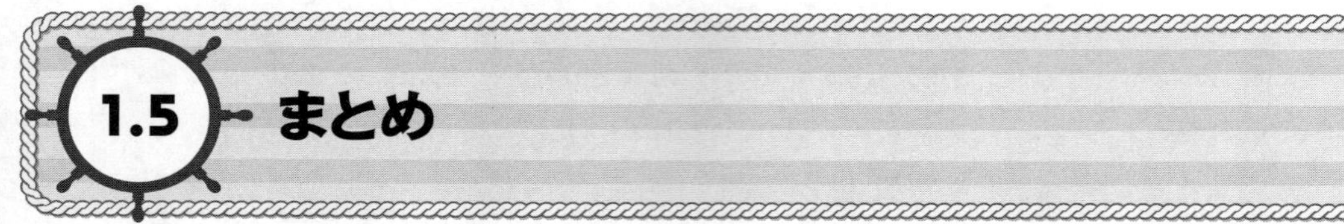

1.5 まとめ

本章では、Kubernetesとはどのようなソフトウェアなのかや、解決する課題や特徴について説明しました。次に、Kubernetesでサービスの状態を表すKubernetesオブジェクトについて説明し、最後にKubernetesのアーキテクチャについて概観しました。

次章では、Kubernetesクラスタの構築と運用について説明します。また、第3章から実際に利用していくクラスタをローカル環境に構築します。

注33 http://slack.k8s.ioから参加できます。

注34 https://k8sjp.connpass.com/

注35 https://cloudnative.connpass.com/

Kubernetesを構築する

以降の章ではKubernetesを実際に使うことで理解を深めていきます。そのために、まずは簡単に利用できるKubernetesを用意する必要があります。

この章では、クラスタの構築方法、それぞれの特徴について説明し、以降の章で利用するminikubeの利用方法についての手順を示します。

2.1 クラスタの構築・運用の難しさ

クラスタを構築するためには、前章で説明した各コンポーネントを適切に設定する必要があります。この設定は煩雑で、不適切に設定してしまうとクラスタが正しく動作しないばかりか、セキュリティリスクが発生してしまうこともあります。

また、クラスタを構成するノードに障害があった場合や、Kubernetesを構成するソフトウェアのバグによりクラスタが不調になった場合は、それらを復旧する必要があります。本番サービスを動かしているクラスタの場合は、サービス停止を伴わないような復旧手順が要求されることもあるでしょう。

このように、クラスタの構築・運用にはさまざまなノウハウが必要であり、これらを実施するためにはかなりの手間がかかります。

2.2 クラスタ構築の方法

クラスタの構築・運用の問題を解決するための方法の1つとして、いわゆるマネージドKubernetesサービスを利用する方法があります。マネージドKubernetesサービスはKubernetesの構築・運用を行うサービスで、利用者はクラスタのノードの台数やKubernetesのバージョンといったクラスタの構成情報を入力するだけで、適切に設定されたクラスタが構築され、障害対応なども適切に行ってくれるというものです。代表的なマネージドKubernetesサービスとしては、以下のサービスが挙げられます。

・Amazon Web Servicesの「Amazon Elastic Container Service for Kubernetes (EKS)」
・Microsoft Azureの「Azure Kubernetes Service (AKS)」
・Google Cloud Platformの「Google Kubernetes Engine (GKE)」

マネージドKubernetesサービスを利用する以外にも、Kubernetesクラスタ構築ツールを利用し、パブリッククラウドやオンプレミス環境に用意したサーバにKubernetesを構築する方法もあります。Kubernetesクラスタ構築ツールは、クラスタを構成する各種ソフトウェアの設定を行ってくれるソフトウェアです。一から設定を書く代わりに、お勧めの設定でクラスタを構築できます。代表的なものとして、Kubernetes公式が提供しているkubeadm、さまざまなクラウドプロバイダに向けたKubernetes構築ツールであるkops[注1]やkubespray[注2]などがあります。

マネージドKubernetesサービスやKubernetes構築ツールは便利なのですが、Kubernetesクラスタを動作させるサーバを用意する必要があります。ローカル環境でKubernetesを試したいという場合に、手元のPCなどでクラスタを構築する方法としてminikubeがあります。minikube[注3]は実行したPC上でLinuxのVMを立ち上げ、そこにクラスタを構築します（**図2-1**）。

この方法で作ったクラスタは、本番環境向けに使うことはできませんが、手軽で、追加で必要な機材もなく、サーバの費用などもかかりません。以降はminikubeを使って構築したクラスタを用いて説明をしていきます。

図2-1 多数のサーバで構成されたクラスタ（左）と、minikubeによりPCに構成されたクラスタ（右）

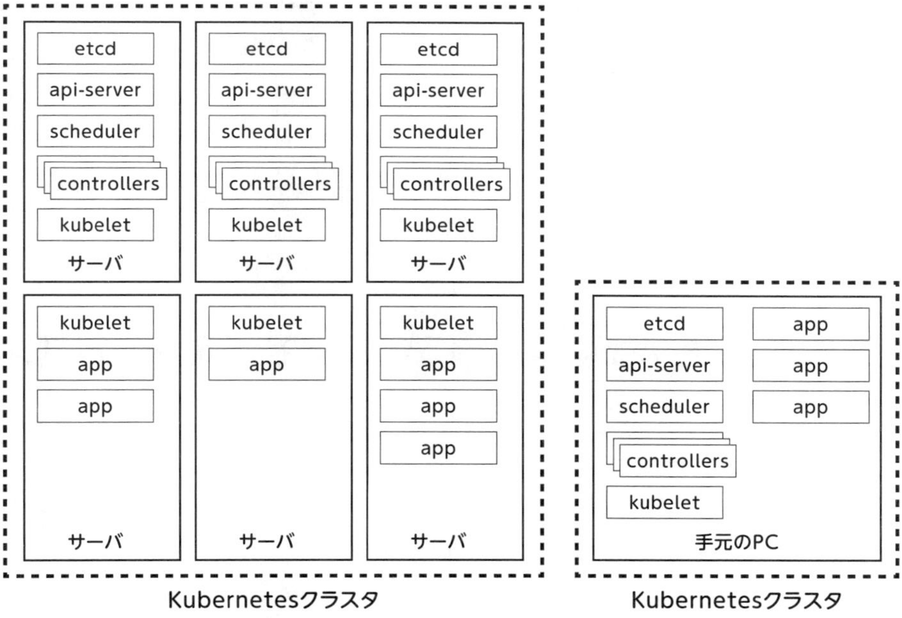

注1 https://github.com/kubernetes/kops

注2 https://github.com/kubernetes-incubator/kubespray

注3 https://github.com/kubernetes/minikube

2.3 minikubeでクラスタを構築する

本節ではminikubeを用いたKubernetesの構築方法について説明します。

2.3.1 minikubeとは

minikubeはKubernetesが公式に提供している、ローカル環境でKubernetesを動かすためのツールです。普段作業しているPCの中にVMを作り、そのVMの中でクラスタを構築します[注4]。minikubeを使うことで、本番環境で本格的にKubernetesを使う前に、簡単に最新のクラスタを体験できます。

2.3.2 インストール方法

macOSの場合は、Homebrewを使ってminikubeをインストールできます。Homebrewをインストールしていない場合は、HomebrewのWebサイト[注5]を参照して、まずHomebrewをインストールしてください。その後、次のコマンドでminikubeをインストールします。

```
$ brew cask install minikube
```

ほかのOSの場合や、別の方法でインストールしたい場合は、次のURLを参照してインストールを行ってください。

・https://github.com/kubernetes/minikube#installation

本書ではminikubeのバージョンv0.28.2を用いて動作確認を行っています。
また、Kubernetesを操作するために必要なCLIであるkubectlもインストールしてください。

```
$ brew install kubernetes-cli
```

ほかのOSの場合や、別の方法でインストールしたい場合は次のURLを参照してインストールを行ってください。

注4　Linux環境ではVMを作らずに直接クラスタを構築することもできますが、本書ではVMを作る方法について説明します。
注5　https://brew.sh/index_ja

・https://kubernetes.io/docs/tasks/tools/install-kubectl/

本書ではkubectlのバージョンv1.11.3を用いて動作確認を行っています。

2.3.3 minikubeでクラスタを構築する

minikubeのインストールが終わったら、クラスタを構築します。構築はコマンドラインから実行します。ターミナルから次のように実行してください。執筆時点の最新の安定版であるv1.11.3を利用してクラスタを構築します。

```
$ minikube start --kubernetes-version=v1.11.3
Starting local Kubernetes v1.11.3 cluster...
Starting VM...
Downloading Minikube ISO
 160.27 MB / 160.27 MB [============================================] 100.00% 0s
Getting VM IP address...
Moving files into cluster...
Downloading kubeadm v1.11.3
Downloading kubelet v1.11.3
Finished Downloading kubeadm v1.11.3
Finished Downloading kubelet v1.11.3
Setting up certs...
Connecting to cluster...
Setting up kubeconfig...
Starting cluster components...
Kubectl is now configured to use the cluster.
Loading cached images from config file.
```

初回実行時はVMイメージをダウンロードするため少し時間がかかります。クラスタが構築できたらkubectlで確認してみましょう

```
$ kubectl get node
NAME       STATUS   ROLES    AGE       VERSION
minikube   Ready    master   1m        v1.11.3
```

詳細は次の節で説明しますが、上記コマンドの結果からminikubeと名付けられた1台のノードが正しく稼働している様子が確認できます。

2.3.4 kubectlとは

kubectlコマンドはkubernetes APIサーバにリクエストを発行するためのCLIです。次の構文で実行します。

```
kubectl command TYPE NAME flags
```

先ほどはcommandにget、TYPEにnodeを指定し、NAME、flagsは指定していません。

Kubernetesはクラスタを構成するノードを、nodeというオブジェクトで管理しています。先ほどのコマンドではnodeの情報を取得しています。nodeはnodesなど複数形でも指定でき、同じ意味を持ちます。NAMEを指定しない場合は、指定した種類のオブジェクトをすべて取得します。

Kubernetesにはnode以外にもさまざまなリソースが存在し、それらのリソースをkubectlで操作することでクラスタを運用します。

先ほどのコマンドの結果ですが、まずminikubeという名前のノードが取得できること、さらにそのSTATUSがReadyであることから、正しくクラスタが作成されたことが確認できます。

2.3.5 クラスタを停止・削除するには

minikubeではローカル環境でクラスタを実行しているため、実行中はそのノードのリソースを占有しています。検証が終わったらクラスタは終了しておきたいところです。また、クラスタの中身をすべて消して、もう一度はじめからやりなおしたいこともあるでしょう。

クラスタを停止するには`minikube stop`を実行します。この操作はクラスタの実行を止めるだけでデータは削除しません。そのため、再び`minikube start`を実行すると、停止する前の状態のクラスタが起動します。

クラスタを削除するには`minikube delete`を実行します。この操作をすることで、データを削除します。そのため、クラスタの状態は失われ、次回`minikube start`したときには、初期状態のクラスタが構築されます。minikubeの操作を間違えたりして、クラスタが不安定になってしまった場合なども、この`minikube delete`ののち、再度`minikube start`することでクラスタの状態をリセットできます。この際、クラスタは初期状態に戻ることに注意してください。

2.3.6 minikubeでaddonを管理する

minikubeにはaddonと呼ばれる、よく使われるアプリケーションを簡単にデプロイするしくみが付いています。サポートしているaddonの一覧を見るには`minikube addons list`を実行します。

```
$ minikube addons list
- addon-manager: enabled
- coredns: disabled
- dashboard: enabled
- default-storageclass: enabled
- efk: disabled
- freshpod: disabled
- heapster: disabled
- ingress: disabled
- kube-dns: enabled
- metrics-server: disabled
- registry: disabled
- registry-creds: disabled
- storage-provisioner: enabled
```

デフォルトでいくつかのaddonが有効になっていることがわかります。Webサービスのaddonについてはminikube addons open addon名とすることで、ブラウザを開いてアクセスできます。たとえば、dashboardというaddonをブラウザで見るためにはminikube addons open dashboardを実行します。ブラウザに**図2-2**のような画面が表示されます[注6]。

図2-2 addonの1つであるdashboardのWeb UI

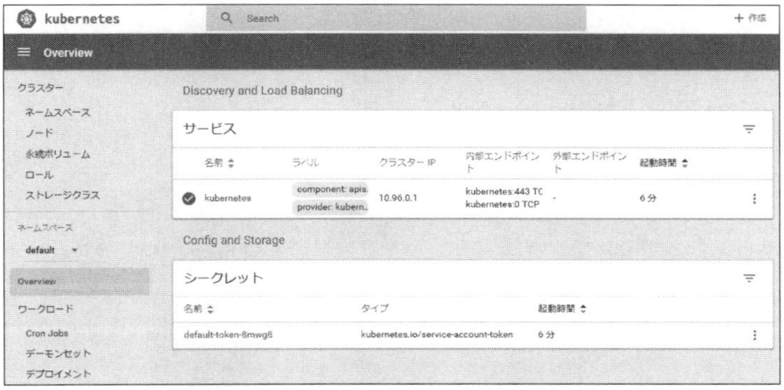

これはクラスタの状態を閲覧・更新するためのWeb UIです。

試しに、このaddonを停止させてみます。minikube addons disable dashboardを実行します。ブラウザを更新すると、先ほどの画面は表示されなくなり、addonが停止したことがわかります[注7]。再び有効にするためにはminikube addons enable dashboardと実行します。

注6 WindowsでEdgeをデフォルトブラウザにしている場合、正しく画面が表示されないことがあります。その場合はInternet ExplorerやChromeなど別のブラウザで同じアドレスを開いてください。https://github.com/kubernetes/minikube/issues/651

注7 Windowsでは、minikube addons disableが正しく動作しないという問題があります。https://github.com/kubernetes/minikube/issues/2281

このように、minikubeのaddonのしくみを使うことで、簡単に用意されたaddonをデプロイできます。以降の章でも必要に応じてこれらのaddonを利用していきます。

2.4 クラスタの動作に必要なコンポーネント

ここまでクラスタの構築について説明しましたが、実際に本番環境でクラスタを運用していくとなると、ほかにも必要となるコンポーネントがあります。お試しでKubernetesを使ってみる場合は、あまり必要性を感じないものもありますが、Kubernetesを本番環境として利用していくうえで必要となってきますので、ここで紹介します。

2.4.1 コンテナレジストリ

Kubernetesで動作するアプリケーションは、コンテナレジストリから取得するようになっています。ひとまずお試しで使うにはDocker Hub[注8]のFreeプランが便利です。Docker HubのFreeプランでは、インターネット上の誰もがpullできるパブリックイメージについては無制限に、権限のあるユーザしかpullできないプライベートイメージは1つだけ作ることができます。一般的なミドルウェアについてはパブリックイメージが利用できますが、ビジネスロジックを含むコンテナイメージなどの場合はプライベートイメージを利用すべきです。

プライベートイメージを利用する場合はDocker Hubのさらに上位のプランを利用するか、ほかのコンテナレジストリのSaaSを利用できます。コンテナレジストリのSaaSとしてはDocker Hub、Quay.io[注9]などがあります。

また、インターネットを介してのコンテナイメージのダウンロードは遅いため、マネージドKubernetesサービスを利用してクラスタを構築する場合は、それぞれのクラウドプロバイダが提供するコンテナレジストリを利用するのが良いです。

それ以外の選択肢として、コンテナレジストリを自前で構築することもできます。OSSとしてDocker社が提供しているDistribution[注10]や、商用のDocker Trusted Registry[注11]、Red Hat Quay[注12]、JFrog Artifactry[注13]などが利用できます。

注8 https://hub.docker.com/

注9 https://quay.io/

注10 https://github.com/docker/distribution

注11 Docker EE（https://www.docker.com/products/docker-enterprise）のコンポーネントの1つ。

注12 https://www.openshift.com/products/quay

注13 https://jfrog.com/artifactory/

この本ではコンテナレジストリSaaSであるDocker Hubを利用します。

2.4.2 ログ分析

クラスタで現在実行中のアプリケーションのログを見るのは簡単ですが、以前動いていたバージョンのアプリケーションのログを見るのは簡単ではありません。また、1種類のアプリケーションであっても複数のコンテナをいくつかのノードに分散させて動作させることがほとんどであるため、それらのログを横断して閲覧したり分析したりすることもKubernetesだけでは難しいです。

各アプリケーションで発生したログを収集し転送するログ収集のソフトウェアと、収集されたログを集約するソフトウェアを利用し、横断的にログを参照できるようにすることで、この問題に対応できます。

マネージドKubernetesサービスを利用してクラスタを構築する場合は、それぞれのクラウドプロバイダが提供するログ分析のシステムを利用するのが簡単です。

商用製品であるDatadog[注14]やSplunk[注15]は、Kubernetes向けのログ収集のソフトウェアとログ集約のソフトウェアを合わせて提供しています。

OSSのログ収集ソフトウェアとしてはLogstash[注16]、Fluentd[注17]などがあります。また、ログ集約のソフトウェアとしてはElasticsearch[注18]やApache Solr[注19]などの全文検索エンジンが利用できます。ログの可視化にはKibana[注20]が利用できます。OSSでログ収集のしくみを作る場合はこのようにさまざまなソフトウェアを組み合わせる必要がありますが、Graylog[注21]のように複数のOSSを使いやすくパッケージ化したソフトウェアもあります。

本書では、第8章でminikubeのaddonであるefkというElasticsearch、Fluentd、Kibanaを使った収集方法を説明します。

2.4.3 メトリクス

クラスタで実行中の各アプリケーションの状況を把握するために、メトリクスが利用できます。

メトリクスとはシステムのさまざまな指標による数値データを時系列に集約したもので、メモリやCPUの使用量、秒間リクエスト数などの性能に関する情報や、HTTPのステータスコードごとのリクエスト数や、Webサーバのページごとの閲覧数など、クラスタ上で動作するアプリケーションに関する情報などが挙げられます。

注14 https://www.datadoghq.com/
注15 https://www.splunk.com/
注16 https://www.elastic.co/jp/products/logstash
注17 https://www.fluentd.org/
注18 https://www.elastic.co/jp/products/elasticsearch
注19 http://lucene.apache.org/solr/
注20 https://www.elastic.co/jp/products/kibana
注21 https://www.graylog.org/

メトリクスを見ることで、アプリケーションのボトルネックがわかったり、負荷の傾向を知り、今後の予測などを行ったりすることができます。また、メトリクスが異常値を示した際にメールやチャットにアラートを通知するなどの使い方もできます。

マネージドKubernetesサービスを利用してクラスタを構築する場合は、それぞれのクラウドプロバイダが提供するメトリクス集約のしくみを利用するのが簡単です。

商用製品であるDatadogはログ収集のソフトウェアとして紹介しましたが、メトリクスの集約も提供しています。

OSSではPrometheus[注22]やInfluxDB[注23]によりメトリクスの収集、Grafana[注24]によりそのメトリクスの可視化が実現できます。

本書では、第8章でPrometheusを使ったメトリクスの収集方法を説明します。

2.4.4　認証

Kubernetesを操作するためのKubernetes APIサーバには、認証の機能が実装されていて、特定のユーザのみが操作できるようになっています。また、認証によって識別されたユーザについて、それぞれがどの操作を実行できるかを定義できる認可の機能も備えています。

minikubeの場合はクラスタ作成時に管理者権限の証明書が発行され、自動的に設定ファイルに書き込まれており、その証明書をリクエストに含めることで認証を行っています。マネージドKubernetesサービスを利用する場合はそれぞれのクラウドプロバイダが提供するしくみを利用するのが簡単です。

自前で認証のためのしくみを用意することもできます。KubernetesはOpenID Connect（OIDC）による認証のしくみを提供しているので、OIDCに対応したシステムを用意することで、認証を委譲できます。大半の場合は、すでに認証を行うしくみがあることが多いと思います。Office 365やActive Directoryなどの社内システムのアカウントや、GitHubのアカウントなどです。それらがOIDCに対応している場合は、Kubernetesの認証としてそれらを利用できます。OIDCに対応していない認証システムの場合は、dex[注25]などのOIDCの認証をほかの方式に変換するためのソフトウェアを利用することもできます。また、Kubernetesには認証機能をWebhookとしてほかのサービスに委譲するしくみがあるので、これを利用した認証システムを開発することもできます。

本書では、minikubeの提供する証明書を使って認証を行います。

注22　https://prometheus.io/

注23　https://www.influxdata.com/

注24　https://grafana.com/

注25　https://github.com/dexidp/dex

2.5 まとめ

この章では、クラスタのさまざまな構築方法のうち、minikubeを利用する方法について詳しく説明しました。また、クラスタに付随して必要となるコンポーネントについても紹介しました。

Windows環境特有の注意

COLUMN

本書では、基本的にUNIXライクな環境を前提に説明しています。Windows環境で本書の記述を試す場合には、工夫が必要です。

まずシェルです。本書で説明するコマンドは、基本的にbashで動作させることを前提に記載しています。さらに、UNIXライクな環境に標準的に備わっているコマンドが存在することを前提としています。Windows環境でこのような環境を整える方法はいくつかありますが、Git for Windows[注26]を入れるというのがお勧めの方法です。Git for Windowsに同梱されているGit BASHを使うことで、本書で説明するコマンドの大半を実行できます。ただし、このシェルで`kubectl exec -it` ～などTTYを要求するコマンドを実行すると失敗します。その場合は`winpty kubectl exec -it` ～と先頭に`winpty`を付けることで実行できます。

minikube、Dockerのインストールにも注意が必要です。minikubeはVMのドライバとしてHyper-VかVirtualBoxを選ぶことができます。しかし、本書執筆時点では、Hyper-Vを利用したminikubeの動作はハマりどころが多くお勧めできません。一方、DockerのWindows版であるDocker for WindowsはHyper-V環境を前提としています。

困ったことに、WindowsではHyper-Vを有効にするとVirtualBoxを利用できません。そのため、minikubeとDocker for Windowsを同時に利用することが難しいです。解決策としていくつかの方法があります。

Docker Toolboxを使う

Docker for Windowsが登場する前に利用されていたDocker Toolbox[注27]を使うと、VirtualBoxを使ってDockerを動作させられます。この方法であれば、minikubeと一緒にDockerを使えます。

Docker for Windowsをminikubeと同時に使わない

本書ではDockerを使う場面は限定されています。そのため、普段はHyper-Vを無効にしておき、VirtualBoxでminikubeを起動する、そして、Dockerを使う場面では一時的にHyper-Vを有効にし、Docker for Windowsを使うという方法です。VirtualBoxに慣れている方であれば、Linux VMをVirtualBoxの中に用意して、そこでDockerを動作させることもできるでしょう。

注26 https://gitforwindows.org/

注27 https://docs.docker.com/toolbox/toolbox_install_windows/

minikubeを使わない

minikubeを使わずにKubernetesを使う方法はいくつかあります。GKEやEKSといったマネージドKubernetesサービスを利用する、Docker for Windowsの機能でKubernetesを払い出す、などの方法があります。しかし、この方法ではminikubeで指定するKubernetesのバージョンの指定や、Kubernetes APIサーバの引数の変更などは、本書の方法をそのまま利用することができないので注意が必要です。

いくつかの選択肢を示しましたが、DockerもKubernetesも日々バージョンアップしており、Windowsのサポート状況もどんどん良くなってきています。本書を手にとって試されているころにはこれらの不具合も直っているかもしれません。

Kubernetes上に アプリケーションをデプロイする

前章ではminikubeを使ってKubernetesクラスタを構築しました。本章では、アプリケーションを本クラスタにデプロイしながら、Kubernetes上でどうアプリケーションを管理すべきかを説明していきます。

3.1 アプリケーションを簡易的にデプロイする

第1章で説明したとおり、Kubernetesはいくつかのコンテナランタイムに対応しています。minikubeを使用して構築したKubernetesクラスタには、コンテナランタイムとしてDockerが採用されています[注1]。以降の章でも、Dockerをコンテナランタイムとして使用していきます。

ここでサンプルとして使用するのは、Mattermost[注2]というSlackライクなオープンソースのチャットアプリケーションです。それでは、Docker Hubに公開されているMattermostのコンテナイメージをKubernetesクラスタ上にデプロイしてみましょう。

kubectl create deployment —— アプリケーションをデプロイする

Kubernetesクラスタ上にアプリケーションをデプロイするための、簡単な方法はkubectl create deploymentコマンドを使う方法です。必須のオプションは、デプロイしたアプリケーションを識別するための名前と、コンテナイメージの指定だけです。

```
$ kubectl create deployment mattermost-preview --image k8spracticalguide/mattermost-preview:4.10.2
deployment.apps/mattermost-preview created
```

createdというメッセージが返っていれば、第1章で説明したDeploymentが作成され、正常にアプリケーションのデプロイが開始されたことを示しています。

Deploymentオブジェクトの状態を確認するには、kubectl getコマンドを使います。**表3-1**は、このコマンドの出力結果の読み方を示しています。

表3-1 kubectl get deploymentのカラム名とその意味

カラム名	内容
NAME	Deploymentの名前
DESIRED	宣言したレプリカ数
CURRENT	現在存在しているレプリカ数（利用不可のものを含む）
UP-TO-DATE	更新済みのレプリカ数
AVAILABLE	現在利用可能なレプリカ数
AGE	Deploymentが作成されてからの経過時間

注1 minikubeはデフォルトでDockerが使われますが、ほかのコンテナランタイムに変更することもできます。

注2 https://mattermost.com/

kubectl getコマンドを実行したとき、はじめはAVAILABLE、つまり、現在利用可能なレプリカ数が0になっていますが、何度か同じコマンドを実行しているうちにアプリケーションが正常に起動し、AVAILABLEが1に変わります。

```
$ kubectl get deployment mattermost-preview
NAME                 DESIRED   CURRENT   UP-TO-DATE   AVAILABLE   AGE
mattermost-preview   1         1         1            1           42s
```


kubectl expose —— アプリケーションを公開する

デプロイが完了したので実際のアプリケーションにアクセスしたいところですが、各Podにはクラスタ内ネットワークのIPアドレスが付与されているため、クラスタの外には公開されていません。クラスタ外からアクセスするには、追加でkubectl exposeコマンドに--typeオプションでNodePortを付与して実行する必要があります。NodePortについてはのちほど説明するので、ここでは「NodePortはクラスタ外からアクセスするためのもの」ということだけ覚えておいてください。また、--portオプションでMattermostがLISTENしているポートを指定します。

```
$ kubectl expose --type NodePort --port 8065 deployment mattermost-preview
service/mattermost-preview exposed
```

以上で、クラスタ外にもアプリケーションが公開されました。では、ブラウザからアプリケーションの動作を確認してみましょう。ブラウザからアプリケーションへアクセスするには、アプリケーションのアドレスとポート番号を調べ、ブラウザを開き……と、少々面倒な操作が多いので、これらの作業を1コマンドで実行できるminikube serviceという便利コマンドを使います。

```
$ minikube service mattermost-preview
Opening kubernetes service default/mattermost-preview in default browser...
```

はじめに開くページは**図3-1**のユーザ登録画面です。ユーザ登録、チーム作成と進めていくと**図3-2**のチャット画面にたどり着きます。試しに別のブラウザからもアクセスしてみてください。データが同期されていることを確認できます。

このMattermostでは、ビューやメッセージなどを処理するアプリケーションと、そのデータを保存するデータベースの2つのコンポーネントによって構成されています。

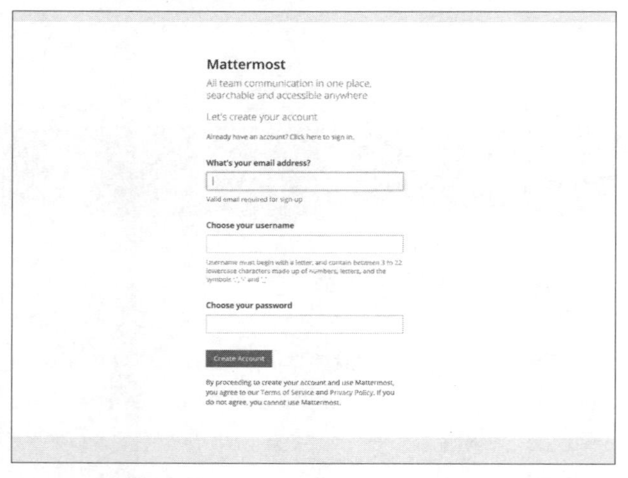

図3-1　Mattermostのユーザ登録画面

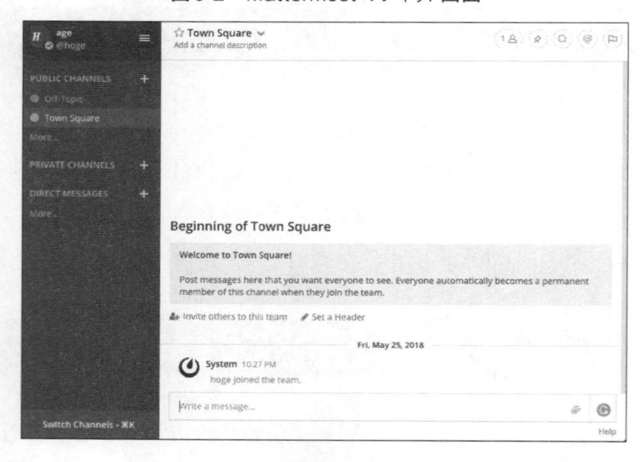

図3-2　Mattermostのチャット画面

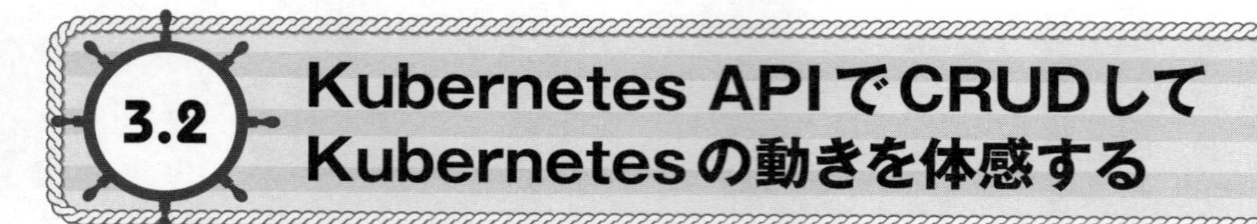

3.2 Kubernetes APIでCRUDして Kubernetesの動きを体感する

`kubectl create deployment`コマンドを使うと、アプリケーションをKubernetes上へ簡単にデプロイできることがわかりました。第1章で説明したとおり、KubernetesはRESTfulなシステムです。利便性のために隠蔽(いんぺい)されていましたが、kubectl createコマンドもKubernetes APIを叩き、DeploymentやReplicaSet、そしてPodといったオブジェクトを作成していました。

このように、すべてのオブジェクトはKubernetes APIから作成、参照、変更、削除できます。各オブジェクトをどのようにKubernetes APIから操作可能であるのか、そして、それらのオブジェクトがどのように管理されているかを理解していることは、Kubernetes上で安定したアプリケーションを開発・運用するうえで重要な要素になっています。

本節では、kubectlコマンドが実行するKubernetes APIを見ながら、Kubernetesクラスタ上に作成されるオブジェクトとその動きを把握し、オブジェクトに対する理解を深めていきます。

3.2.1 Create、Read —— アプリケーションがデプロイされるまでの流れを理解する

Kubernetesの動きを知るのに便利なEventオブジェクト

それでは、Kubernetes APIに注目しつつ、kubectl createコマンドが発行されたときの挙動を追っていきましょう。どのようなイベントがKubernetesクラスタ内部で発生しているのかを確認するため、今回はMattermostをデプロイする前に、Eventオブジェクトを監視します。ほかのオブジェクトと同様に、Eventオブジェクトもkubectl getコマンドで取得できます。

```
$ kubectl get event -w -o custom-columns=KIND:.involvedObject.kind,NAME:.metadata.name,SOURCE:.source.⏎
component,REASON:.reason,MESSAGE:.message
KIND      NAME                        SOURCE       REASON       MESSAGE
Node      ladix.155175522fe8952d      kube-proxy   Starting     Starting kube-proxy.
(..略..)
```

--watch (-w) オプションを使用すると[注3]、リアルタイムにオブジェクトの変更内容を取得できます。よって、見たい結果が得られるまでkubectl getコマンドを叩き続ける必要はありません。また、--output (-o) オプションは出力形式を指定するためのオプションです。ここでは表示するカラムを変更するcustom-columnsを指定していますが、ほかにもJSONやYAML形式に変換して出力するjsonやyamlなどを指定できます。custom-columnsの引数では、カラムに表示する内容を制限するためにKIND・NAME・SOURCE・REASON・MESSAGEの5つを設定しています。

ログレベルを上げてkubectlとKubernetes APIの関係を把握する

前回同様にkubectl create deploymentコマンドを実行しますが、今回は--vオプションを使ってログレベルを8に上げます。これは、コマンドの内部で発行されているKubernetes APIを把握するためです。現在

注3　-wオプションを付けずに実行したときは、kubectl getを実行したときのオブジェクトの状態が一度だけ取得されます。

のターミナルでは、Eventオブジェクトの監視が継続しているので、kubectl createコマンドを実行するための別のターミナルを起動してください。

前回と同じ引数でkubectl createを実行したいところですが、すでにmattermost-previewの名前を持つアプリケーションがdefaultネームスペースに作成されています。同じネームスペースに同じ名前のオブジェクトを作ることはできないため、アプリケーション名のみdive-mattermost-previewに変更します（**図3-3**）。

図3-3 ログレベルを上げてkubectl create deploymentコマンドを実行

```
$ kubectl create deployment dive-mattermost-preview \
  --image k8spracticalguide/mattermost-preview:4.10.2 --v=8
(..略..)
I1010 19:43:34.931001   82294 request.go:897] Request Body:{"apiVersion": ⏎
"apps/v1","kind":"Deployment","metadata":{"creationTimestamp":null,"labels": ⏎
{"app":"dive-mattermost-preview"},"name":"dive-mattermost-preview"},"spec": ⏎
{"replicas":1,"selector":{"matchLabels":{"app":"dive-mattermost-preview"}}, ⏎
"strategy":{},"template":{"metadata":{"creationTimestamp":null,"labels": ⏎
{"app":"dive-mattermost-preview"}},"spec":{"containers":[{"image": ⏎
"k8spracticalguide/mattermost-preview:4.10.2","name":"mattermost-preview",
"resources":{}}]}}},"status":{}} …(a)
I1010 19:43:34.931048   82294 round_trippers.go:383] POST https://192.168.99. ⏎
100:8443/apis/apps/v1/namespaces/default/deployments …(b)
(..略..)
deployment.apps/dive-mattermost-preview created
```

今回はログレベルを上げたため、大量のログが表示されました。ログを見ていくと、**図3-3**（b）の/apis/apps/v1/namespaces/default/deploymentsに対してPOSTメソッドのリクエストを送っているログが見つかりました。（a）のリクエストのBodyには、フラグやオプション、引数で指定したコンテナイメージ名が入っています。このことからkubectl create deploymentコマンドは、引数をリクエストデータとしてJSONに整形し、Deploymentの作成APIを叩くコマンドであることがわかります。

Deploymentが作成されてからReplicaSetが作成されるまでの動き

Deploymentについておさらいしましょう。第1章では、DeploymentはReplicaSetオブジェクトを管理していることや、Kubernetesクラスタ内のetcdがそれらのオブジェクトを保存していること、kube-controller-managerがオブジェクトを望ましい状態に保つことを説明しました。このkube-controller-managerは、Deploymentを管理するDeploymentコントローラや、ReplicaSetとPodを管理するReplicaSetコントローラなど、各オブジェクトを管理するコントローラによって構成されています。

次の**図3-4**は、Deployment作成APIを叩いたときに、Kubernetes APIサーバやコントローラがどのように連携してDeploymentが作成されるのかを示しています。今回のようにkubectl createコマンドで

Deploymentの作成を依頼するKubernetes APIを叩くと（①）、Kubernetes APIサーバはレプリカ数1[注4]のDeploymentオブジェクトを作成してetcdへ保存します（②）。次に、Deploymentコントローラが Deploymentの作成を検知すると（③）、宣言されているレプリカ数1に対して現在のReplicaSetの数が0であることから、その差分の1 ReplicaSetの作成をKubernetes APIを通じてリクエストします（④）。Kubernetes APIサーバは先ほどと同様に作成して保存（⑤）、これを検知したReplicaSetコントローラ（⑥）が宣言されているレプリカ数との現在の差分に応じてPodの作成依頼を行い（⑦）……と続いていきます。

図3-4 Deployment作成時の流れ

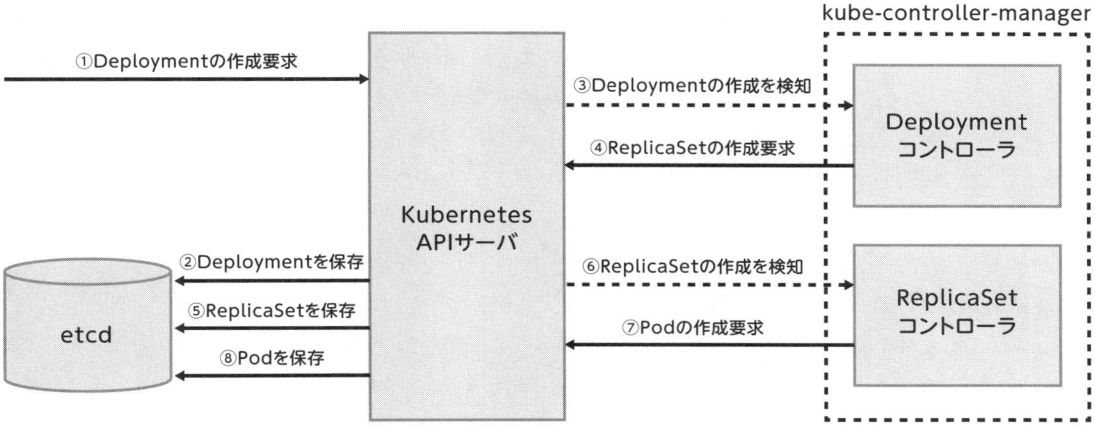

以上のことから、Deploymentの作成がリクエストされると、一連のプロセスを経てReplicaSetとPodも作成されているはずです。では、実際にこれを確かめてみましょう。

Kubernetes オブジェクトの省略名

kubectl getコマンドは、カンマ（,）で区切ることで、複数のオブジェクトを一度に指定できます。個別に取得するのは手間なので、3つまとめて指定しましょう。今回もログレベルを上げて実行しますが、紙面の都合上、出力をgrepして絞っています[注5]。

```
$ kubectl get deploy,rs,pod -v=6 2>&1 | grep -e dive-mattermost -e https
I1004 17:59:06.590256   84246 round_trippers.go:405] GET https://192.168.99.100:8443/apis/extensions/
v1beta1/namespaces/default/deployments?limit=500 200 OK in 18 milliseconds
I1004 17:59:06.597507   84246 round_trippers.go:405] GET https://192.168.99.100:8443/
apis/extensions/v1beta1/namespaces/default/replicasets?limit=500 200 OK in 5 milliseconds
I1004 17:59:06.601030   84246 round_trippers.go:405] GET https://192.168.99.100:8443/api/v1/
```

注4　kubectl create deploymentコマンドのデフォルトレプリカ数は1です。

注5　ログは標準エラーに出力されるため、パイプでgrepの対象にできるように標準エラーを標準出力にまとめています。

```
namespaces/default/pods?limit=500 200 OK in 2 milliseconds

deployment.extensions/dive-mattermost-preview              1     1         1      1    9m
replicaset.extensions/dive-mattermost-preview-746444d896   1     1         1    9m
pod/dive-mattermost-preview-746444d896-r9bqn               1/1   Running   0    9m
```

deployという名前から想像されていると思いますが、deployはDeployment、rsはReplicaSet、poはPodの省略名です。このように、各オブジェクト名の指定にはフルネームのほかに省略名も使えます。

オブジェクトの一覧は、kubectl api-resourcesコマンドで取得できます。この一覧には各オブジェクトの省略名も含まれているので、省略名を知りたくなった場合にはこのコマンドを叩いてみてください。また、オブジェクトのより詳しい情報が知りたくなった場合には、kubectl explainコマンドが便利です。

先の実行結果から、実際にkubectl create deploymentコマンドを実行してDeploymentオブジェクトの作成をリクエストしたあとに、Deployment、ReplicaSet、Podの3つのオジェクトが作成されることが確認できました。また、ログからは、getコマンドは各オブジェクトの状態を取得するGET APIを叩き、そのレスポンスを整形して出力するコマンドだということがわかります。

Podオブジェクトの作成からコンテナの起動までの動き

それでは、Eventを監視しているターミナルに戻り、どのようなイベントが発生していたのかを確認します（**図3-5**）。**表3-2**は各カラムの意味を示しています。これを参考にイベントを読み解きましょう。ただし、NAMEカラムの内容は一部省略していることに注意してください。

図3-5　図3-3実行時に発生したイベント

```
KIND         NAME        SOURCE                  REASON              MESSAGE
(..略..)
Deployment   dive-m...   deployment-controller   ScalingReplicaSet   Scaled up replica set dive- ⏎
mattermost-preview-746444d896 to 1  …(a)
ReplicaSet   dive-m...   replicaset-controller   SuccessfulCreate    Created pod: dive-mattermost- ⏎
preview-746444d896-r9bqn  …(b)
Pod          dive-m...   default-scheduler       Scheduled           Successfully assigned default/ ⏎
dive-mattermost-preview-746444d896-r9bqn to minikube  …(c)
Pod          dive-m...   kubelet                 Pulled              Container image ⏎
"k8spracticalguide/mattermost-preview:4.10.2" already present on machine  …(d)
Pod          dive-m...   kubelet                 Created             Created container
Pod          dive-m...   kubelet                 Started             Started container
```

表3-2 kubectl get eventのカラム名とその意味[注6]

カラム名	内容
KIND	イベントの対象となるKubernetesオブジェクトの種別
NAME	イベントの対象となるKubernetesオブジェクト名
SOURCE	イベントが発生したKubernetesクラスタ内のコンポーネント名
REASON	イベントが発生した理由
MESSAGE	イベントに関する詳細情報
LAST/FIRST SEEN ※	最後／最初にイベントが発生した時間
COUNT ※	イベントが発生した回数
SUBOBJECT ※	イベント対象となるKubernetesオブジェクトが保持しているサブオブジェクト

まず、**図3-5**の（a）（b）では、DeployementコントローラとReplicaSetコントローラがオブジェクトの宣言内容と現在の状態との差分を検知して、Kubernetes APIサーバに対して望む状態になるようにAPIリクエストを投げていることがわかります。これは、先ほどの**図3-4**の④と⑦の動作にあたります。

図3-5の（c）では、第1章で説明したkube-scheduler（default-scheduler）[注7]が、PodをKubernetesクラスタ内のどのノードにアサインするかを決定しています。（d）以降は、アサインされたノード内のkubeletによって、ボリュームのマウントやコンテナイメージのダウンロード、コンテナの起動が行われていることがわかります。

3.2.2 Update、Delete —— ControllerManagerによる調整ループとセルフヒーリング

kubectl editでDeploymentをスケールアウトし、調整ループの挙動を確認する

Kubernetesでkubectlからオブジェクトの宣言内容を変更する方法は、`kubectl apply`コマンドなど、いくつかの方法がありますが、一時的に簡単に変更したい場合には`kubectl edit`コマンドが便利です。

では、このコマンドを使ってDeploymentのレプリカ数を変更してみましょう。`kubectl create deployment`コマンドからデプロイしたときのレプリカ数は、デフォルトで1になっています。今回は、このレプリカ数を2にスケールアウトしましょう。また、今回も何のイベントが発生したのかを確認するため、`kubectl get event`コマンドは停止せずに、イベントを監視し続けます。

`kubectl edit`コマンドには、引数として変更対象となるオブジェクトの種別とその名前を渡します（**図3-6**）。本コマンドを実行すると、デフォルトに設定されているテキストエディタが自動的に起動します。テキストエディタが起動したら、`spec.replicas`を2に書き換え、保存・終了してください。

注6　※印が付いているカラム名は、今回の出力結果からは`custom-column`オプションを使用して省略していますが、デフォルトでは表示されるカラム名です。

注7　kube-schedulerをデフォルトの設定で起動したときのscheduler名がdefault-schedulerに設定されているため、EventオブジェクトのSOURCEではdefault-schedulerという名前になっています。

図3-6 kubectl editコマンドでレプリカ数を変更

```
$ kubectl edit deploy dive-mattermost-preview -v=6
(..略..)
I1004 18:09:33.799627   85470 round_trippers.go:405] GET https://192.168.99.100: ⏎
8443/apis/extensions/v1beta1/namespaces/default/deployments/dive-mattermost- ⏎
preview 200 OK in 20 milliseconds
I1004 18:09:33.800730   85470 editor.go:127] Opening file with editor [/usr/ ⏎
local/bin/fish -c emacsclient -nw -a '' "/var/folders/gh/csvxqkyn5m7dkydny9b ⏎
1dsqc0000gp/T/kubectl-edit-s2mnv.yaml"]
I1004 18:09:39.407550   85470 editoptions.go:253] User edited:

editコマンド実行後に起動したエディタ内で、次のようにレプリカ数を1→2に変更する
 spec:
   progressDeadlineSeconds: 600
-  replicas: 1
+  replicas: 2
   revisionHistoryLimit: 2
   selector:
     matchLabels:
(..略..)
I1004 18:09:39.528259   85470 round_trippers.go:405] PATCH https://192.168.99. ⏎
100:8443/apis/extensions/v1beta1/namespaces/default/deployments/dive- ⏎
mattermost-preview 200 OK in 21 milliseconds
deployment.extensions/dive-mattermost-preview edited
```

このようにkubectl editコマンドでは、指定したオブジェクトをKubernetes APIで取得し、一時ファイルとして保存します。その後、一時ファイルをエディタ上で開き、クローズされたファイルに変更内容があれば、それをリクエストとして、該当するオブジェクトのAPIにPATCHリクエストを送ります。

続いて、Deploymentのレプリカ数を修正したときに発生したイベントを見ていきましょう（**図3-7**）。

図3-7 図3-6実行時に発生したイベント

```
KIND         NAME        SOURCE                  REASON               MESSAGE
(..略..)
Deployment   dive-m...   deployment-controller   ScalingReplicaSet    Scaled up replica set dive- ⏎
mattermost-preview-746444d896 to 2  …(a)
ReplicaSet   dive-m...   replicaset-controller   SuccessfulCreate     Created pod: dive-mattermost- ⏎
preview-746444d896-sbn24
(..略..)
```

（a）から、Deploymentオブジェクトのレプリカ数の変化を契機に、ReplicaSetがスケールアウトしていることがわかります。これは、現在の有効なレプリカ数が1に対して、宣言したレプリカ数が2に変わったことで差分が生まれ、宣言した状態に実際の状態を合わせる必要があったためです。このようにオブジェクトの変更が検知されると、各オブジェクトのコントローラの調整ループによって宣言状態に調整されます。

kubectl scaleを使ってReplicaSetをスケールインし、セルフヒーリングの挙動を確認する

レプリカ数の変更は後の章で説明するオートスケールなどで頻繁に行われるため、Scale専用のAPIが存在しています。kubectl scaleコマンドを使うと、このAPIを叩くことができます。先ほどはDeploymentのレプリカ数を変更しましたが、今回はkubectl scaleコマンドを使ってReplicaSetのレプリカ数を変更していきます。

Deploymentの宣言状態を変更したときと、Deploymentによって管理されているReplicaSetの宣言状態を変更したときの挙動の違いを把握するため、まずはkubectl getコマンドでPodの状態変更を監視します。

今回は、EventではなくPodの状態変更を監視した状態でkubectl scaleコマンドを実行します[注8]。

```
$ kubectl get po -w | grep -e dive-mattermost -e NAME
NAME                                 READY     STATUS    RESTARTS   AGE
dive-mattermost-preview-746444d896-r9bqn   1/1       Running   0          30m  …(a)
dive-mattermost-preview-746444d896-sbn24   1/1       Running   0          10m  …(b)
```

出力結果を見ると、前回（**図3-6**）、Deploymentのレプリカ数を2に変更したため、(a)と(b)の2つのPodが存在していることがわかります。

Podを監視しているターミナルとは別のターミナルを立ち上げ、kubectl scaleコマンドを実行します（**図3-8**）。kubectl scaleコマンドには、引数としてスケール対象とするオブジェクトの種別とその名前[注9]を渡します。また、今回はレプリカ数を2から1に変更するため--replicasオプションで1を指定しています。

図3-8　kubectl scaleコマンドでレプリカ数を変更

```
$ kubectl scale rs $(kubectl get rs|grep dive-mattermost|awk '{print $1}') \
  --replicas=1 -v=6 2>&1 | grep -e mattermost -e https
I1004 18:24:54.668703   87950 round_trippers.go:405] GET https://192.168.99.100: ⏎
8443/apis/extensions/v1beta1/namespaces/default/replicasets/dive-mattermost- ⏎
preview-746444d896 200 OK in 10 milliseconds
I1004 18:24:54.678914   87950 round_trippers.go:405] GET https://192.168.99.100: ⏎
8443/apis/extensions/v1beta1/namespaces/default/replicasets/dive-mattermost- ⏎
preview-746444d896/scale 200 OK in 7 milliseconds
I1004 18:24:54.707803   87950 round_trippers.go:405] PUT https://192.168.99.100: ⏎
8443/apis/extensions/v1beta1/namespaces/default/replicasets/dive-mattermost- ⏎
preview-746444d896/scale 200 OK in 25 milliseconds  …(a)

replicaset.extensions/dive-mattermost-preview-746444d896 scaled
```

注8　必要な出力結果だけを得るため、grepを使いdive-mattermostを名前に持つPodのみを表示しています。

注9　ここでは、kubectl getコマンドでReplicaSet名を取得する手間を省くため、dive-mattermostを名前に含むReplicaSet名を動的に取得しています。

実行時のログを確認すると、**図3-8**の（a）よりScale APIに対してPUTメソッドのリクエストが送られていることがわかります。そして最後に、スケールが完了したというメッセージが表示されています。

では、Podの状態を監視していたターミナルに戻り、Deploymentによって管理されているReplicaSetをスケールインしたとき、Podがどのような挙動をしていたのかを確認しましょう（**図3-9**）。

図3-9　図3-8実行時におけるPodの状態変更

```
NAME                                        READY   STATUS              RESTARTS   AGE
(..略..)
dive-mattermost-preview-746444d896-sbn24    1/1     Terminating         0          15m   …(a)
dive-mattermost-preview-746444d896-vf7pn    0/1     Pending             0          0s
dive-mattermost-preview-746444d896-vf7pn    0/1     ContainerCreating   0          0s    …(b)
dive-mattermost-preview-746444d896-vf7pn    1/1     Running             0          0s
(..略..)
```

まず、ReplicaSetオブジェクトのレプリカ数が2から1にスケールインしたことにより、（a）でsbn24[注10]のサフィックスを持つPodがReplicaSetコントローラによって削除されていることがわかります。その一方で、（b）では新しくvf7pnのサフィックスを持つPodの作成が開始しています。これは、ReplicaSetのレプリカ数が親のDeploymentオブジェクトと差分が出たことをDeploymentコントローラが検知し、ReplicaSetのレプリカ数をもとの2に戻したためです。このように、何らかの原因で宣言状態と現在の状態に違いが出たとしても、コントローラの調整ループによってセルフヒーリングが実現されています。

kubectl deleteを使ってPodを削除し、セルフヒーリングの挙動を確認する

前回は、ReplicaSetが親であるDeploymentに定義されている状態に戻ることを確認しました。この挙動は、ReplicaSetに管理されているPodに対しても同じことが言えます。他オブジェクトでもセルフヒーリングが実現されていることを確認するため、kubectl deleteコマンドを使ってPodを削除してみます。kubectl deleteコマンドは、その名のとおりKubernetes APIに対してDELETEリクエストを送るためのコマンドです。オブジェクトをひとつひとつ指定しても良いですが、少々面倒なので--allオプションを使ってdefaultネームスペースにあるPodオブジェクトをすべて削除しましょう。

```
$  kubectl delete po --all -v=6 2>&1 | grep DELETE
I1004 18:32:59.482623   88620 round_trippers.go:405] DELETE https://192.168.99.100:8443/api/v1/ ⏎
namespaces/default/pods/dive-mattermost-preview-746444d896-r9bqn 200 OK in 14 milliseconds
pod "dive-mattermost-preview-746444d896-r9bqn" deleted
I1004 18:32:59.496623   88620 round_trippers.go:405] DELETE https://192.168.99.100:8443/api/v1/ ⏎
namespaces/default/pods/dive-mattermost-preview-746444d896-vf7pn 200 OK in 10 milliseconds
pod "dive-mattermost-preview-746444d896-vf7pn" deleted
```

注10　サフィックスはランダムに付与される値のため、手元で実行しているPodと異なっていても問題ありません。

```
I1004 18:32:59.531358   88620 round_trippers.go:405] DELETE https://192.168.99.100:8443/api/v1/ ⏎
namespaces/default/pods/mattermost-preview-c6f84844d-jgtf4 200 OK in 31 milliseconds
pod "mattermost-preview-c6f84844d-jgtf4" deleted
```

実行ログからも、DELETEメソッドのリクエストをdefaultネームスペースのPodに対してそれぞれ送っていることがわかります。では、セルフヒーリングによってPodが復活していることを確認するため、kubectl getコマンドを実行します。

```
$ kubectl get po
NAME                                      READY     STATUS    RESTARTS   AGE
dive-mattermost-preview-746444d896-25wmx  1/1       Running   0          1m
dive-mattermost-preview-746444d896-zd5gs  1/1       Running   0          1m
mattermost-preview-c6f84844d-h68nt        1/1       Running   0          1m
```

kubectl deleteコマンドによって3つのPodが削除されましたが、セルフヒーリングによって3つのPodが新たに作成されました[注11]。Deploymentのときと同様に、ReplicaSetのレプリカ数の定義と、存在しているPodの数に差分が発生したことを検知したReplicaSetコントローラが、新たにPodを作成したためです。

Labelを操作して、ReplicaSetがPodを管理している方法と管理対象から外す方法を知る

では、どのように親オブジェクトは管理対象とするオブジェクトを識別しているのでしょうか？

第1章でも解説しましたが、親オブジェクトは、Labelセレクタを用いて子オブジェクトの持つLabelを確認し、管理対象であるかを判定しています。では、実際にReplicaSetの持つLabelセレクタと、Podの持つラベルを見てみましょう。オブジェクトの状態は今まで同様にkubectl getコマンドで取得できます。今回のように特定のフィールドのみを取得したい場合には、--outputオプションのtemplateが便利です。ここではそれぞれ、ReplicaSetのspec.selector.matchLabels、Podの.metadata.labelsのみを出力しています。

```
(a)dive-mattermost-previewのReplicaSetが持つLabelセレクタを取得
$ kubectl get rs $(kubectl get rs|grep dive-mattermost|awk '{print $1}') -o template \
  --template='{{.spec.selector.matchLabels}}'
map[app:dive-mattermost-preview pod-template-hash:3020008452]

(b)dive-mattermost-previewの1つめのPodが持つラベルを取得
$ kubectl get po $(kubectl get po|grep dive-mattermost|head -n 1|awk '{print $1}') \
  -o template --template='{{.metadata.labels}}'
map[pod-template-hash:3020008452 app:dive-mattermost-preview]
```

注11 現在存在するPod名のサフィックスと、削除されたPodのサフィックスは異なっているはずです。

ReplicaSetのLabelセレクタを見ると、app:dive-mattermost-preview[注12]とpod-template-hash:3020008452[注13]の2つのラベルが指定されています。これは、両方のラベルにマッチするオブジェクトを管理対象とするという意味です。このReplicaSetによって管理されているPodのLabelを見ると、この両方のラベルを保持していることがわかります。

ちなみに、今回の例ではPodが持つすべてのLabelをReplicaSetのLabelセレクタで指定していますが、すべてのLabelを対象にする必要はありません。よって、Podにenv:productionというLabelを追加したとしても挙動は変わりません。また、ReplicaSetを管理するDeploymentのLabelセレクタは取得しませんでしたが、ReplicaSetと同じように、管理対象となるReplicaSetのLabelをLabelセレクタとして持っています。

このように、オブジェクトの管理対象はLabelによって判別されています。よって、Labelを操作するだけで簡単にオブジェクトを管理対象に入れたり外したりできます。この柔軟さは、1つのPodだけ予期せぬ挙動を起こし、解析のために切り離したいというときに便利です。では、実際にPodをReplicaSetから切り離してみましょう。Labelの変更も、レプリカ数を変更したときと同じようにkubectl editコマンドを使用します。今回もエディタが起動するので、**図3-10**のようにappラベルを削除し、taskラベルを追加してください。

図3-10 kubectl editコマンドでLabelを変更

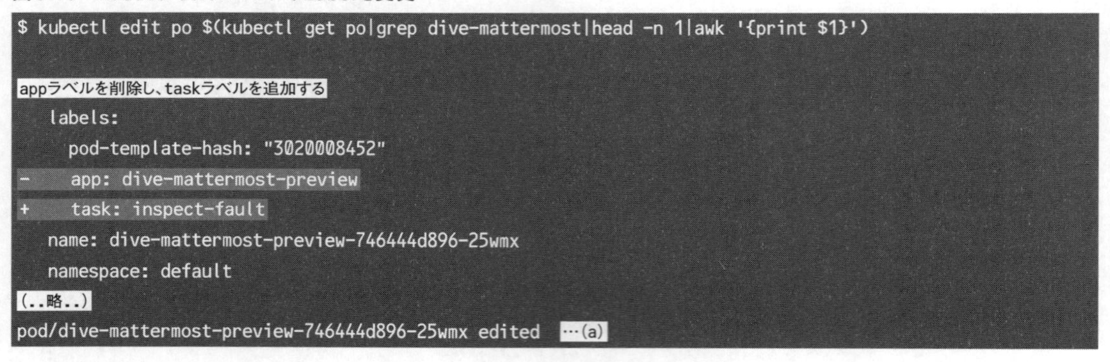

```
$ kubectl edit po $(kubectl get po|grep dive-mattermost|head -n 1|awk '{print $1}')

appラベルを削除し、taskラベルを追加する
  labels:
    pod-template-hash: "3020008452"
-    app: dive-mattermost-preview
+    task: inspect-fault
  name: dive-mattermost-preview-746444d896-25wmx
  namespace: default
(..略..)
pod/dive-mattermost-preview-746444d896-25wmx edited  …(a)
```

これで管理対象から外すことができました。実際にReplicaSetの管理対象から外れたことを確認するために、**図3-10**の(a)でeditedとなっているPodのLabelが変更されたことを確認したあと、名前にdive-mattermostを含むPodの状態を取得します。

```
taskラベルが追加されたことを確認する
$ kubectl get po dive-mattermost-preview-746444d896-25wmx -o template --template='{{.metadata.labels}}'
map[pod-template-hash:3020008452 task:inspect-fault]
```

注12 kubectl create deploymentコマンドを使ってDeploymentを生成したときに付与されるLabelです。

注13 pod-template-hashは、Podのテンプレート値が更新されたことを検知し、アップグレードするために使用します。

```
現在のPodの状況を確認する
$ kubectl get po | grep -e dive-mattermost -e NAME
NAME                                    READY     STATUS    RESTARTS   AGE
dive-mattermost-preview-746444d896-25wmx   1/1     Running   0          30m
  ↑(a)管理対象から外れたPod
dive-mattermost-preview-746444d896-gr2lx   1/1     Running   0          4m
  ↑(b)新たに作成されたPod
dive-mattermost-preview-746444d896-zd5gs   1/1     Running   0          30m
```

Podの取得ログを確認すると、新たに(b)のPodが追加されていることがわかります。これは、(a)のPodが持つappラベルを削除したことにより、ReplicaSetの管理対象から外れてReplicaSetが管理するPod数が2から1に減少し、この変更を検知したReplicaSetコントローラが、新たに管理対象となるPodを新規に作成したためです。

では、再び管理対象にPodを入れてみましょう(**図3-11**)。先ほど同様にkubectl editコマンドを使ってLabelを修正します。今度は前回削除したappラベルを追加してください。

図3-11 kubectl editコマンドで再びLabelを変更

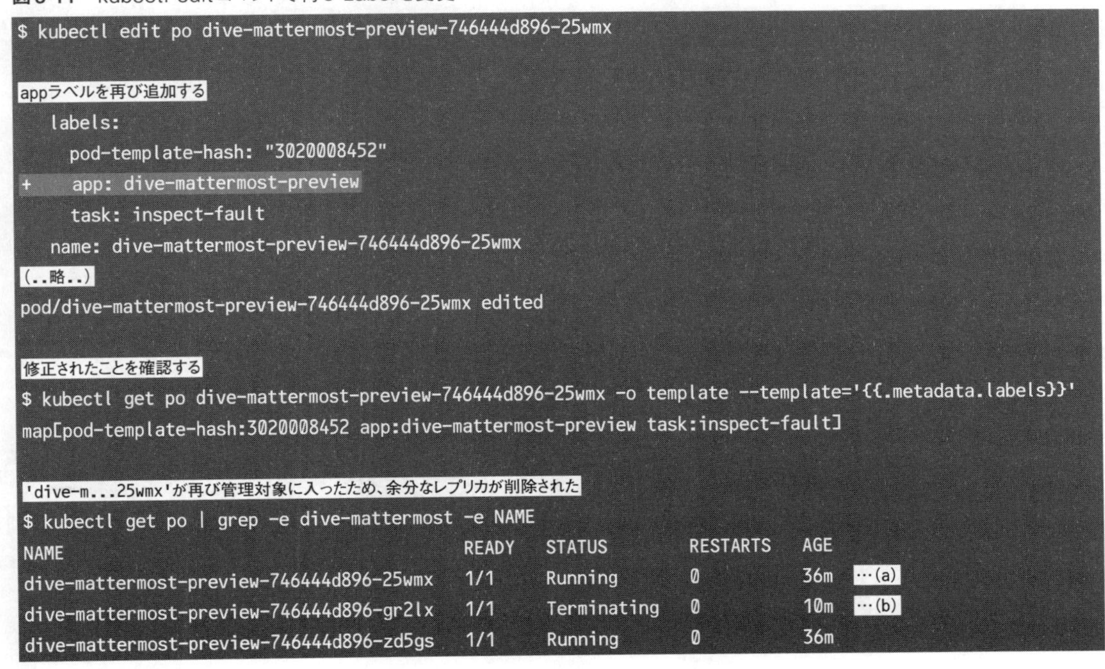

```
$ kubectl edit po dive-mattermost-preview-746444d896-25wmx

appラベルを再び追加する
  labels:
    pod-template-hash: "3020008452"
+    app: dive-mattermost-preview
    task: inspect-fault
  name: dive-mattermost-preview-746444d896-25wmx
(..略..)
pod/dive-mattermost-preview-746444d896-25wmx edited

修正されたことを確認する
$ kubectl get po dive-mattermost-preview-746444d896-25wmx -o template --template='{{.metadata.labels}}'
map[pod-template-hash:3020008452 app:dive-mattermost-preview task:inspect-fault]

'dive-m...25wmx'が再び管理対象に入ったため、余分なレプリカが削除された
$ kubectl get po | grep -e dive-mattermost -e NAME
NAME                                    READY   STATUS        RESTARTS   AGE
dive-mattermost-preview-746444d896-25wmx   1/1     Running       0          36m   …(a)
dive-mattermost-preview-746444d896-gr2lx   1/1     Terminating   0          10m   …(b)
dive-mattermost-preview-746444d896-zd5gs   1/1     Running       0          36m
```

(a)のPodをReplicaSetの管理対象に戻したあとにPodの状態を確認すると、(b)のPodが1つ削除されていることが確認できます。これは、ReplicaSetが管理する有効なPod数が3に増加したことにより、宣言状態よりオーバーした余分なPodが1つ削除されたためです。

OwnerReferenceによるオブジェクトのガベージコレクションのしくみ

セルフヒーリングの対象となるオブジェクトはLabelによって管理されていることがわかりました。ただし、削除時の親子関係はOwnerReferenceによって管理されています。

kubectl deleteでオブジェクトを削除すると、デフォルトでは削除したオブジェクトが管理している子のオブジェクトも削除されます。しかし、何らかの理由で子リソースだけが残ってしまった場合、どのオブジェクトからも参照されない不要な子オブジェクトがクラスタに残り続けてしまいます。このような問題を回避するため、controller-managerはオブジェクトのガベージコレクションの機能を持っています。

オブジェクトのガベージコレクタは、オブジェクトが持つ.metadata.ownerReferencesの値から、そのオブジェクトが親を持っているか、そしてその親の存在の有無などを確認しています。もし、OwnerReferenceで参照している親がすでに削除されていた場合、オブジェクトをガベージコレクション対象として削除します。逆に、OwnerReferenceが空だった場合はガベージコレクション対象にはなりません。では、この挙動を確認してみましょう。まず、kubectl getコマンドでOwnerReferenceの値を確認します。

```
$ kubectl get rs dive-mattermost-preview-746444d896 -o template \
  --template='{{.metadata.ownerReferences}}'
[map[apiVersion:apps/v1 blockOwnerDeletion:true controller:true kind:Deployment name:dive-mattermost- ⏎
preview uid:7e421180-c7b2-11e8-9ea4-0800279df22a]]
```

出力結果を見ると、親となるオブジェクトの種別や名前、UIDといった情報が含まれていることがわかります。もし、検証などの目的で親のDeploymentだけを削除してReplicaSetとReplicaSetが管理するPodを残したい場合にはどうしたら良いのでしょうか？　Podのみであれば Labelを変更して管理対象から外すこともできますが、ReplicaSetのLabelを変更すると、そのLabelを持ったPodが新たに作りなおされてしまいます。よって、このような場合には、kubectl deleteコマンドの--cascadeオプションをfalseに設定して実行する必要があります。

```
$ kubectl delete deploy dive-mattermost-preview --cascade=false -v=8
(..略..)
I1004 19:18:12.716150   93624 request.go:897] Request Body: {"propagationPolicy":"Orphan"}
I1004 19:18:12.716322   93624 round_trippers.go:383] DELETE https://192.168.99.100:8443/ ⏎
apis/extensions/v1beta1/namespaces/default/deployments/dive-mattermost-preview
(..略..)
deployment.extensions "dive-mattermost-preview" deleted
(..略..)
```

実行結果を見ると、DELETEメソッドリクエストのオプションとしてpropagationPolicy=Orphan[注14]が渡されています。このオプションが付与されると、削除したオブジェクトが管理しているオブジェクトの

注14　孤児を意味する単語。

OwnerReferenceが空になるため、ガベージコレクションの対象から外れます。

再びReplicaSetのOwnerReferenceを取得すると、先ほどとは違い、`<no value>`が返ってきました。

```
OwnerReferenceが削除されたことを確認する
$ kubectl get rs dive-mattermost-preview-746444d896 -o template \
  --template='{{.metadata.ownerReferences}}'
<no value>
```


各リソース状況も確認すると、Deploymentだけが消え、ReplicaSetとそのReplicaSetが管理するPodのみが残っていることがわかります。もちろん、OwnerReferenceが空になるのは削除したオブジェクトが管理しているオブジェクトのみなので、PodのOwnerReferenceはまだReplicaSetを指し示しています。

```
Deploymentのみ削除されたことを確認する
$ kubectl get deploy,rs,po | grep dive-mattermost
replicaset.extensions/dive-mattermost-preview-746444d896   2         2         2         1h
pod/dive-mattermost-preview-746444d896-25wmx    1/1       Running   0          47m
pod/dive-mattermost-preview-746444d896-zd5gs    1/1       Running   0          47m

PodのOwnerReferenceを取得する
$ kubectl get po dive-mattermost-preview-746444d896-25wmx -o template \
  --template='{{.metadata.ownerReferences}}'
[map[controller:true kind:ReplicaSet name:dive-mattermost-preview-746444d896 ⏎
uid:7e459b23-c7b2-11e8-9ea4-0800279df22a apiVersion:apps/v1 blockOwnerDeletion:true]]
```

今度はReplicaSetを通常どおり（`--cascade=true`）削除しましょう。デフォルトの`propagationPolicy`を確認するため、ログレベルを8に上げてください。

```
$ kubectl delete rs dive-mattermost-preview-746444d896 -v=8
(..略..)
I1004 19:18:12.716150   93624 request.go:897] Request Body: {"propagationPolicy":"Background"}
I1004 19:18:12.716322   93624 round_trippers.go:383] DELETE https://192.168.99.100:8443/ ⏎
apis/extensions/v1beta1/namespaces/default/replicasets/dive-mattermost-preview-746444d896
(..略..)
replicaset.extensions "dive-mattermost-preview-746444d896" deleted
(..略..)
```

デフォルトの`propagationPolicy`は`Background`[注15]だということがわかりました。このオプション付きの削除リクエストが送られると、削除対象のオブジェクトが先に削除され、そのオブジェクトが管理する子オブジェクトはバックグラウンドでガベージコレクタによって削除されます。

注15　Foregroundオプションも存在しますが、`kubectl delete`から実行ができないため、あまり使う機会はないでしょう。

実際にオブジェクトの状況を取得すると、子オブジェクトも削除されていることがわかります。

```
$ kubectl get deploy,rs,po | grep dive-mattermost
pod/dive-mattermost-preview-746444d896-25wmx   1/1     Terminating   0          48m
pod/dive-mattermost-preview-746444d896-zd5gs   1/1     Terminating   0          48m
```

kubectl proxyを利用して、curlからKubernetes APIを叩く

それでは最後に、一番はじめに作った不要なアプリケーションを削除しましょう。ただし、今回はkubectlを使わずに直接curlコマンドを使ってAPIを叩きます。直接叩くこともできますが、Kubernetes APIサーバとの通信のための認証情報を用意するのは少々面倒です。そこで、kubectl proxyコマンドを使ってプロキシサーバ経由でKubernetes APIを実行します。kubectl proxyコマンドを使用すると、プロキシサーバが立ち上がり、--portオプションで渡したポートからKubernetes APIサーバの8443ポートまでHTTPリクエストがポートフォワーディングされます。

ここでは、ローカルホストのポートを8080に設定し、アンド(&)を付けてkubectl proxyをバックグラウンドで実行します。

プロキシサーバをバックグラウンドで起動

```
$ kubectl proxy --port=8080 &
```

これでKubernetes APIサーバとのプロキシが完了しました。続けて、Kubernetes APIを実行してみましょう。curlコマンドでは-Xオプションを使ってリクエストのメソッドを指定できます。今回はDeploymentを削除したいのでDELETEです。リクエスト先のホストはプロキシしたローカルホストの8080番、パスはdefaultネームスペースにあるDeploymentオブジェクトのmattermost-previewを指定してください。

削除APIを実行

```
$ curl -X DELETE http://localhost:8080/apis/apps/v1/namespaces/default/deployments/mattermost-preview
{
  "kind": "Status",
  "apiVersion": "v1",
  "metadata": {

  },
  "status": "Success",
  "details": {
    "name": "mattermost-preview",
    "group": "apps",
    "kind": "deployments",
    "uid": "0682f2d7-c727-11e8-9ea4-0800279df22a"
  }
}
```

最後に、Deployment、ReplicaSet、Pod、すべてが削除されたことを確認します。

```
$ kubectl get deploy,rs,po
No resources found.
```

3.3 Dockerコンテナイメージを知る

これまでにDockerコンテナイメージは何度か登場しましたが、本節ではこのコンテナイメージをどのようにして作成できるのかについて説明します。そして、作成したコンテナイメージを公開する方法についても説明します。

3.3.1 Dockerfileを読む

3.2節ではDocker Hubに公開されているmattermost-previewを使いました。このDockerイメージは、Dockerfile[注16]からビルドされています。Dockerfileというのは、Dockerコンテナイメージの生成を自動化するためのものです。Dockerコンテナイメージは手動でも作ることができますが、同じコンテナイメージを再び作ろうにも人はミスをするものなので再現することが難しくなってしまいます。そこで、Dockerfileという形でコンテナイメージを生成する手順を定義して、コンテナイメージの生成をプログラムに任せるようになりました。では、どのようにコンテナイメージの作成手順を定義できるのでしょうか？ mattermost-previewのDockerfileを抜粋しつつ、読み方を説明していきます。

FROM：コンテナイメージのリポジトリとタグを指定する

Dockerfileはコマンド、スペースのあとにその引数という書式になっています。また、先頭にシャープ（#）が付いている行は、コメント行であることを示しています。最初のコマンドはFROMです。

```
# FROM <image>[:<tag or digest>]
FROM mysql:5.7.22
```

これは、このあとのコマンドを実行していく対象のコンテナイメージを指定するコマンドです。ここではmysqlコンテナイメージが指定されているので、Docker Hubに公開されているmysqlコンテナイメージ[注17]が使用されます。もちろん別のコンテナレジストリにあるコンテナイメージも指定できます。

注16 https://github.com/kubernetes-practical-guide/examples/blob/master/ch3.2/image/Dockerfile
注17 https://hub.docker.com/_/mysql/

mysqlという記述はコンテナレジストリ名などを省略した記法で、registory-1.docker.io/library/mysqlも同じコンテナイメージを示しています。コンテナレジストリのホスト名はDocker Hubの場合のみ省略可能です。また、パス名は、Docker Hubが公式と認めているコンテナイメージが属するlibraryのみ省略可能です。Dockerのドキュメントでは、コロン(:)の手前を合わせてリポジトリと読んでいます(**図3-12**)。

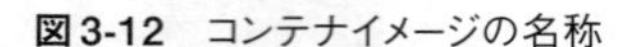

図3-12 コンテナイメージの名称

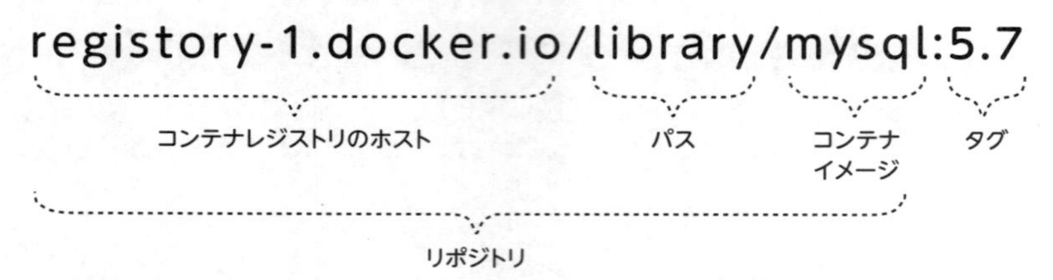

また、コロンで区切られたあとの5.7という数字はコンテナイメージのタグを示しています。コンテナイメージは、イメージIDと呼ばれるそのコンテナイメージを示すダイジェストを持っていますが、ダイジェスト値は人が識別しづらい[注18]ため、そのダイジェスト値に対して別名を付けることができます。これをコンテナイメージのタグと言います。ここでは数字とピリオドが使われていますが、最大128文字でASCIIの大文字/小文字を含む英数字、アンダースコア(_)、ピリオド(.)とダッシュ(-)を使用できます。ただし、ピリオドとダッシュからは始めることはできません。

多くのコンテナイメージでは、このタグにコンテナイメージのバージョンやベースとなっているコンテナイメージ情報を含んでいます。また、タグはDockerfileのFROMやdockerコマンド実行などのイメージ指定時に省略可能です。省略した場合、デフォルトでlatestというタグが使われます。しかし、テスト環境を除き、実際の開発では予期せぬ不具合を避けるため、明示的にタグを指定したほうが良いでしょう。

ARG、ENV:ビルド変数と、環境変数を設定する

続いて使われているのは、ARGとENVコマンドです。ARGコマンドは、ビルド用変数とそのデフォルト値を設定できます。次のように、「パッケージバージョンをビルド時に動的に変更したい」といったケースで使用されます。ただし、あくまでこの値が使用されるのはDockerfileのビルド時のみです。対して、ENVコマンドはビルド時だけではなく、コンテナ内で使用する環境変数とその値を指定できます。

```
# ARG <key>[=<default value>]
ARG MM_VERSION=4.10.2

# ENV <key> <value>
# ENV <key>=<value>...
ENV MYSQL_ROOT_PASSWORD mostest
```

注18 コンテナイメージ名のあとにコロンではなくアットマーク(@)に続けてダイジェスト値も指定できます。

```
ENV MYSQL_USER=mmuser \
    MYSQL_PASSWORD=mostest \
    MYSQL_DATABASE=mattermost_test
```

ここではMySQLの設定値を、MYSQL_USER=mmuserのようにイコール（=）で区切って設定していますが、スペースで区切ることもできます。ただし、1つのENVコマンドで複数の環境変数を指定する場合には、環境変数ごとの区切りにスペースを使うので、値との区切りにはイコールのみ使用できます。また、ここで設定した環境変数は、コンテナを起動するときに上書きすることもできますし、追加の環境変数を渡すこともできます。

WORKDIR、ADD、RUN、ENTRYPOINT：アプリケーションの起動準備をする

WORKDIRコマンドは以降のADD、RUNコマンドなどで作業する際のベースとなるディレクトリを指定するコマンドです。次の例の場合、WORKDIR以降のカレントディレクトリ（./）が指し示す場所は/mmとなります。

```
# WORKDIR <path to the directory>
WORKDIR /mm

# ADD [--chown=<user>:<group>] <source>... <destination>
ADD https://releases.mattermost.com/$MM_VERSION/mattermost-team-$MM_VERSION-linux-amd64.tar.gz \
    preview_config.json \
    mm_entrypoint.sh \
    ./

# RUN <command>
# RUN ["executable", "param",...]
RUN tar -zxvf ./mattermost-team-$MM_VERSION-linux-amd64.tar.gz \  …(a)
    && chmod +x ./mm_entrypoint.sh
RUN ["mkdir", "./mattermost-data"]  …(b)

# ENTRYPOINT <command> [<param>...]
# ENTRYPOINT ["executable", "param",...]
ENTRYPOINT ./mm_entrypoint.sh
```

ADDコマンドはローカルもしくはリモートにあるファイルをコンテナ内に追加するためのコマンドです。コンテナ内に配置するファイルが存在する場所と、それらのファイルを配置する場所を指定します。追加元のファイルはスペース区切りで複数指定でき、最後のスペースのあとは配置先のパスとして認識されます。また、ローカルのファイルだけではなく、URLを指定してダウンロードしてくることもできます。

上の例では、tar.gzのファイルがあるURL、ローカルにあるpreview_config.json、mm_entrypoint.shの3つのファイルが指定されています。配置先は./となっているので、絶対パスの/mmに配置されます。ここでは指定していませんが、ファイルのユーザ・グループを変更したい場合はchownオプションを使うことがで

きます。

続いて、RUNコマンドはコンテナ内でシェルコマンドを実行するためのコマンドです。RUNコマンドには、2つの指定方法があります。先の例の（a）のようにRUNコマンドに続けて直接コマンドを実行する方法と、（b）のように[]内にカンマ区切りで指定する方法です。前者の場合は、引数が/bin/bash -cに渡されて実行されます。後者の場合は、引数の実行バイナリとその引数が/bin/bashを通さずに直接実行されます。RUNに指定したコマンドはコンテナ内で実行されるので、実行できるコマンドはベースとなっているコンテナイメージと、その前に実行したコマンドによって追加されたコマンドのみです。

RUNのあとのENTRYPOINTコマンドは、コンテナ起動時に何を実行するかを指定するコマンドです。前の例では、前段のADDで追加したmm_entorypoint.shをコンテナ起動時に実行するように指定しています。

VOLUME：永続化したいデータの配置場所を準備する

VOLUMEコマンドは、引数で指定されたディレクトリをボリュームのマウントポイントとして設定し、ホストやほかのコンテナからアクセスできるようにするコマンドです。

```
# VOLUME <mount point>...
VOLUME ./mattermost-data
```

コンテナ起動時にボリュームが作成され、ここで指定したディレクトリにマウントされます。通常、コンテナ内のデータはコンテナが削除されたタイミングで削除されます。しかし、ボリュームはこのコンテナライフサイクルから外れており、コンテナが削除されてもボリュームは削除されません。そのため、バックアップしたいデータなど、永続化したいデータの保存先として利用できます。ただし、作成したボリュームの管理を忘れていると、いつの間にか溜まっていたボリュームでストレージを圧迫しているということが発生するので注意が必要です。

また、ENV同様にコンテナ起動時にも指定できます。DockerfileのVOLUMEコマンドでは、コンテナイメージのポータビリティを保つためにホストのマウント先を指定できませんが、コンテナ起動時の--volume（-v）オプションでは指定できます。ホストのマウント先を指定しなかった場合は、dockerデーモンが生成したvolumeディレクトリ内に設定されます。実際のパスは起動したコンテナのイメージIDをdocker inspectコマンドに渡すと調べられます。

EXPOSE：アプリケーションのLISTENポートを明示する

EXPOSEコマンドは、コンテナ内のアプリケーションがLISTENしているポートと、tcpなどのプロトコル（省略可能）を指定できます。ただし、ここで指定したポートは起動時に実際に公開されるわけではなく、Dockerfileを書く人が、どのポートを公開すればいいのかを使う人が把握できるように、示すためのものです。よって、EXPOSEコマンドが記述されていなくても、起動時に該当ポートを公開できます。

```
# EXPOSE <port>[/<protocol>]...
EXPOSE 8065/tcp
```

以上で主要なコマンドはあらかた説明しましたが、ほかにもいろいろなコマンドが存在しています。ほかにどんなコマンドがあるか知りたくなった場合は、Dockerfileのドキュメント[注19]を参照してください。

3.3.2 DockerfileからDockerイメージを生成する

前項のmattermost-previewのDockerfileから、MySQLのコンテナイメージをベースとしてMattermostも追加し、1コンテナで2つのアプリケーションを起動させていることがわかりました。しかし、このように2個以上のアプリケーションを1つのコンテナに同居させることは推奨されていません。

これは、「アプリケーションだけスケールアウトさせたいのに、MySQLも一緒にスケールアウトされてしまった」、「アプリケーションだけダウンしたのに、MySQLごと再起動が走ってしまった」というように、運用しづらくなるためです。このことから、Dockerfileのベストプラクティス[注20]では、1コンテナに1プロセスとなるようにコンテナイメージを作ることが推奨されています。

Mattermostのコンテナイメージも、この構成になっているのはお試し用のpreviewコンテナイメージのみで、本番環境用はアプリケーションごとにイメージが別れています。この本番環境用のコンテナイメージを使っても良いですが、よりコンテナイメージに慣れるため、アプリケーション専用のコンテナイメージを書いていきます。

Dockerをインストールする

Dockerイメージをビルドするためには、ローカル環境にもDockerをインストールする必要があります。macOSの場合、minikubeと同様にHomebrew Caskからインストールできます。

```
$ brew cask install docker
```

その他の環境を使用している場合は、公式ページ[注21]を参照してください。

マルチステージビルドを使ったDockerfileを記述する

Dockerfileは、ファイル名もDockerfileである必要があります。では、作業用のディレクトリを作成して、そこに移動し、Dockerfileを任意のエディタで新規作成してみましょう。

```
$ mkdir image
$ cd image
$ eval $EDITOR Dockerfile
↑$EDITORは、お好みのエディタを起動してください
```

注19 https://docs.docker.com/engine/reference/builder/

注20 https://docs.docker.com/develop/develop-images/dockerfile_best-practices

注21 https://docs.docker.com/install/

mattermost-previewのコンテナイメージを参考に、アプリケーション環境を構築している部分のみを抜き出していきましょう（**リスト3-1**）。

リスト3-1 Dockerfile

```
FROM k8spracticalguide/debian:9-slim AS downloader
ARG MM_VERSION=4.10.2
ADD mm_entrypoint.sh .
ADD https://releases.mattermost.com/$MM_VERSION/mattermost-team-$MM_VERSION-linux-amd64.tar.gz .
RUN tar -zxvf ./mattermost-team-$MM_VERSION-linux-amd64.tar.gz

FROM k8spracticalguide/debian:9-slim
WORKDIR /mm
COPY --from=downloader /mattermost /mm_entrypoint.sh ./
RUN chmod +x mm_entrypoint.sh
ENTRYPOINT /mm/mm_entrypoint.sh
```

今度はデータベースとアプリケーションを1イメージに同居させないので、ベースイメージにはMySQLを使用せず、軽量なdebian:9-slimに置き換えます。ベースイメージを指定するFROMコマンドですが、1つのDockerfileの中で1つ以上使用できます。複数回使用されている場合、FROMから次のFROMまで、もしくは、FROMからファイルの終端に連なるコマンド群が1ビルドステージとして実行されます。また、FROMのあとにASを使うことで、ビルドステージに参照用の名前を付けることができます。

ただし、ASで指定した名前はあくまでビルドステージを示した一時的な名前です。よって、キャッシュとしてビルドされた前段のコンテナイメージは保存されていますが、docker imagesを使ってタグ名を確認しても、ASのあとに指定した名前はありません。また、docker build時に指定するタグ名は最後のFROMのコンテナイメージに対してのみ付与されます。

今回初出のCOPYコマンドですが、基本的な機能はADDコマンドと同じで、ローカルファイルをコンテナイメージ内にコピーできます。ADDにはない機能としては、ビルドステージ間のファイルのコピー機能があります。COPYコマンドの--fromオプションにビルドステージ名[注22]を渡すと、引数で指定したビルドステージから、COPYコマンドを実行したビルドステージへとファイルをコピーできます。ただし、ADDコマンドのようにURIを指定してファイルを取得することはできないことに注意してください。

このDockerfile内のタスクをまとめると、**図3-13**のようになります。

注22　ASで指定したビルドステージ名。もしくは、各ビルドステージに0から順に割り振られるビルドステージIDも指定できる。

図3-13 リスト3-1のDockerfileで行っているタスク

ビルドステージ1	①Mattermostと起動スクリプトをコンテナ内に追加
	②Mattermostのtar.gzを解凍
ビルドステージ2	③ビルドステージ1からMattermostと起動スクリプトをコピー
	④起動スクリプトのセットアップ

続いて、Dockerfileで追加する起動スクリプトを準備しましょう。Dockerfileで指定したとおり、mm_entrypoint.shという名前でエディタからファイルを新規作成します。

```
$ eval $EDITOR mm_entrypoint.sh
↑$EDITORは、お好みのエディタを起動してください
```

起動スクリプト（**リスト3-2**）では、Mattermostがデータベースに接続するための情報を環境変数に設定し、アプリケーションのバイナリの実行のみを行います。実行時に指定しているconfig/config.jsonは、Mattermostに含まれているデフォルトの設定ファイルです。

リスト3-2 mm_entrypoint.sh

```
#!/bin/bash -e

export DB_PORT=${DB_PORT:-3306}
export DB_NAME=${DB_NAME:-mattermost}
export MM_SQLSETTINGS_DATASOURCE="$MM_USERNAME:$MM_PASSWORD@tcp($DB_HOST:$DB_PORT)/⏎
$DB_NAME?charset=utf8mb4,utf8"

exec ./bin/platform --config=config/config.json
```

コンテナイメージのキャッシュとマルチステージビルドの利点

このように、1つのDockerfileを使って複数のステージに分けてコンテナイメージをビルドし、そのステージ間で生成物を受け渡しできるしくみのことをマルチステージビルドと呼びます。

第1章でコンテナイメージはレイヤ構造になっていることを説明しました。この特性により、**図3-14**のようにレイヤをまたいでファイルに対する変更や削除を行うとコンテナのサイズを増大させる原因となります。たとえば、ファイルを変更した場合、変更後のファイル容量分だけ純増してしまいます。また、削除した場合でも、削除したレイヤにファイルを削除したことを示すwhiteoutファイルが追加されて見えなくなるだけで、もとのレイヤからは削除されません。よって、容量を削減するためには、レイヤ数を減らし、レイヤまたぎの変更を避けることが重要です。

図3-14　コンテナイメージのレイヤとファイルの追加・変更・削除の関係

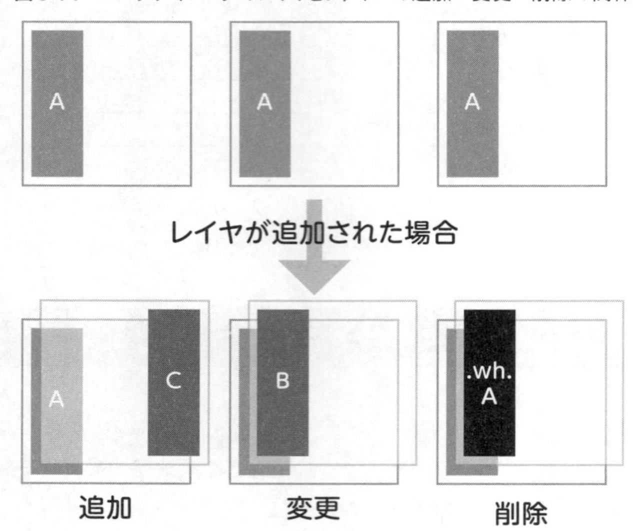

マルチステージビルドは、ビルドはキャッシュを活用するために複数のレイヤに分けつつも、本番用コンテナイメージは配布時間の短縮のため容量を抑えるというように、ビルドをしやすくしてくれます。ビルドステップを複数に分割できるので、ビルド時のみ必要なファイルはビルドステップに残し、本番環境で使用するコンテナイメージにはビルド済みの生成物だけを配置するということが可能になります。また、各ビルドステップで生成されたコンテナイメージもキャッシュとして残っているので、変更がない部分は2回目以降このキャッシュを利用してイメージのビルド時間を短縮できます。

Docker v18.06から選択できるBuildKitを有効にすると、ビルドステージなどの依存関係に応じて並列ビルドしてくれるので、ビルド時間の短縮効果も狙うことができます。

Dockerfileをビルドする

Dockerfileが完成したところで、このファイルを使ってDockerイメージをビルドしてみましょう（**図3-15**）。

図3-15　Dockerfileビルド（初回）

```
$ docker build -t mattermost:4.10.2 .
Sending build context to Docker daemon  3.072kB
↓(a)1つめのビルドステージ開始
Step 1/10 : FROM k8spracticalguide/debian:9-slim AS downloader
9-slim: Pulling from k8spracticalguide/debian
802b00ed6f79: Pull complete
Digest: sha256:a8c1702fe60da76824a7604ae3a3f1db29262b9099d3a759e169a90cb90ef9e3
Status: Downloaded newer image for k8spracticalguide/debian:9-slim
```

```
 ---> 44e19a16bde1
(..略..)

↓(b)2つめのビルドステージ開始
Step 6/10 : FROM k8spracticalguide/debian:9-slim
 ---> 44e19a16bde1
(..略..)
Step 10/10 : ENTRYPOINT /mm/mm_entrypoint.sh
 ---> Running in 638053037c3b
Removing intermediate container 638053037c3b
 ---> 48e3555e0039
Successfully built 48e3555e0039
↓(c)コンテナイメージID = 48e3555e0039にmattermost:4.10.2の別名を付与
Successfully tagged mattermost:4.10.2
```


Dockerイメージのビルドには、docker buildコマンドを使用します。--tag(-t)オプションはコンテナイメージ名とタグを指定するオプションで、(c)のように一番最後のビルドステージでビルドされたコンテナイメージに対して別名が付与されます。指定方法はFROMのベースイメージと同じです。今回は、使用するMattermostのバージョンと合わせて、タグに4.10.2を設定します。

コンテナイメージIDと別名(リポジトリ+タグ)は1対Nの関係のため、1つのコンテナイメージIDに対して何個でも別名を付与できます。しかし、その逆はできません。また、同じタグを付与して別の内容のDockerfileをビルドすると、あとからビルドしたコンテナイメージにそのタグが付与されます[注23]。コンテナ起動時に同じタグを指定していても、同じコンテナイメージが起動するとは保証できません。よって、最新イメージを示すlatestタグを除き、同じタグは使いまわさないようにしましょう。

ビルドが完了したら、もう一度同じコマンドを実行します。**図3-16**の(a)のUsing cacheというメッセージから、キャッシュが利用されたことがわかります。

図3-16 Dockerfileビルド(2回目)

```
2回目はキャッシュが利用される
$ docker build -t mattermost:4.10.2 .
Sending build context to Docker daemon  3.072kB
(..略..)
Step 10/10 : ENTRYPOINT /mm/mm_entrypoint.sh
 ---> Using cache  …(a)キャッシュが利用されていることを示すメッセージ
 ---> 48e3555e0039
Successfully built 48e3555e0039
Successfully tagged mattermost:4.10.2
```

注23 コンテナイメージが削除されるわけではありません。

3.3.3 コンテナイメージをDocker Hubにアップロードする

無事コンテナイメージの生成が完了しました。この状態でも、コンテナイメージをビルドした環境と同じ環境であれば、このコンテナイメージを利用してコンテナを起動できます。しかし、ほかの環境からは利用できません。他環境でも利用するためには、コンテナイメージを配布する必要があります。

Dockerのsave、exportコマンドを使ってコンテナイメージをtar.gz形式に固めてほかの環境に配布し、それぞれの環境でコンテナイメージをインポートするということもできますが、対象の環境が増えれば増えるほど面倒です。

コンテナイメージを複数の環境で管理するには、コンテナレジストリが便利です。一度コンテナレジストリにアップロードしてしまえば、使いたい人が任意のタイミングでダウンロードできます。また、コンテナレジストリを利用するとコンテナレジストリやローカル内のキャッシュを確認して差分だけが送信されるため、都度コンテナイメージ全体を送信するより、送信時間を短縮できます。

パブリックレジストリとプライベートレジストリ

ここまでに使用してきたコンテナイメージは、誰でも利用可能なものでした。このように、パブリックに公開されているコンテナイメージが格納されているコンテナレジストリのことを、パブリックレジストリと呼びます。対して、特定の人やサービスのみにコンテナイメージの作成や取得を許可しているコンテナレジストリのことをプライベートレジストリと呼びます。また、リポジトリ単位で公開範囲が別れているものをパブリック／プライベートリポジトリとも呼びます。Docker Hubはパブリックとプライベートのどちらのリポジトリも持っています。無料枠の場合は、1プライベートリポジトリのみ利用可能です。

Docker Hubのアカウントを作成する

それでは、今回はDocker Hubに作成したDockerイメージを公開してみましょう。Docker Hubを利用するためには、アカウントが必要です。Docker Hubのアカウントは、**図3-17**のように「https://hub.docker.com/signup」のページの登録フォームから作成できます。

図3-17　Docker Hubの登録フォーム

Welcome to Docker Hub
Create your free Docker ID to get started
Choose a Docker ID
Required
Email
Password
* I agree to Docker's Terms of Service.
* I agree to Docker's Privacy Policy and Data Processing Terms.
I would like to receive email updates from Docker, including its various services and products.
私はロボットではありません
reCAPTCHA
プライバシー - 利用規約
Sign Up

上から順に登録したいID、メールアドレス、パスワードを入力します。利用規約などを確認して問題なければチェックボックスにチェックを入れ、Sign Upボタンを押して仮登録を完了させます。しばらくすると入力したメールアドレス宛に確認メールが届くので、ガイダンスに従って登録を完了させます。登録したアカウントでサインインをすると、マイページが開きます。

Docker HubにDockerイメージをアップロードする

アカウントの準備が整ったところで、コンテナイメージをアップロードしていきましょう。まずは、docker loginコマンドを使って登録したアカウントにログインします。Usernameに登録したDocker ID、Passwordには登録したパスワードを入力します。Login Succeededのメッセージが表示されれば成功です。

```
$ docker login
Login with your Docker ID to push and pull images from Docker Hub. If you don't have a Docker ID, ⏎
head over to https://hub.docker.com to create one.
Username: (登録したDocker IDを入力)
Password: (登録したパスワードを入力)
Login Succeeded
```

3.3.1項（**図3-12**）で説明をしたとおり、リポジトリ名を使ってコンテナイメージがどのイメージレジストリに格納されるかを示すことができます。よって、コンテナイメージをアップロードするためには、このリポジトリ名を自身のDocker Hubリポジトリを示すように修正する必要があります。

docker tagコマンドは、コンテナIDに対して別名（リポジトリ+タグ）を付与するためのコマンドです。コンテナIDを調べるには、ビルド完了時に表示されたコンテナIDを拾ってくるか、docker imagesコマンドを利用してすでに付与している別名から調べることができます。

```
$ docker images mattermost
REPOSITORY          TAG                 IMAGE ID            CREATED             SIZE
mattermost          4.10.2              48e3555e0039        3 hours ago         176MB
```

調べたイメージIDを使って別名を付与しましょう。コンテナレジストリはDocker Hubを使うため省略して、コンテナイメージ名の前にDocker ID[注24]を追加します。タグは、ビルド時に付与した4.10.2を指定します。

```
$ docker tag 48e3555e0039 k8spracticalguide/mattermost:4.10.2
```

アップロードには、docker pushコマンドに先ほど付与した別名を渡して実行します。しばらくするとアップロードが完了します。また、同じコマンドをもう一度実行すると、コンテナレジストリに存在するキャッシュとの差分が検証され、差分がないことが検知されるとキャッシュが利用されます。

```
$ docker push k8spracticalguide/mattermost:4.10.2
The push refers to repository [docker.io/k8spracticalguide/mattermost]
09dabdf80d7c: Pushed
d06f1d018df4: Pushed
f9f36c88ec2b: Pushed
↓(a)ベースイメージはコンテナレジストリに存在していたため、キャッシュが利用された
8b15606a9e3e: Layer already exists
4.10.2: digest: sha256:93e18544fc967ceb74f47fda29bb57b490b70c95d796d23c84a4ac3e141cd763 size: 1154

$ docker push k8spracticalguide/mattermost:4.10.2
The push refers to repository [docker.io/k8spracticalguide/mattermost]
09dabdf80d7c: Layer already exists   …(b)ベースイメージ以外もキャッシュが利用された
d06f1d018df4: Layer already exists
f9f36c88ec2b: Layer already exists
8b15606a9e3e: Layer already exists
4.10.2: digest: sha256:93e18544fc967ceb74f47fda29bb57b490b70c95d796d23c84a4ac3e141cd763 size: 1154
```

注24　ここではk8spracticalguideを使用していますが、自身が取得したDocker IDに置き換えてください。

3.4 アプリケーションのマニフェストを書く

第3章のはじめでは、kubectl create deploymentコマンドを使ってDeploymentを作成しました。お手軽に試すには便利なkubectl create deploymentコマンドですが、本番環境で使うことはお勧めできません。これは、ファイルとして履歴が残らないためにレビューが難しいという点と、問題が発生したときに対処しづらいという問題点があるためです。また、第1章で説明したように、宣言的設定には多くの利点があります。そのような背景から、Kubernetes上でアプリケーションを運用する際には、Deploymentなどの宣言的設定をYAMLもしくはJSONファイルとして保存し、Gitを介してバージョン管理することが多いです。また、宣言的に記述された設定ファイルのことをマニフェストと呼びます。

本節では、本番環境を見据え、kubectl create deploymentコマンドではなくマニフェストを記述したうえでKubernetesクラスタに適用していきます。

3.4.1 DeploymentのYAMLファイルを書く

それでは、MattermostのDeploymentマニフェストから書いていきましょう。フォーマットはYAML、JSON形式のどちらも使用できますが、YAML形式のほうが可読性が良いので本書ではこちらを利用します。

dry-runオプションを使ってマニフェストのひな形を作る

ファイルを新規作成して……としたいところですが、いきなり一から書き始めるのはたいへんなため、kubectlコマンドを使ってひな形を作成して、そのひな形を修正していく形で進めていきます。kubectlには、ひな形を作るための専用コマンドはありません。しかし、オブジェクトの生成コマンドに対して--dry-runオプションを使うことで、実際にAPIを叩く前のリクエスト内容だけを取得できます。これをファイルにリダイレクトすればひな形の完成です。

では、Deploymentのひな形をkubectl createコマンドを使って出力してみましょう。すでに--outputオプションはJSON、YAML形式の出力にも対応していることを説明しましたが、今回はYAML形式でマニフェストを記述したいので、このオプションにyamlを指定します。また、コンテナイメージには先ほどDocker Hubにアップロードしたコンテナイメージ名、そのほかの引数は前回実行したkubectl create deploymentと同じです[注25]。

注25　createの引数にも省略形のdeployが使用できます。ここではdeployを使用します。

```
$ kubectl create deploy mattermost --image k8spracticalguide/mattermost:4.10.2 \
  -o yaml --dry-run > mattermost-deploy.yaml
```

生成されたマニフェストを確認してみましょう（**図3-18**）。

図3-18　mattermost-deploy.yaml（ひな型）

```
$ cat mattermost-deploy.yaml
apiVersion: apps/v1
kind: Deployment
metadata:
  creationTimestamp: null  …(a)作成前なのでnull
  labels:
    app: mattermost
  name: mattermost
spec:
  replicas: 1
  selector:
    matchLabels:
      app: mattermost
  strategy: {}
  template:  …(b)ここからPodテンプレート
    metadata:
      creationTimestamp: null
      labels:
        app: mattermost
    spec:
      containers:
      - image: k8spracticalguide/mattermost:4.10.2
        name: mattermost
        resources: {}
status: {}  …(c)作成前のため空
```

（c）のstatusフィールドはオブジェクトの現在の状態を示すものなので作成前は空です。（a）のmetadata.creationTimestampもサーバ側で付与される値のため、nullとなっています。（b）のspec.templateは、ReplicaSetがPodを生成するときに利用するPodのひな形（Podテンプレート）です。Deploymentが管理するReplicaSetにこのテンプレートが引き継がれます。

では、同じようにMySQL用のひな形も作成しましょう。

```
$ kubectl create deploy db --image k8spracticalguide/mysql:5.7.22 \
  -o yaml --dry-run > db-deploy.yaml
```

生成されたマニフェストを確認しましょう（**図3-19**）。

図3-19 db-deploy.yaml（ひな型）

```
$ cat db-deploy.yaml
apiVersion: apps/v1
kind: Deployment
metadata:
  creationTimestamp: null
  labels:
    app: db
  name: db
spec:
  replicas: 1
  selector:
    matchLabels:
      app: db
  strategy: {}
  template:
    metadata:
      creationTimestamp: null
      labels:
        app: db
    spec:
      containers:
      - image: k8spracticalguide/mysql:5.7.22
        name: mysql
        resources: {}
status: {}
```


アプリケーションコードやコンテナイメージから設定を分離する

以上でひな形の作成は完了です。3.3.2項でコンテナイメージをアプリケーション用とデータベース用に分割したときに、データベースのユーザ名・パスワードなどの起動に必要な設定値をコンテナイメージから分離したため、新しく作成したコンテナイメージを起動するには、これらの値をひな形に追加する必要があります。

また、mattermost-previewのコンテナイメージでは、アプリケーションが接続するデータベースのホスト名として、localhostが固定値で埋め込まれていました。しかし、今回のようにコンテナイメージをアプリケーションとデータベースの2つに分割して、別のコンテナとして起動する場合は、localhostを設定しても通信できません。

このように、デプロイする環境や構成によって変わりやすい値はコンテナイメージの中に固定値で埋め込むことは推奨されていません。必要な値が変更されるたびにアプリケーションコードやコンテナイメージの設定を書き換えてビルドしなおしたり、環境ごとに別のコンテナイメージを配布したりという作業はコストが高く、せっかくのコンテナによるポータビリティを損なってしまうためです。

DeploymentマニフェストのPodテンプレートに環境変数を追加する

では、どのように設定値を管理するのが良いのでしょうか？　Kubernetesには設定値を管理する方法がいくつか提供されています。まずは、Podのspec.template.spec.containers.envフィールドを使い、環境変数を通じて設定していきます。**リスト3-3**のマニフェストは、アプリケーションのDeploymentのひな形（mattermost-deploy.yaml）に環境変数を設定したときの差分を示しています。

リスト3-3　mattermost-deploy.yaml（環境変数の設定を追加）

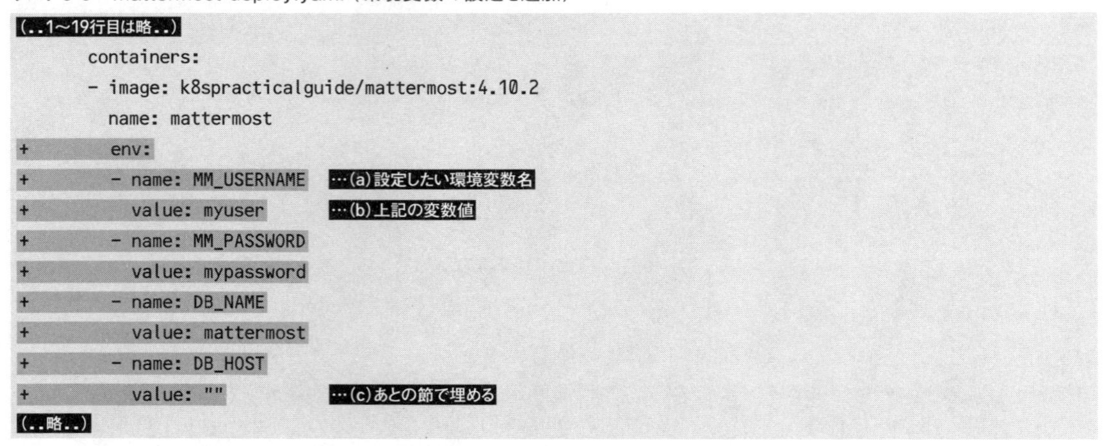

```
(..1～19行目は略..)
      containers:
      - image: k8spracticalguide/mattermost:4.10.2
        name: mattermost
+       env:
+         - name: MM_USERNAME     …(a)設定したい環境変数名
+           value: myuser         …(b)上記の変数値
+         - name: MM_PASSWORD
+           value: mypassword
+         - name: DB_NAME
+           value: mattermost
+         - name: DB_HOST
+           value: ""             …(c)あとの節で埋める
(..略..)
```

(a)のようにnameに環境変数名、(b)のようにvalueにその値を記述していきます。また、アプリケーションからデータベースに接続するためにはデータベースのホスト名が必要になりますが、この設定方法はあとの節で説明するので、(c)のDB_HOSTはいったん空欄にします。

続いて、データベースの設定値を同じようにenvを使って設定していきます。**リスト3-4**のマニフェストも同様にデータベースのDeploymentのひな形（db-deploy.yaml）に対してenvを追加したときの差分を示しています。

リスト3-4　db-deploy.yaml（環境変数の設定を追加）

```
(..1～19行目は略..)
      containers:
      - image: k8spracticalguide/mysql:5.7.22
        name: mysql
+       env:
+         - name: MYSQL_ROOT_PASSWORD
+           value: rootpassword
+         - name: MYSQL_USER
+           value: myuser
+         - name: MYSQL_PASSWORD
```

```
+           value: mypassword
+         - name: MYSQL_DATABASE
+           value: mattermost
(..略..)
```


3.4.2　ConfigMapを使って設定値を管理する

envを使って直接設定値を記述できました。しかし、アプリケーションとデータベースに設定した値を見比べると、ほとんど同じ内容が設定されていることがわかります。同じ内容が複数のファイルに分かれて管理されていると、一方だけタイプミスしてしまったり、値を更新するときに漏れが発生したりと、バグの温床になります。このような問題を回避するため、ConfigMapを利用して複数のPodテンプレート間で設定値を共有しましょう。ConfigMapを利用すると、設定ファイルをPodのテンプレートと分離して管理できるので、テスト環境と本番環境などのように環境によって設定値が変わる場合でも、環境ごとに設定ファイルだけを記述して、Podテンプレートは共有するということもできます。

ConfigMapに保存したキーと値をPodテンプレートのenvから呼び出す

では、実際にConfigMap（省略名はcm）を作っていきましょう。今回もファイルとして管理したいため、再びkubectl createコマンドに--dry-runオプションを付与します。また、--from-literalオプションを使うとConfigMapに設定するキーと値をイコール（=）区切りで設定できます。

```
$ kubectl create cm common-env -o yaml --dry-run \
    --from-literal MYSQL_USER=myuser \
    --from-literal MYSQL_PASSWORD=mypassword \
    --from-literal MYSQL_DATABASE=mattermost > cm.yaml
```

作成したファイルの中身を覗（のぞ）くと、引数で指定した設定値はdataマップの中に格納されたことがわかります。また、作成時に渡したConfigMap名はmetadata.nameに設定されています。

```
$ cat cm.yaml
apiVersion: v1
data:
  MYSQL_DATABASE: mattermost
  MYSQL_PASSWORD: mypassword
  MYSQL_USER: myuser
kind: ConfigMap
metadata:
  creationTimestamp: null
  name: common-env
```

では、ConfigMapの値をPodテンプレートのenvから参照してみましょう。まずは、アプリケーションのDeploymentマニフェストから修正していきます。**リスト3-5**のマニフェストは、修正前のmattermost-deploy.yamlとの差分を示しています。

リスト3-5　mattermost-deploy.yaml（ConfigMapの値を参照させる）

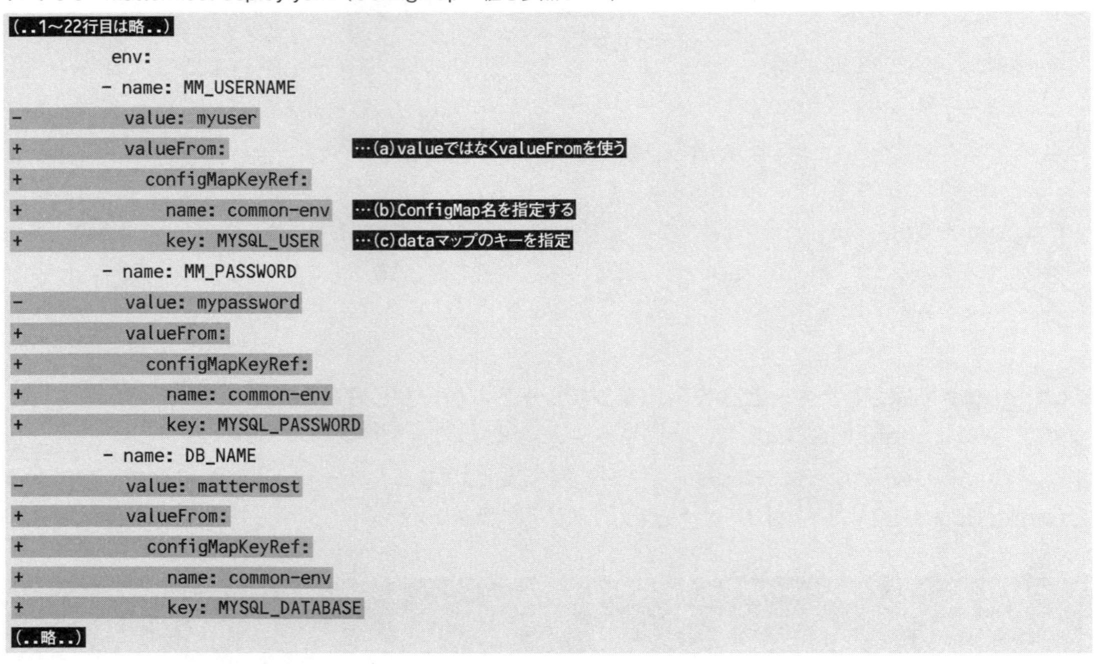

```
(..1〜22行目は略..)
          env:
          - name: MM_USERNAME
-           value: myuser
+           valueFrom:                    …(a) valueではなくvalueFromを使う
+             configMapKeyRef:
+               name: common-env          …(b) ConfigMap名を指定する
+               key: MYSQL_USER           …(c) dataマップのキーを指定
          - name: MM_PASSWORD
-           value: mypassword
+           valueFrom:
+             configMapKeyRef:
+               name: common-env
+               key: MYSQL_PASSWORD
          - name: DB_NAME
-           value: mattermost
+           valueFrom:
+             configMapKeyRef:
+               name: common-env
+               key: MYSQL_DATABASE
(..略..)
```

ConfigMapの値を呼び出すときは、valueを使うのではなく、(a)のspec.template.spec.containers.env.valueFrom.configMapKeyRefフィールドに参照するConfigMapの名前(b)、そして設定したい値のキー(c)を指定します。

続いて、データベースのDeploymentマニフェストからもConfigMapの値を呼び出していきます。**リスト3-6**のマニフェストは、修正前のdb-deploy.yamlとの差分を示しています。

リスト3-6　db-deploy.yaml（ConfigMapの値を参照させる）

```
(..1〜22行目は略..)
          env:
          - name: MYSQL_ROOT_PASSWORD
            value: rootpassword
-         - name: MYSQL_USER
-           value: myuser
```

```
-          - name: MYSQL_PASSWORD
-            value: mypassword
-          - name: MYSQL_DATABASE
-            value: mattermost
+          envFrom:                 …(a)envではなくenvFromに置き換える
+          - configMapRef:
+              name: common-env     …(b)ConfigMap名を指定する
(..略..)
```

アプリケーションのPodテンプレートでは、ConfigMapのdataキーとコンテナ内に必要な環境変数名が異なっていたため、個別に設定していました。データベースのコンテナ内で必要な環境変数名は、ConfigMapのキー名と一致しています。このような場合には、(a) のように`spec.template.spec.containers.envFrom`フィールドを使ってConfigMapの値を一括で展開すると便利です。(b) のようにConfigMap名を設定するだけです。個別にキーを指定する場合に比べると、大幅に記述量が減らせることがわかると思います。

Pod内でdataの中身をファイルとして読み込む

今回は変更が必要な値がデータベースの情報であったため、設定が必要な環境変数は数個でした。しかし、開発が進むにつれ、50個、100個と設定値が増えてくるかもしれません。その場合には、環境変数として渡すのではなく、設定ファイルとしてまとめて設定値を渡したほうが管理しやすいかと思います。ConfigMapはこのようなパターンもサポートしています。

では、起動時に渡しているconfig.jsonファイルをConfigMapの値で上書きしてみましょう。今回も`kubectl create cm`コマンドを使用します。ただし、今回は`--from-file`オプションを使って直接ファイルパスを指定していることに注意してください。`--from-file`オプションを使用すると、指定したファイルパスに存在するファイルからConfigMapを作成できます。作成が完了したら、今後config.jsonは不要なので削除します。

```
config.jsonファイルをダウンロード
$ curl -L -O https://raw.githubusercontent.com/kubernetes-practical-guide/examples/master/ch3.4.2.2/ ⏎
config.json

ファイルからConfigMapを作成
$ kubectl create cm mm-config-file -o yaml --dry-run --from-file ./config.json \
  > cm-file.yaml

config.jsonは今後不要なので削除する
$ rm config.json
```

作成されたファイルの中身を確認してみましょう。

```
$ cat cm-file.yaml
apiVersion: v1
data:
  config.json: |                    …(a)バーティカルバーが付与されているため、以降の改行を値として保持していることを示している
    {
        "ServiceSettings": {
            "SiteURL": "",
            "WebsocketURL": "",
(..略..)
             "PluginStates": {}
        }
    }
kind: ConfigMap
metadata:
  creationTimestamp: null
  name: mm-config-file
```

dataマップに、ファイル名のconfig.jsonをキーとして中身が格納されています。このようにdataの値は、複数行に渡る値も格納できます。今回はYAMLを使ってマニフェストを記述しているため、(a)のようにマップ値の改行が保持されることを示すバーティカルバー(|)が付いています[注26]。

ConfigMapのデータをファイルとして読み込むには、Podのボリュームを利用します。Podのボリュームは、**リスト3-7**の(c)のようにspec.template.spec.volumesフィールドの中に定義することで作成できます。(c)のnameは、(a)でマウントするときに参照するボリューム名です。そして、configMap.nameには読み込むConfigMap名を指定します。デフォルトでは、ConfigMapデータのキー名がファイル名として使われます。よって、今回のようにdataマップのキー名とPodから読みたいファイル名が一致している場合は(d)のitemsブロックを省略しても問題ありません。ただし、ファイル名を変更したい場合や、dataの一部だけを呼び出したい場合は、このitemsブロックが必要です。

作成したボリュームは、containers[].volumeMountsから呼び出せます[注27]。(a)のnameにはボリュームの名前、(b)のmountPathにはPod内のどこにマウントしたいかを指定します。この場合、config.jsonは/mm/config/config.jsonに展開されます。

リスト3-7　mattermost-deploy.yaml(ConfigMapの設定内容をファイルとして読み込む)

```
(..1〜38行目は略..)
        - name: DB_HOST
          value: ""
        resources: {}
```

注26　バーティカルバーなしで改行した場合は、改行が空白に置換されます。詳しくは次のYAMLの定義を参照してください。http://yaml.org/spec/1.2/spec.html

注27　volumeMountsのreadOnlyフィールドはデフォルトでfalseですが、ConfigMap/Secretをマウントする場合は、常にReadOnlyになることに注意してください。

```
+         volumeMounts:
+           - name: cm-volume          …(a)マウントするボリューム名を指定
+             mountPath: /mm/config    …(b)コンテナ内のマウントポイント
+       volumes:
+         - name: cm-volume            …(c)(a)で指定するボリューム名を定義
+           configMap:
+             name: mm-config-file
+             items:     …(d)itemsを省略すると、ConfigMap内の全データがマウントされる
+               - key: config.json     …(e)ファイルとしてマウントするデータのキーを指定
+                 path: config.json    …(f)コンテナ内でのファイル名を指定
(..略..)
```


3.4.3 Secretを使って秘密情報を取り扱う

ConfigMapを使ってKubernetes上で設定値を管理する方法がわかりました。しかし、前項ではデータベースのパスワードなどの秘密情報と通常の設定値を一緒に保存してしまいました。このままでは、設定値の権限分離もできず、セキュリティ上のリスクとなってしまいます。このようなユースケースに対応するには、KubernetesのSecretオブジェクトが適切です。それでは、秘密情報をSecretに移行しましょう。

その前に、忘れないうちにcm.yamlからMySQLのパスワードを削除します。

```
 apiVersion: v1
 data:
   MYSQL_DATABASE: mattermost
-  MYSQL_PASSWORD: mypassword
   MYSQL_USER: myuser
 kind: ConfigMap
(..略..)
```

一般的な秘密情報をSecretに格納する

SecretもConfigMap同様にkubectl createコマンドから作成できます。--from-literalオプションなど、基本的に同じ引数が指定できます[注28]。ただし、secretにはサブコマンドがあるため、サブコマンドとしてgenericを指定しています（サブコマンドについては後述）。

```
$ kubectl create secret generic common-env -o yaml --dry-run \
    --from-literal MYSQL_ROOT_PASSWORD=rootpassword \
    --from-literal MYSQL_PASSWORD=mypassword > secret.yaml
```

作成が完了したら中身も見ていきましょう。マニフェストの構成もConfigMapと同じです。dataマップの中

注28 同様にファイルを指定できます。

にキーバリュー形式で秘密情報が保存されています。しかし、MYSQL_PASSWORDに入れたはずのmypasswordが(a)のようにbXlwYXNzd29yZA==に変わっています。これは、秘密情報の値がBase64エンコーディングされた状態で保存されるためです。手動でマニフェストを修正する際には、値のBase64エンコーディングを忘れないように注意してください。

```
$ cat secret.yaml
apiVersion: v1
data:
  MYSQL_PASSWORD: bXlwYXNzd29yZA==  …(a)"mypassword"がBase64エンコーディングされた値
  MYSQL_ROOT_PASSWORD: cm9vdHBhc3N3b3Jk
kind: Secret
metadata:
  creationTimestamp: null
  name: common-env
```

Secretの安全性

Secretのdataマップの値はBase64エンコーディングされていると説明しましたが、もちろんBase64は単なるエンコード（符号化）であって暗号化[注29]ではないため、これによって安全性が担保されているわけではありません。次のように簡単にデコードできます。

```
$ echo bXlwYXNzd29yZA== | base64 -d
mypassword
```

では、Secretを利用すると、どのようなセキュリティ上の利点があるのでしょうか？　1つめは、ConfigMapなどの一般的な情報を格納するオブジェクトとは別の種類のオブジェクトとして分離することで、Kubernetesの認可機能を利用してSecretオブジェクトに対するアクセスを制限できるという点です。たとえば、正社員にはすべての権限を与え、インターン生にはConfigMapのReadとUpdateを許可するが、SecretにはRead権限を与えないということができます[注30]。2つめは、SecretのデータはConfigMapとは違い、Podのライフサイクルに併せて管理されるという点です。ディスクには保存されず、tmpfs……つまりメモリに展開され、Podが削除されたタイミングでSecretのデータも削除されます。

また、転送方法はConfigMapと同様ですが、Kubernetes APIサーバから、Secretを利用するPodがアサインされたノード内のkubelet間の通信は、SSL/TLSで暗号化されています。ただし、Secretの安全性はノードの設定やetcdの設定内容に依存するのでセキュリティの要求レベルを満たすように設計する必要があります。また、マニフェストをGitなどで管理する場合、Secretの値はVaultなどのセキュリティレベルの高い専用のシー

注29　暗号化を行うEncriptionConfigというオブジェクトも存在します。今後はこちらが主流になるかもしれません。

注30　Secretに対する権限を与えなくてもPodを自由に操作する権限を持っていれば参照できてしまうので、権限管理には注意してください。詳しくは第7章で説明します。

クレットストアに保存するなどの対策が必要です。

Secretの値をPodテンプレートから呼び出す

Secretの値をPodテンプレートから呼び出す方法もConfigMapとほとんど同じです。**リスト3-8**のマニフェストは、修正前のmattermost-deploy.yamlとの差分を示しています。

リスト3-8 mattermost-deploy.yaml（Secretの値を参照させる）

```
(..1～27行目は略..)
              key: MYSQL_USER
          - name: MM_PASSWORD
            valueFrom:
-             configMapKeyRef:
+             secretKeyRef:  …(a)Secretの値を呼び出すにはsecretKeyRefを使う
                name: common-env  …(b)ConfigMapと同じ名前にしたためcommon-envのまま
                key: MYSQL_PASSWORD
(..略..)
```

ConfigMapの値を個別に呼び出すときと同様に、spec.template.spec.containers.env.valueFromフィールドを使います。ただし、(a)のようにconfigMapKeyRefではなくsecretKeyRefを指定して呼び出します。また、SecretとConfigMapを同じ名前で生成したので、(b)のようにnameの値はcommon-envのままです。

また、Secretの値も一括で読み込むことができます。**リスト3-9**のマニフェストは、書き直す前のdb-deploy.yamlとの差分を示しています。

リスト3-9 db-deploy.yaml（Secretの値を参照させる）

```
(..1～19行目は略..)
      containers:
      - image: k8spracticalguide/mysql:5.7.22
        name: mysql
-       env:
-       - name: MYSQL_ROOT_PASSWORD  …(a)Secretに移したため削除する
-         value: rootpassword
        envFrom:
        - configMapRef:
            name: common-env
+       - secretRef:  …(b)Secretを呼び出す場合は、configMapRefではなくsecretRefを使う
+           name: common-env
        resources: {}
status: {}
```

(a) のMYSQL_ROOT_PASSWORDはSecretに移動させたため削除します。Secretの値を一括で読み込む方法は、ConfigMapと同様にenvFromフィールドを使用します。(b) のようにsecretRefのnameで読み込みたいSecretの名前を設定するだけです。

Secretの種類と使い方

Secretの作成時に種別としてgenericを指定しましたが、Secretはほかにも種類があります。**表3-3**に、Secretの種別と作成時のkubectl create secretのサブコマンド、その特徴を表しました。表からわかるように、サブコマンドとSecretの種別名は一致していません。これまでに作成したSecretはすべてgenericを指定して作成したので、種別名はOpaqueでした。また、作成したSecretのマニフェストを確認するとわかりますが、Secretの種別はkubectl create secretコマンドのリクエストには含まれませんでした。このように明示的に指定しない場合は、オブジェクト作成時に設定されます。作成されたSecretが持つ種別は、kubectl get secretコマンドのTYPEカラムなどから確認できます。

表3-3 おもなSecretの種別とその特徴

種別	サブコマンド	特徴
Opaque	generic	任意のキーバリュー形式の秘密情報を保存する
kubernetes.io/dockerconfigjson	docker-registry	プライベートコンテナレジストリ用の認証情報を保存する
kubernetes.io/tls	tls	TLS通信のための公開鍵証明書とペアになる秘密鍵を保存する
kubernetes.io/service-account-token	—	サービス用のアカウント (ServiceAccount[注31]) のトークンを保持する
kubernetes.io/ssh-auth	—	SSHの認証情報を保持する
kubernetes.io/basic-auth	—	ベーシック認証を保持する

(1) プライベートコンテナレジストリの情報を保存する

表3-3で示したように、Secretにはプライベートコンテナレジストリ用の認証情報を保存できます。kubectl create secretから作成する場合は、genericではなくdocker-registry[注32]を指定します。

```
$ kubectl create secret docker-registry my-image-registry \
      --docker-server='registry-server' \
      --docker-username='username' \
      --docker-password='password' \
      --docker-email='email'
```

kubectl getコマンドを使用して、作成したSecretの中身を確認します (**図3-20**)。(b) には、**表3-3**で示

注31 ServiceAccountについて第5章で説明します。

注32 種別名はdocker-registryですが、Docker Hubのプライベートコンテナレジストリしか登録できないわけではありません。

したSecretの種別名が設定されています。このSecretの種別名は今までのOpaqueと異なりますが、dataフィールドの構成は同じキーバリュー形式だということがわかります。(a)の値は省略していますが、作成時に渡した引数がBase64エンコードされたJSON形式で格納されています。

図3-20　my-image-registryの内容

```
$ kubectl get secret my-image-registry -o yaml
apiVersion: v1
data:
  .dockerconfigjson: ...  …(a)作成時に渡した引数がBase64エンコードされたJSON形式で格納されている
kind: Secret
metadata:
  creationTimestamp: 2018-10-07T02:49:18Z
  name: my-image-registry
  namespace: default
  resourceVersion: "97365"
  selfLink: /api/v1/namespaces/default/secrets/my-image-registry
  uid: 961d648e-c9db-11e8-8c91-0800274d3797
type: kubernetes.io/dockerconfigjson  …(b)Secretの種別
```

作成したプライベートレジストリの認証情報は、以下の(b)のように、Podテンプレートのspec.imagePullSecretsフィールドに作成したSecret名を設定して利用します。(a)にプライベートレジストリ内のコンテナイメージを指定すると、Kubernetesがプライベートレジストリとの認証を行い、該当のコンテナイメージをダウンロードできるようになります。

```
spec:
  containers:
    - image: registry-server/mattermost:4.10.2
    ↑(a)プライベートレジストリにあるコンテナイメージを指定
      name: mattermost
  imagePullSecrets:
    - name:  my-image-registry
    ↑(b)プライベートレジストリの認証情報を保持したSecret名
```

(2) TLS通信のための証明書とキーを保存する

最後にもう1つ、TLS通信のための公開鍵証明書とペアになる秘密鍵を保存するためのSecretを説明します。このSecretは、このあとに説明するIngressというL7ロードバランサを管理するオブジェクトで、TLS通信を設定するときに使用します。もちろん、genericのSecret同様にPodのボリュームにマウントして使うこともできます。

kubectl create secretコマンドの--cert、--keyオプションで指定する鍵がどのようなファイル名であっても、Secretのdataマップに格納されるキーは、必ず以下の(a)のようにtls.crt、tls.keyになることに注意してください。また、公開鍵のフォーマットはPEMエンコードのみサポートしています。

```
Secretの作成
$ kubectl create secret tls my-tls --cert=path/to/cert --key=path/to/key

Secretの内容の確認
$ kubectl get secret my-tls -o yaml
apiVersion: v1
data:
  tls.crt: ...  …(a)Base64エンコーディングされた証明書の中身が格納されている
  tls.key: ...
kind: Secret
metadata:
  name: my-tls
(..略..)
type: kubernetes.io/tls
```

ConfigMapとSecret値のロード

COLUMN

本項では、PodからConfigMapやSecretの設定値を読み込む方法を説明してきました。初回作成時は、作成したConfigMapやSecretの値をPodが読み込むので何も考慮する必要はありませんが、この設定値の更新が必要になった場合には注意が必要です。

ConfigMap (Secret) とDeploymentは独立したオブジェクトとして、別のコントローラに管理されています。そのため、Deploymentに設定した環境変数の値を保持しているConfigMapを更新したとしても、Deploymentコントローラはその変更を検知しません。この対応方法については、KubernetesコミュニティにもIssueが挙がっており、2016年から長らく議論が続いています。よって、まだ公式にサポートされた方法がないため、各々対応する必要があります。対応方法としては、多くのプロジェクトで次の3つの方法が使われています。

①ConfigMap更新時にDeploymentのPodテンプレートも更新する
②ConfigMapの更新を検知してPodを再作成するコントローラを追加する
③マウントしたファイルの更新を検知してリロードする(ファイルマウントした場合のみ)

①ConfigMapとPodテンプレートを同時に更新する

DeploymentのPodテンプレートにConfigMapのハッシュ値やバージョン番号を持たせ、ConfigMapの更新時にこの値も更新するという方法です。単純にDeploymentの更新機能を使ってPodを作成しなおすことで、新しい設定値を読み込むことができます。

②ConfigMapの更新を検知してPodを再作成するコントローラを追加する

これは、DeploymentコントローラがConfigMapの変更を検知しないので、ConfigMapの変更を検知してDeploymentを更新するコントローラを追加するという方法です。OSSでは、configmapcontroller[注33]という実装があります。このコントローラでは、DeploymentのAnnotationにアップデート対象のConfigMap名を保持しているDeploymentを監視し、指定したConfigMapに変更があった場合はDeploymentをRollingUpgradeするということを行います。

③マウントしたファイルの更新を検知してリロードする

この方法は、ConfigMapやSecretをファイルとしてPodにマウントした場合のみ、使用できます。設定値を環境変数として読み込む方法には対応していないので注意してください。

マウントされたファイルは、マウント先ノードのkubectlが、syncするタイミングでConfigMapやSecretの値の変更を検出してファイルを変更します。このファイルの変更はinotifyのcreateで検知することができるので、このイベントを契機にアプリケーション本体のリロードを実施するか、もしくはサイドカーコンテナのアプリケーションで検知して、リロードが必要なアプリケーションにHTTPリクエストなどで設定のリロードを促すなどの方法があります。後者の、変更を検出してHTTPリクエストを送信するサイドカーとしては、configmap-reload[注34]というOSSがあります。

3.5 クラスタ内のアプリケーション間で通信する

前節では、アプリケーションのマニフェストの書き方を説明しました。本節では、アプリケーションからデータベースへの接続方法を例として、クラスタ内のアプリケーション間で通信する方法を説明していきます。

3.5.1 マニフェストを適用する

PodのIPアドレスからデータベースにアクセスする

それでは、これまで作成したマニフェスト群をKubernetes上にデプロイしましょう。`kubectl apply`コマンドに`--filename`（`-f`）オプションを付与すると、ファイル、もしくはフォルダ内のマニフェストを適用できます。`kubectl create`コマンドは初回作成時のみに使用できましたが、`kubectl apply`コマンドは初回作成時のみPOSTメソッドで新規作成、2回目以降はPATCHメソッドで差分の適用と、状況に合わせてKubernetes APIリクエストを送信してくれます。では、マニフェストを作成したディレクトリに移動し、`kubectl apply`コマンド

注33 https://github.com/fabric8io/configmapcontroller/

注34 https://github.com/jimmidyson/configmap-reload

を実行してください。

```
$ kubectl apply -f .  …(a)マニフェストを作成したディレクトリで実行する
configmap/mm-config-file created
configmap/common-env created
deployment.apps/db created
deployment.apps/mattermost created
secret/common-env created
```

すべてのオブジェクトの作成が完了しました。アプリケーションのログを表示するためのkubectl logsコマンドを実行すると、次のようにデータベースとの接続に失敗しているエラーが出ています。これは、前節でデータベースの接続先を示すDB_HOSTの値を空欄にしていたためです。それでは、DB_HOSTに接続先を追加し、アプリケーションからデータベースへ接続できるようにしましょう。

```
$ kubectl logs $(kubectl get po | grep mattermost | awk '{print $1}')
(..略..)
{"level":"info","ts":1538887876.7558315,"caller":"app/app.go:181","msg":"Server is initializing..."}
{"level":"info","ts":1538887876.7575617,"caller":"sqlstore/supplier.go:198","msg":"Pinging SQL master ⏎
database"}
{"level":"error","ts":1538887876.7732067,"caller":"sqlstore/supplier.go:210","msg":"Failed to ping DB ⏎
retrying in 10 seconds err=dial tcp :3306: connect: connection refused"}
(..略..)
```

では、どのようにしてKubernetes上にデプロイしたコンポーネントの宛先を知ることができるのでしょうか。kubectl getコマンドの--outputオプションにwideを渡すと、通常よりも多くの情報が表示されます。出力内容を見てみると、Podごとに個別のIPアドレスが割り振られていることがわかります。

```
Podごとに IPアドレスが付与される
$ kubectl get po -o wide
NAME                          READY   STATUS             RESTARTS   AGE   IP           NODE
db-789d979446-9hvbr           1/1     Running            0          21s   172.17.0.7   minikube
mattermost-6594d5b99c-7n9gs   0/1     CrashLoopBackOff   0          21s   172.17.0.5   minikube
```

試しにデータベースのPodに対して試験用に立ち上げたPodからpingを実行してみると、正常にアクセスできることがわかります。ここでは、実験用に1回限りのPodを起動するため、コンテナへ標準出力を渡す--stdin（-i）オプション、実行完了時に生成したリソースを削除する--rmオプション、実行完了後の再起動を抑制する--restart=Neverオプションをkubectl runコマンドに付与しました。

```
別のPodからほかのPodのIPアドレスに対してアクセスできる
$ kubectl run test1 -i --rm --image k8spracticalguide/busybox:1.28 \
  --restart=Never -- ping -c 1 172.17.0.7
PING 172.17.0.7 (172.17.0.7): 56 data bytes
64 bytes from 172.17.0.7: seq=0 ttl=64 time=0.093 ms

--- 172.17.0.7 ping statistics ---
1 packets transmitted, 1 packets received, 0% packet loss
round-trip min/avg/max = 0.093/0.093/0.093 ms
pod "test1" deleted
```


サービスを抽象化するService/Endpointオブジェクトの利点

各PodにはIPアドレスがアサインされていることがわかりました。空白のDB_HOSTには、データベースPodのIPアドレスを調べ、そのIPを設定すれば良いのでしょうか？　もちろん、PodのIPアドレスを指定しても一時的に通信できますが、PodのIPアドレスは固定値ではありません。そのため、何らかのエラーが発生して別のノードにアサインされた場合には、IPアドレスの書き換えが必要になります。また、Podのレプリカ数が2個以上ある場合には、どのPodにアクセスするか、ロードバランシング機能を実装しなければなりません。

そのようなムダを回避するため、Kubernetesには、PodのIPアドレスを仮想IP（VIP）に束ね、さらにこの仮想IPをDNSにより名前解決できるようにするServiceオブジェクトとEndpointオブジェクトが存在しています。また、この仮想IPはクラスタ内ネットワークの仮想IPであるため、ClusterIPと呼ばれています。

PodのIPアドレスを仮想IPに束ねるだけではなく、仮想IPに対して名前でアクセスできることから、Serviceを再生成したときや、別のKubernetesクラスタにデプロイしたときなど、ClusterIPの変更にも影響しないため、マニフェストのポータビリティを高めることもできます。このように、Serviceという抽象化レイヤを挟むことで、アプリケーションが互いに相手のレプリカ数の変更などを知る必要がなく、アプリケーション間を疎結合に保つことができます。

3.5.2 Serviceマニフェストを書いてサービスディスカバリの恩恵を受ける

Labelセレクタによるリクエスト送信先のPodの指定

Serviceの利点がわかったところで、kubectl create serviceコマンドを使ってService（省略名はsvc）のひな形を作っていきます。

```
$ kubectl create service clusterip mattermost-db --tcp 3306 -o yaml --dry-run > db-service.yaml
```

ServiceはClusterIP以外にもいくつかの種類があります。そのため、オブジェクト名のあとに続いてServiceの種別を指定しています。また、作成するサービスがどのポートで公開されているかを設定するため、

--tcpオプション[注35]に対してポート番号を渡しています。今回はポート番号に3306を指定していますが、サービスとして公開するポート番号:Podの宛先となるポート番号というようにコロンで区切ることで、公開ポートと宛先ポート番号を変えることもできます。

作成されたひな形を確認してみましょう(**図3-21**)。

図3-21 db-service.yaml(ひな型)

```
$ cat db-service.yaml
apiVersion: v1
kind: Service
metadata:
  creationTimestamp: null
  labels:
    app: mattermost-db
  name: mattermost-db
spec:
  ports:
  - name: "3306"    …(a)ポート数が1の場合に限り省略可能
    port: 3306
    protocol: TCP   …(b)省略可能
    targetPort: 3306
  selector:         …(c)リクエストの分散先を指定するLabelセレクタ
    app: mattermost-db
  type: ClusterIP
status:
  loadBalancer: {}
```

kubectl createコマンド経由で--tcpオプションを付けてServiceを作成した場合、portの全フィールドが埋まっていますが、(b)のspec.ports.protocolフィールドや、ポート数が1の場合に限り(a)のspec.ports.nameフィールドを省略できます[注36]。

また、仮想IPに来たリクエストをどのPodに分散させるべきかは、(c)のspec.selectorで指定します。前節で作成したdb-deploy.yamlを見ると(以下のcatコマンドの実行結果を参照)、kubectl create deployコマンドを使って作成したため、(d)にはデフォルトのappラベルとしてDeployment名が付与されています。(e)のように、Podテンプレートにも、同じラベルが付与されています。よって、ServiceからこのPodへリクエストを送りたい場合、**図3-21**の(c)で指定するLabelを変更する必要があります。

注35 kubectl create serviceコマンドには--tcpオプションしかありませんが、Service自体はUDPにも対応しています。

注36 ただし、SRVレコードがDNSに登録されなくなるので注意してください。

```
$ cat db-deploy.yaml | grep -A 1 labels
  labels:
    app: db
    ↑(d)kubectl create deployコマンドで作成すると、app=nameのラベルが付与される
--
      labels:
        app: db   …(e)PodテンプレートのLabel
```


Labelセレクタはリクエストの分散先を指定すると説明しましたが、分散先のPodの一覧は、Kubernetes APIのGETメソッドから取得されます。内部と同じAPIを叩いて実際に意図したPodが取得できるかは、kubectl getコマンドに--label（-l）オプションもしくは--selectorオプションを使って確認できます。

```
$ kubectl get po -l app=db
NAME                  READY     STATUS    RESTARTS   AGE
db-789d979446-9hvbr   1/1       Running   0          1h
```

正しく取得できることが確認できたところで、db-service.yamlのLabelセレクタを**リスト3-10**の（a）のようにapp: dbに書き換えます。これで、このLabelセレクタはデータベースのPodを示すようになりました。

リスト3-10　db-service.yaml（Labelセレクタを分散先のPodに合わせて書き換える）

```
(..1〜12行目は略..)
    targetPort: 3306
  selector:
-    app: mattermost-db
+    app: db        …(a)appラベルの値をmattermost-dbからdbに書き換える
  type: ClusterIP
status:
  loadBalancer: {}
```

ServiceのLabelセレクタとEndpointオブジェクトの関係

では、作成したServiceマニフェストを適用しましょう。前回と同じくkubectl applyコマンドを使用します。次のようなメッセージが表示されていれば作成完了です。

```
$ kubectl apply -f db-service.yaml
service/mattermost-db created
```

適用が完了したら、ServiceとEndpointが作成されていること確認しましょう。次の出力を確認すると、ServiceとEndpointオブジェクトがそれぞれ1つずつ作成されていることがわかります。（a）からは、ServiceのTYPEがClusterIPであり、ClusterIPもアサインされていることがわかります。また、Endpointオブジェ

クトから、ServiceのLabelセレクタにマッチしたデータベースPodのIPアドレスとポート番号が(b)のENDPOINTSに設定されていることがわかります。

```
$ kubectl get svc,ep mattermost-db
NAME                    TYPE        CLUSTER-IP       EXTERNAL-IP   PORT(S)    AGE
service/mattermost-db   ClusterIP   10.110.164.156   <none>        3306/TCP   1h
                                    ↑(a)ClusterIPがアサインされた

NAME                      ENDPOINTS         AGE
endpoints/mattermost-db   172.17.0.7:3306   1h
                          ↑(b)データベースPodのIPアドレスがENDPOINTSに設定された
```

今回適用したのは、Serviceのマニフェストだけです。では、なぜEndpointも作成されたのでしょうか？

これは、kube-controller-managerの1つであるEndpointコントローラが、ClusterIP種別のServiceオブジェクトが作成されたことを検知し、そのServiceのLabelセレクタをもとに[注37]Endpointオブジェクトを作成したためです。

データベースのService名からClusterIPを名前解決する

ClusterIP種別のServiceを作成すると、クラスタ内のDNSサーバにAレコードが登録されます。このAレコードには、ClusterIPとドメイン名としてServiceオブジェクト名が設定されています。では、実際にService名でデータベースのClusterIPが名前解決できることを確認しましょう。

実験用のコンテナを立ち上げ、その中でデータベースのService名に対してnslookupを実行します。

```
$ kubectl run -i --rm test2 --image=k8spracticalguide/busybox:1.28 \
  --restart=Never -- nslookup mattermost-db
Server:    10.96.0.10
Address 1: 10.96.0.10 kube-dns.kube-system.svc.cluster.local

Name:      mattermost-db
Address 1: 10.110.164.156 mattermost-db.default.svc.cluster.local
↑(a)データベースのClusterIPが名前解決できた
pod "test2" deleted
```

(a)より、前回kubectl get svcコマンドで確認したClusterIPが名前解決されたことを確認できました。また、今回はmattermost-dbで名前解決をしましたが、ServiceのFQDNはmattermost-db.default.svc.cluster.localとなっています。defaultはネームスペースを示しており、別のネームスペースにあるServiceを指定したい場合はService.Namespaceのように省略せずに指定する必要があります。

注37 Labelセレクタが空の場合は、Endpointオブジェクトを作成しません。

mattermost-dbからデータベースのClusterIPを名前解決できることがわかったところで、mattermost-deploy.yamlを修正していきます。今まで空にしていたDB_HOSTの値を、**リスト3-11**の（a）のようにデータベースのService名であるmattermost-dbに書き換えます。

リスト3-11　mattermost-deploy.yaml（DB_HOSTの値を設定する）

```
(..1〜37行目は略..)
                key: MYSQL_DATABASE
          - name: DB_HOST
-             value: ""
+             value: mattermost-db   …(a)データベースServiceの名前を指定する
          resources: {}
(..略..)
```

はじめに説明したとおり、kubectl applyコマンドは作成済みのオブジェクトの変更もできます。では、kubectl applyコマンドでマニフェストの変更内容を適用しましょう。新規作成時とは違い、createdではなくconfiguredというメッセージが返ってきます。

```
$ kubectl apply -f mattermost-deploy.yaml
deployment.apps/mattermost configured
```

Podが再作成されたら、再びアプリケーションPodのログを確認します。前回ログを確認したときはデータベースへpingを送信したあとにエラーが表示されていました。今回はエラーが表示されず、Mattermostの起動ログが続いています。kubectl get poコマンドでPodの状態を確認してみても、MattermostのPodのステータスが、CrashLoopBackOffからRunningに変わっていることがわかります。

```
$ kubectl logs $(kubectl get po | grep mattermost | awk '{print $1}')
(..略..)
{"level":"info","ts":1538891860.28184,"caller":"app/app.go:181","msg":"Server is initializing..."}
{"level":"info","ts":1538891860.285296,"caller":"sqlstore/supplier.go:198", ⏎
"msg":"Pinging SQL master database"}
(..略..)
{"level":"info","ts":1538891861.2221308,"caller":"jobs/workers.go:57","msg":"Starting workers"}
{"level":"info","ts":1538891861.2242882,"caller":"jobs/schedulers.go:62","msg":"Starting schedulers."}

$ kubectl get po
NAME                         READY   STATUS    RESTARTS   AGE
db-789d979446-9hvbr          1/1     Running   0          1h
mattermost-555dbf8665-bwhrz  1/1     Running   0          7m
```

3.5.3 外部アプリケーションをクラスタ内アプリケーションと同じように扱う

クラスタ内アプリケーション間の接続にServiceを使用することで、接続部分が抽象化され、ポータビリティを高められることがわかりました。では、クラスタ内アプリケーションとクラスタ外アプリケーションとで通信する場合はどうでしょうか？　実際のところ、開発環境のみデータベースをコンテナとして起動し、本番環境はクラスタ外のデータベースを使う場面もあるかと思います。Serviceは、このような状況にも対応しています。

ExternalNameを使って外部アプリケーションの名前解決をする

内部のアプリケーションと同じように、Kubernetesクラスタ外のアプリケーションにアクセスするには、ServiceのExternalNameが便利です。ExternalName種別のServiceを作成すると、ClusterIP種別のServiceと同様に、Service名から外部アプリケーションの名前解決を実施できるようになります。

では、実際にExternalName種別のServiceを作成してみましょう。ExternalName種別のServiceもkubectl createコマンドから作成できます。外部アプリケーションのホスト名やIPアドレスは、--external-nameオプションを使って指定します。ここでは、本番用データベースがexample.comにあると仮定して--external-nameオプションに指定しています。

```
$ kubectl create svc externalname ext-mattermost-db --external-name example.com
service/ext-mattermost-db created
```

今回は、ext-mattermost-dbという名前でServiceを作成しましたが、種別のみをClusterIPとExternalNameに変更し、開発環境と本番環境のService名をmattermost-dbで統一することもできます。Serviceの名前を共通化できれば、mattermost-deploy.yamlのDB_HOST値を環境ごとに切り替える必要はありません。

作成されたServiceを確認してみると、種別がExternalNameになっていることがわかります。また、Podを束ねる必要がないのでClusterIPは付与されません。

```
$ kubectl get svc,ep ext-mattermost-db -o wide
NAME                       TYPE           CLUSTER-IP   EXTERNAL-IP   PORT(S)   AGE   SELECTOR
service/ext-mattermost-db  ExternalName   <none>       example.com   <none>    1m    app=ext- ⏎
mattermost-db

NAME                         ENDPOINTS   AGE
endpoints/ext-mattermost-db  <none>      1m
```

SELECTORカラムを見るとわかるように、kubectl createコマンドからServiceを作成した場合はLabel

セレクタが自動で付与されます。Endpointオブジェクトは、ServiceのLabelセレクタに応じて作成されると説明したように、Endpointオブジェクトも生成されています。しかし、app=ext-mattermost-dbのLabelを持つPodは存在しないので、Endpointの中身は空で、名前などのメタ情報のみを保持しています。よって、ServiceオブジェクトからLabelセレクタを削除し、対応するEndpointオブジェクトを削除しても、ExternalNameの挙動は変わりません。

試しに実験用のPodを起動してext-mattermost-dbとexample.comを名前解決してみると、(a)と(b)より、同じIPアドレスが返ってくることがわかります。これは、ExternalName種別のServiceが作成されるとクラスタDNSにService名を別名とした外部アプリケーションのCNAMEレコードが登録されるためです。

```
$ kubectl run -ti --rm test3 --image=k8spracticalguide/busybox:1.28 \
  --restart=Never -- /bin/sh
/ # nslookup ext-mattermost-db
Server:    10.96.0.10
Address 1: 10.96.0.10 kube-dns.kube-system.svc.cluster.local

Name:      ext-mattermost-db
Address 1: 93.184.216.34  …(a)ext-mattermost-dbを名前解決した結果

/ # nslookup example.com
Server:    10.96.0.10
Address 1: 10.96.0.10 kube-dns.kube-system.svc.cluster.local

Name:      example.com
Address 1: 93.184.216.34  …(b)example.comを名前解決した結果
```

このように、クラスタ外部のアプリケーションであっても、ExternalNameを使用することで内部のアプリケーションと同じようにService名でアクセスできます。もし将来的に、本番環境のデータベースもKubernetesクラスタ上にデプロイすることになったとしても、Service名を変えずにServiceの種別だけを変更できるので、データベースを使用するアプリケーションには変更がおよびません。

3.5.4 ClusterIPを使わないHeadless Service

ExternalNameのServiceを作成したときはClusterIPが空になっていましたが、このようにClusterIPを経由せずに直接アプリケーションのIPアドレスを名前解決するServiceのことを、Headless Serviceと呼びます。Headless Serviceは2種類あり、1つめは先ほど説明した外部アプリケーションに接続するService、もう1つはService名から各PodのIPアドレスを直接名前解決するServiceです。後者は、おもにクラスタを組むアプリケーションなど、各PodのIPアドレスを識別できないと動作しないものに使用されます[注38]。

注38　後述のStatefulSetでも使用します。

それでは、MattermostのアプリケーションPodのHeadless Serviceを作成して動作を確認してみましょう。clusterIPはNone、LabelセレクタにはアプリケーションのLabelを記述します。

```
$ cat <<EOF | kubectl create -f -
apiVersion: v1
kind: Service
metadata:
  name: headless-test
spec:
  clusterIP: None
  ports:
  - name: http
    port: 8086
    protocol: TCP
    targetPort: 8086
  selector:
    app: mattermost
EOF

service/headless-test created
```

作成が完了したところで、実験用のPodを立ちあげてHeadless Serviceに対して名前解決をします。すると、ClusterIPではなくMattermostアプリケーションPodの2つのIPが返ってくることがわかります。

```
$ kubectl run -i --rm test4 --image=k8spracticalguide/busybox:1.28 \
  --restart=Never -- nslookup headless-test
Server:    10.96.0.10
Address 1: 10.96.0.10 kube-dns.kube-system.svc.cluster.local

Name:      headless-test
Address 1: 172.17.0.10 172-17-0-10.headless-test.default.svc.cluster.local
Address 2: 172.17.0.9 172-17-0-9.headless-test.default.svc.cluster.local
pod "test4" deleted
```

3.6 アプリケーションを外部に公開する

前節では、ClusterIPやExternalNameを使ってKubernetesクラスタ内のアプリケーションが、ほかのアプリケーションと通信する方法について説明しました。本節では、クラスタ外からクラスタ内のアプリケーションにアクセスするための方法を説明していきます。クラスタ外からアクセスする方法は、NodePort種別のServiceを使う方法、外部Load Balancerを使う方法、内部Load Balancer（Ingress）を使う方法の3つの方法があります。

3.6.1 NodePortを使って公開する

まずはNodePort種別のServiceを使った方法から試していきましょう。しかし、NodePort種別のServiceを作成するのはこれが初めてではありません。詳しい説明はしませんでしたが、mattermost-previewを公開するために実行したkubectl exposeコマンドで、この種別のServiceを作成していました。

このNodePortとは、その名のとおりクラスタネットワークに属する全ノードに対して公開ポートを割り当てる機能です。どのノードのIPアドレスにNodePort番号を付けてアクセスしても同じようにレスポンスが返るため、NodePortはクラスタ全体でユニークである必要があります。

NodePort種別のServiceもkubectl create serviceコマンドで作成できます。サブコマンドのnodeportでServiceに割り当てるNodePortを指定できますが、NodePortのデフォルト値は3000 〜 32767までなので32768を指定すると、次の実行例のように作成に失敗します。指定しない（0が指定されている）場合は、未割り当てのNodePortが自動的に割り振られます。

```
$ kubectl create service nodeport invalid-nodeport --tcp 8086 --node-port 32768
The Service "invalid-nodeport" is invalid: spec.ports[0].nodePort: Invalid value: 32768: ⏎
provided port is not in the valid range. The range of valid ports is 30000-32767
```

もちろん、kubectl create serviceコマンドだけではなく、kubectl exposeコマンドでも作成することができます。このコマンドにも--dry-runと--outputフラグがあるので、このフラグを付与してMattermostのServiceマニフェストを作成します。また、マニフェストの適用は今までどおりkubectl applyコマンドです。

```
Serviceのマニフェストの作成
$ kubectl expose --type NodePort --port 8065 deploy mattermost --dry-run -o yaml \
  > mattermost-service.yaml

マニフェストを適用
$ kubectl apply -f mattermost-service.yaml
service/mattermost created
```

kubectl getコマンドで作成されたServiceを確認すると、以下のように、PORT（S）カラムにコロンに区切られた2つのポートが表示されていることがわかります。コロンの前はアプリケーションがLISTENしているポート、後ろが割り当てられたNodePortを示しています。今回は、NodePortとして31637番ポートが割り当てられています。また、CLUSTER-IPカラムを見るとわかるように、NodePort種別のServiceを作成した場合でも、ClusterIPが割り当てられます。

```
$ kubectl get svc mattermost -o wide
NAME         TYPE       CLUSTER-IP      EXTERNAL-IP   PORT(S)          AGE   SELECTOR
mattermost   NodePort   10.100.233.81   <none>        8065:31637/TCP   27s   app=mattermost-db
```

では、このポートを使ってmattermostにアクセスできることを確認してみましょう。NodePortはクラスタネットワーク内のノードで公開されているので、minikubeによって作られたノードのIPアドレスを調べてアクセスしてみます。このアドレスはminikube ipコマンドで調べられます。

```
$ minikube ip
192.168.99.100
```

また、mattermostに割り当てられたNodePortを取得するため、--output（-o）オプションにはjsonpathを使います。このオプションを使用すると、JSONPath構文で出力するJSONデータの一部を指定することができます。

次のコマンドの実行結果からは、Mattermostのトップページが返ってくることが確認できました。

```
ここではhttp://192.168.99.100:31637にアクセスしている
$ curl http://$(minikube ip):$(kubectl get svc mattermost -o jsonpath="{.spec.ports[0].nodePort}")
<!DOCTYPE html> <html lang=en> <head> <meta charset=utf-8> <meta http-equiv=Content-Security-Policy ⏎
content="script-src 'self' cdn.segment.com/analytics.js/ 'unsafe-eval'"> ⏎
<meta http-equiv=X-UA-Compatible content="IE=edge"> <meta
(..略..)
```

3.6.2 外部Load Balancerを使って公開する

NodePortは手軽にServiceを公開できるため便利ではありますが、単体で使用するには直接サービスを晒（さら）すことになったり、アクセスするノードをどう選択するかが問題となったりします。もし、NodePortを使ってアクセスする先のノードを1つに固定すると、スケールしないうえに、そのノードがSPoF（Single Point of Failure、単一障害点）になってしまいます。

これを回避するため、アクセスするノードを分散させるためのロードバランサが別途必要です。Kubernetesには、このように外部ロードバランサとServiceを連携させてアプリケーションを公開するためのしくみがあります。さっそくこのLoadBalancer種別のServiceを作成したいところですが、minikubeは対応していません。LoadBalancer種別のServiceも、オブジェクト自体は次のようにkubectl createコマンドで作成できます。ただし、EXTERNAL-IPのステータスはいくら待ってもpendingのままです。

```
$ kubectl expose --type LoadBalancer deploy mattermost --name=lb-test
service/lb-test exposed
```

```
$ kubectl get svc lb-test
NAME      TYPE           CLUSTER-IP     EXTERNAL-IP   PORT(S)          AGE
lb-test   LoadBalancer   10.97.57.29    <pending>     8065:32130/TCP   3s
```

LoadBalancer種別のServiceを使用したい場合は、GKEやAKSなどのロードバランサをサポートしているクラウドプロバイダのマネージドサービスを使うか、OSSのMetalLB[注39]やOpenStack[注40]を使って自前で構築する必要があります。

使用するサービスによって細かな機能は異なりますが、基本的な流れは共通です。まず、対応環境でLoadBalancer種別のServiceが作成されると、公開用のIPアドレス（ExternalIP）が割り当てられます。このExternalIPに対してアクセスすると、ロードバランサによっていずれかのノードに振り分けられ、そのノードのNodePortからKubernetesのアプリケーションと通信できます。PORT（S）カラムを見るとわかりますが、LoadBalancer種別のServiceにもNodePortが割り振られます。

3.6.3 Ingressを使って公開する

3つめは、IngressというKubernetesクラスタ内部のロードバランサを使ってアプリケーションを公開する方法です。Serviceにはingressというタイプはなく、この方法でアプリケーションを公開するには、Ingressというオブジェクトを作成する必要があります。ただし、外部ロードバランサ同様にこのIngressオブジェクトを管理するコンポーネントもデフォルトのKubernetesクラスタに組み込まれていません。追加で構築する必要がありますが、minikubeのingressアドオンを使うと次のように簡単に構築できます。

```
$ minikube addons enable ingress
ingress was successfully enabled
```

ingressのアドオンを有効にすると、kube-systemのネームスペースにnginx-ingress-controllerとdefault-http-backendの2つのDeploymentが追加されました。nginx-ingress-controllerは、Ingressコントローラの仕様を満たしたL7ロードバランサの1つです。

```
$ kubectl get deploy -n kube-system -w
NAME                       DESIRED   CURRENT   UP-TO-DATE   AVAILABLE   AGE
(..略..)
default-http-backend       1         1         1            1           1m
nginx-ingress-controller   1         1         1            1           1m
```

注39　https://metallb.universe.tf

注40　https://www.openstack.org/

Ingressを使ってアプリケーションを公開すると、IngressコントローラはIngressオブジェクトの定義に応じてアクセスをロードバランシングします。Ingressコントローラにもいくつか種類がありますが、minikubeではnginxをベースにしたnginx-ingress-controllerが使用されています。もう1つ作成されたdefault-http-backendは、Ingressオブジェクトのいずれかの定義にもマッチしなかったときにアクセスされるアプリケーションです。

では、実際にMattermost用のIngressオブジェクトを作成しましょう。`kubectl create`コマンドにはIngress用のサブコマンドが存在しないので、ここではマニフェストを手書きしていきます[注41]。ドメインのセットアップまで説明すると長くなるため、次の(a)のように`spec.rules.host`フィールドへ、nip.ioという誰でも自由に使えるワイルドカードDNSを使用します。

```
$ cat <<EOF > mattermost-ingress.yaml
apiVersion: extensions/v1beta1
kind: Ingress
metadata:
  name: mattermost
spec:
  rules:
  - host: chat.$(minikube ip).nip.io   …(a)パブリックなワイルドカードDNSを利用する
    http:
      paths:
      - backend:
          serviceName: mattermost
          servicePort: 8065
EOF
```

nip.ioを使うと、名前解決時にサブドメインに含まれているIPアドレスで解決されます。よって、次の(b)のようにminikubeで立ち上げたKubernetesクラスタのIPアドレスが解決されます。

```
$ nslookup chat.$(minikube ip).nip.io
Server:         10.0.1.1
Address:        10.0.1.1#53

Non-authoritative answer:
Name:   chat.192.168.99.100.nip.io
Address: 192.168.99.100   …(b)サブドメインに含まれている192.168.99.100が解決された
```

マニフェストが作成できたら、`kubectl apply`コマンドで適用します。

注41　サンプルコードのmattermost-ingress.yamlのminikube ipは192.168.99.100となっています。環境に応じて適宜書き換えてください。

```
$ kubectl apply -f mattermost-ingress.yaml
ingress.extensions/mattermost created
```

Ingress（省略名はing）オブジェクトが作成されたら、Ingressのhostフィールドに指定した宛先に対して、curlコマンドでアクセスしてみましょう。NodePortのときと同じように、Mattermostからトップページのレスポンスが返ってくることを確認できます。

```
kubectl getでIngressオブジェクトの内容を確認
$ kubectl get ing
NAME         HOSTS                          ADDRESS   PORTS   AGE
mattermost   chat.192.168.99.100.nip.io               80      21s

外部からアクセスしてみる
$ curl http://chat.$(minikube ip).nip.io
<!DOCTYPE html> <html lang=en> <head> <meta charset=utf-8> <meta http-equiv=Content-Security-Policy ⏎
content="script-src 'self' cdn.segment.com/analytics.js/ 'unsafe-eval'"> ⏎
<meta http-equiv=X-UA-Compatible
(..略..)
```

3.7 データを保存する

3.5節にて、Mattermostで利用するMySQLのデプロイを行いました。しかし、Pod内で生成されたデータは、Podの再作成や削除とともにデータも削除されてしまいます。本節では、ローリングアップデートなどによりPodが再作成や削除されても、データを削除せず保存し続ける方法について説明します。

3.7.1 Kubernetesで利用するストレージの特徴と選定

データを保存し続けるためには、データの格納先としてストレージを利用します。ストレージは運用に合わせて適切なものを選定することが重要です。そこで、適切なストレージを選定できるようになるために、はじめにKubernetesで利用できるストレージに関する一般的な特徴を説明します。

ストレージは、サーバ内蔵のSSD（Solid State Drive）・HDD（Hard Disk Drive）などを利用する内部ストレージと、NAS（Network Attached Storage）やクラウドプロバイダのストレージサービスなどを利用する外部ストレージの2つに大きく分類できます。

内部ストレージ（ローカルストレージ）は、サーバに内蔵されたSSD・HDDです。そのため、SSD・HDDを備えているサーバからしかアクセスできません。つまり、Kubernetesにおいては、Podが動作しているノードが備えているSSD・HDDしかアクセスできません。容量についても1台のサーバに搭載できるSSD・HDDは数台程度のため、多くても数テラバイト（TB）です。耐障害性の観点では、サーバに障害が発生すると、データにアクセスできなくなります。

一方の外部ストレージ（エクスターナルストレージ）は、大量のSSD・HDDを備える専用のストレージシステムにより提供され、複数のサーバからアクセスされることを想定しています。搭載されているSSD・HDDも数千台搭載でき、1台で数ペタバイト（PB）を備えるストレージシステムもあります。耐障害性については、複数ディスクを使い障害性を高めるRAIDや、書き込まれたデータのパリティを計算し保存することでデータ復元を可能とするErasure Codingなどの技術を使い、データの冗長性を保ちながらデータを格納します。これにより、1台のSSD・HDDに障害が発生しても、データが消えることはありません。さらに、ストレージシステムによっては、複数台でリモートレプリケーションをとる機能を備えています。これにより、地震や災害などで、ある拠点のストレージシステムがダウンしても、別の拠点でビジネスを継続できるディザスタリカバリを実現できます。外部ストレージは、機能的には内部ストレージよりも優れた点が多いです。しかし、サーバとは別にストレージシステムを準備する必要があり、価格も高額になりやすく、保守の難易度も高い傾向にあります。また、保存するデータの機密性などによっては、外部ストレージの保守を軽減するために、パブリッククラウドプロバイダのストレージサービスを使うという選択肢もあります。代表的なサービスとしては、Amazon Elastic Block Store（EBS）やGoogle Compute Engine（GCE）Persistent Diskがあります。**表3-4**に内部ストレージと外部ストレージの特徴をまとめます。

表3-4 内部ストレージと外部ストレージの比較

分類	容量	耐障害性	価格	保守の難易度	おもな格納データ
内部ストレージ	小	低	$	易	復旧の必要のないテンポラリデータ
外部ストレージ	大	高	$$$	難	削除されては困る重要なデータ、大容量データ

内部ストレージと外部ストレージのどちらを使うべきかの選定では、データの重要度と容量に応じて選択してください。SSD・HDDはコンピュータの中でも故障しやすい部位です。故障することを前提として考え、データが消えてしまうとビジネスに多大なる影響を引き起こすようなデータは、外部ストレージを利用するほうが良いでしょう。

次に、ストレージの種類について説明します。データ通信のプロトコルの違いによりブロックストレージ、ファイルストレージ、オブジェクトストレージの3つの種類があります。**表3-5**にそれぞれの特徴とおもな用途を示します。なお、内部ストレージはブロックストレージになります。

表3-5　ストレージの種類

種類	おもな プロトコル	特徴	おもな用途
ブロック ストレージ	SCSI、 iSCSI、 FCoE	・データ送受信に特化したプロトコルを利用するため、高速なRead/Writeが可能 ・OSからはドライブのように利用できるため、ファイルシステムを自由に選択可能・排他機構を持たないプロトコルのため、同時に1台のサーバからしかWriteしないようにデータベースやミドルウェアにて制御が必要	リレーショナル データベース
ファイル ストレージ	NFS、 SMB	・ファイルシステムを備えるため、一般的にブロックストレージに比べ低速なRead/Write ・OSからはネットワークドライブとして利用 ・同時に複数台のサーバからRead/Writeが可能	文書ファイルの共有
オブジェクト ストレージ	HTTPS	・HTTPSを使いRead/Writeを行うためオーバヘッドがあり、一般的にファイルストレージより低速なRead/Write ・ファイアウォールを超えたネットワークドライブとして利用可能 ・同時に複数台のサーバからRead/Writeが可能	写真や動画の保存

これら3種類のストレージは、それぞれ特徴が異なるため、データを利用するアプリケーションやサービスによって、適切に選択することが重要です。ストレージの選定を誤ると、Read/Writeの性能がでない、アプリケーションがインストールできない、スケールできないなどの不都合が生じますので、それぞれの特徴をふまえて選定してください。

3.7.2　スケールするMySQLの構成

これから構築するリレーショナルデータベースMySQLの構成について説明します。MySQLは、Master-Slave構成をとることができるリレーショナルデータベースです[注42]。Master-Slave構成は、MasterのMySQLに書き込まれたデータは、常にSlaveのMySQLへ送信され同期されます。これにより、MasterのMySQLが障害などでダウンしたとしても、SlaveのMySQLが代わりに処理を継続実行します。また、Slaveを複数台設置することで、読み出し性能も向上します。Kubernetesのスケール変更を容易にする特徴を活かしつつ、MySQLのMaster-Slave構成を自動構築していきます。構成図を**図3-22**に示します。

注42　Master-Slave構成以外のMySQLの構成については、次のマニュアルを参照。https://dev.mysql.com/doc/refman/5.7/en/

図3-22 スケールするMySQLのMaster-Slave構成

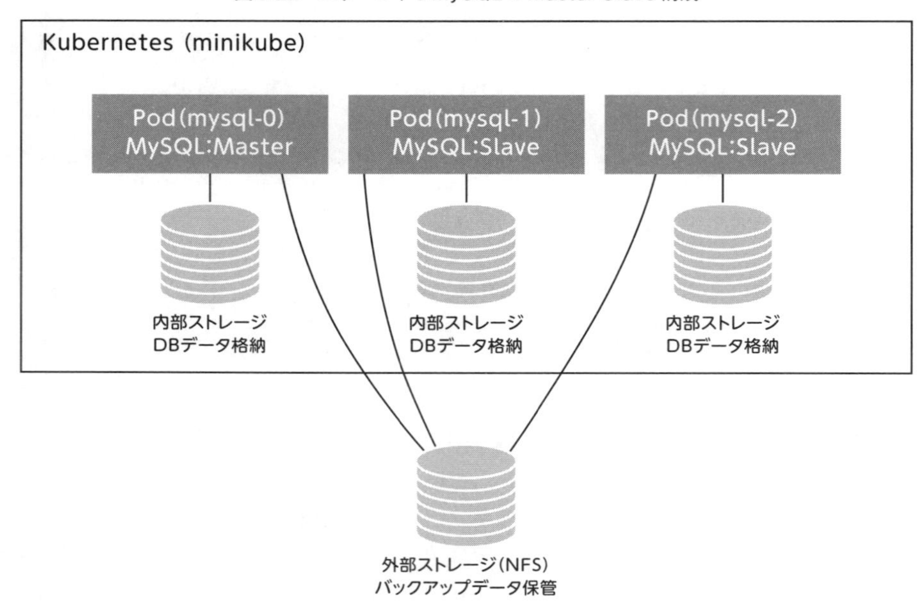

今回構成するMySQLのデータは2種類のストレージに格納します。1つめは、MySQLのデータ格納に使うストレージです。これには内部ストレージを利用します。外部ストレージを使うという選択肢もありますが、ここでは、MySQLのMaster-Slave構成を組むことで、常に複数台のノード間でデータの同期をとるため、耐障害性については一定の保証ができます。そのような理由から価格の安い内部ストレージを選択します。今回のminikubeを使った実験環境ではすべて1台のサーバ上に構築されるため、実際には耐障害性は上がりません。しかし、実運用で利用するKubernetesを複数台のノードで組むことで、耐障害性は向上します。さらに、構成の要となるMasterのMySQLの耐障害性を向上させるためには、外部ストレージのブロックストレージを利用したほうが良いでしょう。

2つめは、MySQLのバックアップデータの格納に使うストレージです。これには、外部ストレージを使います。何度も言いますが、SSD・HDDは壊れます。さらにはすべてのノードで障害が発生しすべてのMaster-SlaveのPodが壊れることもあります。そこで、定期的にMySQLのデータのバックアップを取り、MySQLのPodが動作するノードの内部ストレージとは別の外部ストレージに保存します。これにより、たとえすべてのノードが壊れてしまっても、データを復旧することが可能になります。さらに、このバックアップはSlaveのMySQLの構築にも利用します。

このように、Master-Slave構成によりデータの耐障害性と性能をスケールさせつつ、バックアップデータをKubernetesの外へ保存することで二重の耐障害性を持ったMySQLを構築します。次節からいよいよ、実際の構築を行っていきます。

3.7.3 ストレージの準備

バックアップの保存先である外部ストレージを準備します。Kubernetesでは、外部ストレージとして公式ホームページ注43に記載されているストレージを利用できます。ここではminikubeの母艦のPCを外部ストレージとして構築します。

macOSにバンドルされているNFSサーバを利用（macOS向け）

共有するディレクトリを作成したあと、NFSサーバの設定ファイル（/etc/exports）を作成します。例では、minikubeのIPアドレスが192.168.99.100のため、192.168.99.0のネットワークからのアクセスを許可しています。minikubeのIPアドレスに合わせて設定ファイルを修正してください。

```
$ sudo mkdir /share
$ sudo chmod 777 /share
$ minikube ip
192.168.99.100
$ sudo vi /etc/exports
/share -mapall=nobody:wheel -network 192.168.99.0 -mask 255.255.255.0
```

次に、NFSサーバのデーモンを起動します。

```
$ sudo nfsd start
$ sudo nfsd update
$ showmount -e
Exports list on localhost:
/share                              192.168.99.0
```

nfs-kernel-serverのNFSサーバを利用（macOS以外向け）

Linuxの方は次の手順でNFSサーバをセットアップします。WindowsなどLinux以外のOSではVirtualBox上にLinuxのVMを構築したあと、NFSサーバをセットアップしてください。

Linuxへログインしたあと、apt-getコマンドを使い、nfs-kernel-serverパッケージをインストールします。その後、共有するディレクトリを作成し、NFSサーバの設定ファイル（/etc/exports）を作成します。今回構築したminikubeはネットワークがNATで構築されているため、例では設定ファイルにinsecureオプションを指定しています。

```
$ sudo apt-get update
$ sudo apt-get install nfs-kernel-server
```

注43　https://kubernetes.io/docs/concepts/storage/volumes/

```
$ sudo mkdir /share
$ sudo chmod 777 /share
$ sudo vi /etc/exports
/share *(rw,insecure)
```

次に、NFSサーバのデーモンを起動します。

```
$ sudo systemctl start nfs-kernel-server
$ sudo exportfs -rv
$ sudo exportfs
/share    <world>
```

次に、先述のNFSサーバが正しく設定できているかの確認のため、minikubeのVMからマウントしてみます。dfコマンドで確認すると192.168.99.1:/share（もしくは、LinuxのIP:/share）が/mnt/shareにマウントされています。minikubeを抜ける前に、/mnt/shareのマウントを外しておきましょう。

```
$ minikube ssh
                         _             _
            _         _ ( )           ( )
  ___ ___  (_)  ___  (_)| |/')  _   _ | |_      __
/' _ ` _ `\| |/' _ `\| || , <  ( ) ( )| '_`\  /'__`\
| ( ) ( ) || || ( ) || || |\`\ | (_) || |_) )(  ___/
(_) (_) (_)(_)(_) (_)(_)(_) (_)`\___/'(_,__/'`\____)

ディレクトリを作成してマウントする
$ sudo mkdir /mnt/share
$ sudo mount -t nfs 192.168.99.1:/share /mnt/share

マウント状況を確認する
$ df -h | grep /mnt/share
192.168.99.1:/share  931G  160G  771G  18% /mnt/share
$ sudo umount /mnt/share
$ exit
logout
```

3.7.4 外部ストレージの割り当て

Kubernetesでストレージを利用するには、PersistentVolumeオブジェクトとPersistentVolumeClaimオブジェクトを利用します。PersistentVolumeは、Kubernetesにおけるストレージリソースを表しており、Kubernetesの管理者が定義します。PersistenVolumeClaimは、Podを定義するユーザが、Podに割り当てるストレージの性能や容量などの要件を定義します。

3.7.3項で準備したストレージに対応したPersistentVolumeを定義します。ここでは、mysql-pv.yamlというファイル名で**リスト3-12**の内容を保存します。

リスト3-12 mysql-pv.yaml

```
apiVersion: v1
kind: PersistentVolume
metadata:
  name: backup
spec:
  capacity:
    storage: 10Gi
  accessModes:     …(a)
    - ReadWriteMany
  persistentVolumeReclaimPolicy: Retain     …(b)
  storageClassName: nfs     …(c)
  mountOptions:
    - hard
  nfs:     …(d)
    path: /share
    server: 192.168.99.1
```

(a)のaccessModesには、**表3-6**のいずれかの値を指定します。ここでは、NFSサーバを使用するため、3.7.1項で述べたファイルストレージの特徴であるReadWriteManyを指定します。

表3-6 accessModesに指定できる値

値	説明
ReadWriteOnce	1つのノードからRead/Writeでマウントできる
ReadOnlyMany	複数のノードからRead Onlyでマウントできる
ReadWriteMany	複数のノードからRead/Writeでマウントできる

(b)のpersistentVolumeReclaimPolicyには、**表3-7**のいずれかの値を指定します。この値により、PersistentVolumeに関連付けられたPersistentVolumeClaimが削除されたときに保持したデータを削除するかどうかのポリシーを決めます。

表3-7 persistentVolumeReclaimPolicyに指定できる値

値	説明
Retain	データの削除を行わず、データを保持する
Recycle	データを削除する
Delete	データと関連するストレージリソースを削除する

(c) のstorageClassNameには、あとで述べるStorageClassの名前を定義できます。このstorageClassNameには、このPersistentVolumeの特徴を表した値を設定します。たとえば、高価格で高速なストレージはGold、低価格で低速なストレージはBronzeといった値です。

(d) のnfsには、3.7.3項で準備したストレージの設定を定義します。minikubeからアクセスできる母艦のIPアドレスを指定します。

定義したPersistentVolumeをデプロイしましょう。

```
$ kubectl apply -f mysql-pv.yaml
persistentvolume/backup created
```

デプロイされたPersistentVolumeをkubectlコマンドを使い、確認してみましょう。正しく設定されているとSTATUSがAvailableになります。

```
$ kubectl get persistentvolume
NAME     CAPACITY   ACCESS MODES   RECLAIM POLICY   STATUS      CLAIM   STORAGECLASS   REASON   AGE
backup   10Gi       RWX            Retain           Available           nfs                     2m
```

次に、Podに割り当てるストレージの性能や容量などの要件であるPersistentVolumeClaimを定義します。PersistentVolumeClaimは、Podを作成するユーザが割り当てたいと考えるストレージの要求仕様を定義します。Kubernetesでは、PersistentVolumeClaimに定義された要求仕様に基づきPersistentVolumeの中からマッチするものを選択し、割り当てを行います。

先ほど定義したPersistentVolumeに対応したPersistentVolumeClaimを定義します。ここでは、mysql-pvc.yamlというファイル名で、**リスト3-13**の内容を保存します。

リスト3-13 mysql-pvc.yaml

```
apiVersion: v1
kind: PersistentVolumeClaim
metadata:
  name: backup-mysql
spec:
  accessModes:    ···(a)
    - ReadWriteMany
  resources:    ···(b)
    requests:
      storage: 10Gi
  storageClassName: nfs    ···(c)
```

(a) のspec.accessModes、(b) のspec.resources、(c) のspec.storageClassNameに、先ほど定義し

たPersistentVolumeが選択されるように値を設定します。

定義したPersistentVolumeClaimをデプロイしましょう。

```
$ kubectl apply -f mysql-pvc.yaml
persistentvolumeclaim/backup-mysql created
```

デプロイされたPersistentVolumeClaimをkubectlコマンドで確認してみます。PersistentVolumeClaimが正しくPersistentVolumeに関連付けされるとSTATUSがBoundになります。

```
$ kubectl get persistentvolumeclaim
NAME           STATUS   VOLUME   CAPACITY   ACCESS MODES   STORAGECLASS   AGE
backup-mysql   Bound    backup   10Gi       RWX            nfs            35s
```

関連付け先のPersistentVolumeも確認してみましょう。PersistentVolumeClaimに関連付けされたPersistentVolumeは、STATUSがBoundへ変わります。CLAIMにて、どのネームスペースのPersistentVolumeClaimに関連付けされているのかを確認できます。

```
$ kubectl get persistentvolume
NAME     CAPACITY   ACCESS MODES   RECLAIM POLICY   STATUS   CLAIM
backup   10Gi       RWX            Retain           Bound    default/backup-mysql

                            STORAGECLASS   REASON   AGE
                            nfs                     12m
```

以上で、外部ストレージを使い、バックアップデータの格納に使うストレージの設定ができました。次は、MySQLを構築していきます。

CSI (Container Storage Interface)

COLUMN

CSIは、Kubernetes/Mesos/Docker/Cloud Foundryが、特定のコンテナオーケストレーションに依存することなく、コンテナで外部ストレージを利用できるようにと、コミュニティを立ち上げ仕様を策定しています[注44]。2017年に最初のバージョン(v0.1)が公開されています。

Kubernetesでは、v1.9からCSIをアルファバージョンとしてサポートを開始し、v1.13にて正式にサポートされました。v1.8までのストレージのサポートは、Kubernetesのソースに直に組み込まれる実装"in-tree"で

注44 https://github.com/container-storage-interface

提供されていました。そのため、外部ストレージの開発を行うサードベンダーは、Kubernetesコミュニティにソースコードをアップストリームせねばならず、リリースのタイミングもKubernetesのリリースと歩調を合わせる必要がありました。

CSIをサポートしたことで、Kubernetesのソースコードに組み込まずサードベンダーが独自に実装できる"out-of-tree"にて提供することが可能となりました。さらに、KubernetesではStorageClass、PersistentVolume、PersistentVolumeClaimといったKubernetesのストレージリソースの操作は変更することなくStorageClassにて指定するProvisionerとしてCSIをサポートしたことで、ユーザからはv1.8以前と変わらない操作でCSIサポートの外部ストレージを利用することが可能となります。

3.7.5 StatefulSetを使ったMySQLのMaster-Slave構成

Master-Slave構成のMySQLの構築では、KubernetesのStatefulSetオブジェクトを使って設定をしていきます。

StatefulSetは、ReplicaSetに似ており複数のレプリカされたPodをまとめて管理するグループです。ReplicaSetと異なり次の特徴を持っています。

①生成されるPodは、連続したインデックスのPod名（例 mysql-0、mysql-1……）が付けられる

②Podの生成では、インデックスの数字の小さい順から生成される。1つ前のインデックスのPodが生成されるまで、次のPodの生成は開始しない

③Podの削除では、インデックスの数字の大きい順に削除される。1つあとのインデックスのPodが削除されるまで、次のPodの削除は開始しない

このようなStatefulSetの特徴は、MySQLでMaster-Slave構成を設定するのに適しています。MasterのMySQLを一番はじめに生成するPod（mysql-0）とすることで、特徴②③より、生成時は必ずMasterがはじめに生成され、削除時は必ず最後にMasterが削除されることを保証できます。つまり、オペレーションミスなどにより、MasterがSlaveよりも先に削除されることを防げます。さらに、特徴①により、MasterのPodなのか、SlaveのPodなのかをPod名で判断することが可能となるため、Masterの設定／Slaveの設定をスクリプトなどで切り分けて実行できます。

Master-Slave構成のMySQLを構築する前に、前節までに構築したMySQL（のDeployment）を削除します。

```
$ kubectl delete -f db-deploy.yaml
deployment.apps "db" deleted

$ kubectl delete -f db-service.yaml
service "mattermost-db" deleted
```

では、MySQLのMaster-Slave構成を次の5つのステップにて設定していきます。

(1) StatefulSetを使ったMySQLを定義
(2) MySQLのデータ格納用に内部ストレージを割り当て
(3) 設定ファイルをMaster、Slave用に設定し配置
(4) バックアップ用に外部ストレージを割り当て
(5) Master-Slave間でデータを同期

(1) StatefulSetを使ったMySQLを定義

最初のステップでは、3.4節で説明したConfigMapとSecretを使って、MySQLのコンフィグ情報を、cm.yaml (**リスト3-14**)、secret.yaml (**リスト3-15**) にそれぞれ定義します。そして、StatefulSetを使ったMySQLのPodの定義を、mysql-sts.yaml (**リスト3-16**) に保存します。

リスト3-14　cm.yaml

```
apiVersion: v1
data:
  MYSQL_DATABASE: mattermost
  MYSQL_USER: myuser
kind: ConfigMap
metadata:
  creationTimestamp: null
  name: common-env
```

リスト3-15　secret.yaml

```
apiVersion: v1
data:
  MYSQL_PASSWORD: bXlwYXNzd29yZA==
  MYSQL_ROOT_PASSWORD: cm9vdHBhc3N3b3Jk
kind: Secret
metadata:
  creationTimestamp: null
  name: common-env
```

リスト3-16　mysql-sts.yaml

```
apiVersion: apps/v1
kind: StatefulSet
metadata:
  name: mysql
spec:
```

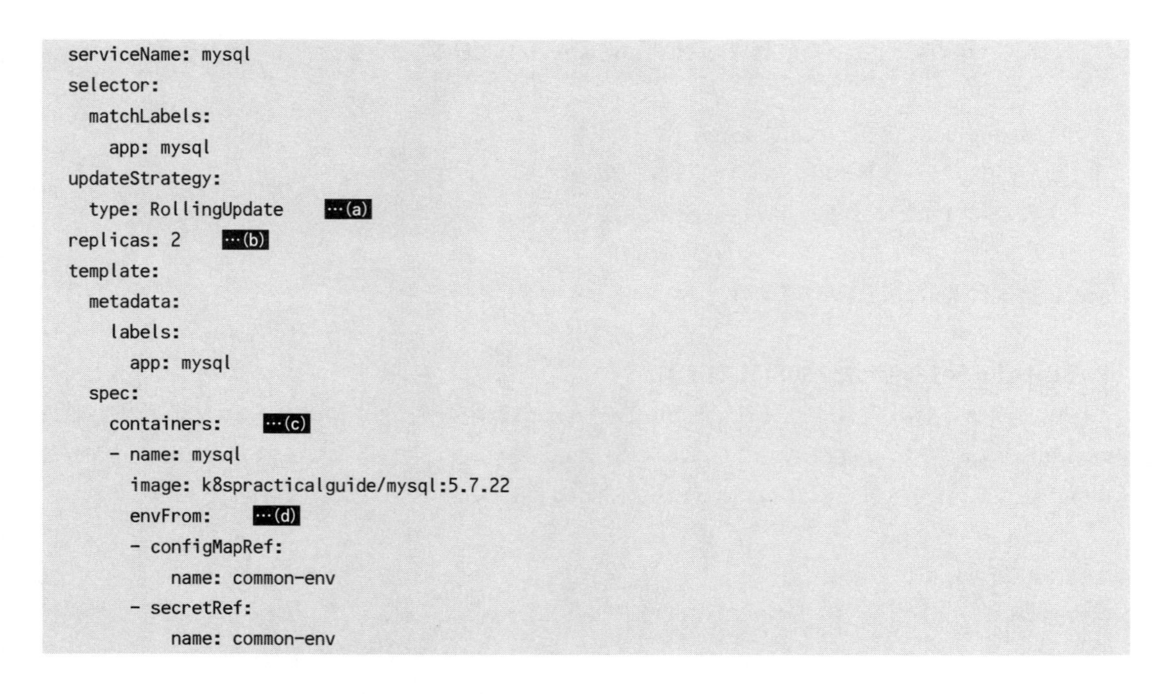

```
  serviceName: mysql
  selector:
    matchLabels:
      app: mysql
  updateStrategy:
    type: RollingUpdate    ···(a)
  replicas: 2    ···(b)
  template:
    metadata:
      labels:
        app: mysql
    spec:
      containers:    ···(c)
      - name: mysql
        image: k8spracticalguide/mysql:5.7.22
        envFrom:    ···(d)
        - configMapRef:
            name: common-env
        - secretRef:
            name: common-env
```

リスト3-16の（a）の`spec.updateStrategy.type`には、**表3-8**の値のいずれかを指定します。この値は、Podのローリングアップデート時の振る舞いを指定します。

表3-8 updateStrategyのtypeに指定できる値

値	説明
OnDelete	自動でローリングアップデートを行わない。手動でアップデートする
RollingUpdate	Podのインデックスの数字の大きいものから順に、自動でローリングアップデートを行う。updateStrategyの指定がないときは、本値が適用される

（b）の`spec.replicas`には、作成するPod数を指定します。ここでは2を指定していますので、2つのPod（mysql-0、mysql-1）が生成されます。

（c）の`spec.template.spec.containers`に、MySQLのPodを定義します。ここでは、MySQLのバージョン5.7.22のコンテナイメージを利用しています。

また、（d）の`spec.template.spec.containers.envFrom`にて、cm.yamlで定義したConfigMapのcommon-envを指定し、MySQLのユーザ名やデータベース名などを設定します。同様にSecretに保存されたパスワードも設定します。

ConfigMap、Secret、StatefulSetを使い、デプロイしましょう。

```
$ kubectl apply -f cm.yaml
configmap/common-env configured

$ kubectl apply -f secret.yaml
secret/common-env configured

$ kubectl apply -f mysql-sts.yaml
statefulset.apps/mysql created
```

kubectlコマンドを使って、StatefulSet自身とStatefulSetで生成されたPodを確認してみます。mysql-0、mysql-1とインデックスの付いたPodが順次生成されています。

```
$ kubectl get statefulset
NAME     DESIRED   CURRENT   AGE
mysql    2         2         4m

$ kubectl get pod
NAME      READY     STATUS    RESTARTS   AGE
mysql-0   1/1       Running   0          4m
mysql-1   1/1       Running   0          4m
```

続いて、StatefulSetのMySQLのPod名をKubernetes内のDNSへ登録します。登録には3.5.4項で説明したHeadless Serviceを定義します。Headless Serviceは、ClusterIPを割り当てず、DNSへの名前登録のみを実施します。これにより、Kubernetesのクラスタ内はIPアドレスではなくPod名でアクセスすることが可能となります。

mysql-sts.yamlに対応したHeadless Serviceを定義します。ここでは、mysql-svc.yamlというファイル名で**リスト3-17**の内容を保存します。

リスト3-17 mysql-svc.yaml

```
apiVersion: v1
kind: Service
metadata:
  name: mysql
  labels:
    app: mysql
spec:
  ports:
  - port: 3306
    name: mysql
  clusterIP: None        …(a)
  selector:
    app: mysql
```

(a) のspec.clusterIPにNoneを指定することで、Headless Serviceになります。このHeadless Serviceを使うことで、Pod Name.Service Nameというホスト名とPodのIPアドレスがDNSに登録されます。この例ですと、mysql-0.mysql、mysql-1.mysqlと、それぞれのPodのIPアドレスが登録されます。定義したサービスをデプロイしてみましょう。

```
$ kubectl apply -f mysql-svc.yaml
service/mysql created
```

kubectlコマンドを使って、Serviceを確認してみます。Cluster-IPにNoneが設定されHeadless Serviceとなっているのが確認できます。

```
$ kubectl get service
NAME     TYPE        CLUSTER-IP   EXTERNAL-IP   PORT(S)    AGE
mysql    ClusterIP   None         <none>        3306/TCP   9m
```

実際に、Kubernetes内のDNSへ登録されているかテンポラリのPodをデプロイし、確認してみます。

```
$ kubectl get pod -o wide
NAME      READY     STATUS    RESTARTS   AGE       IP           NODE
mysql-0   1/1       Running   0          1h        172.17.0.6   minikube
mysql-1   1/1       Running   0          1h        172.17.0.7   minikube

$ kubectl run -ti --image k8spracticalguide/busybox:1.28 dns-test \
  --restart=Never --rm /bin/sh
If you don't see a command prompt, try pressing enter.
/ # nslookup mysql-0.mysql
Server:    10.96.0.10
Address 1: 10.96.0.10 kube-dns.kube-system.svc.cluster.local

Name:      mysql-0.mysql
Address 1: 172.17.0.6 mysql-0.mysql.default.svc.cluster.local
/ # exit
```

テンポラリのPodからnslookupコマンドを使い、mysql-0.mysqlのIPアドレスをDNSへ問い合わせると、mysql-0のPodのIPアドレスである172.17.0.6が返ってきているのが確認できます。

(2) MySQLのデータ格納用に内部ストレージを割り当て

次に、MySQLのデータ格納用に、3.7.2項で述べたように内部ストレージを割り当てます。このローカルボリュームには、事前にPersistentVolumeを用意しておくのではなく、StatefulSetで定義されたPodが生成されるときに併せて自動生成し割り当てられるDynamic Volumeを使います。ここでは、mysql-sts.yamlに追加し定義しています（**リスト3-18**）。

リスト3-18　mysql-sts.yaml（Dynamic Volumeの定義を追加）

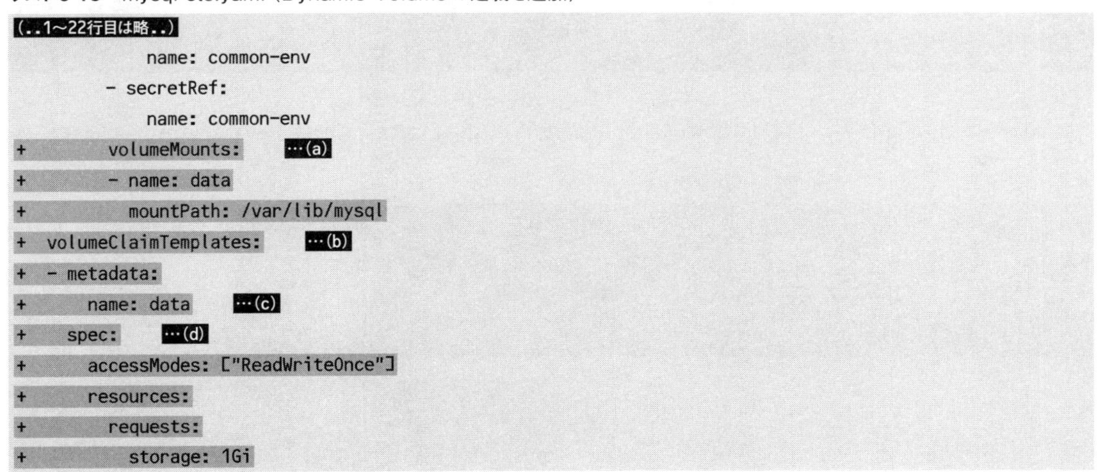

```
(..1〜22行目は略..)
            name: common-env
        - secretRef:
            name: common-env
+         volumeMounts:       …(a)
+         - name: data
+           mountPath: /var/lib/mysql
+   volumeClaimTemplates:     …(b)
+   - metadata:
+       name: data      …(c)
+     spec:     …(d)
+       accessModes: ["ReadWriteOnce"]
+       resources:
+         requests:
+           storage: 1Gi
```


（a）の`spec.template.spec.containers.volumeMounts`は、Pod内のマウント先として、MySQLのデータ格納先である/var/lib/mysqlディレクトリを指定します。このマウント先に`data`という名前を設定しておきます。

次に、Dynamic Volumeの定義である（b）の`spec.volumeClaimTemplates`を定義します。Dynamic Volumeでは、Podが生成されるたびに呼び出され、3.7.4項で述べたPersistentVolumeClaimを自動生成します。さらにminikubeでは、PersistentVolumeClaimが生成されると、第2章で述べたminikubeのaddonであるstorage-provisionerにより、minikube内の/tmp/hostpath-provisioner/ディレクトリ配下に、ユニークな名前のディレクトリが自動生成されます。その後、このディレクトリに対応したPersistentVolumeが自動生成され、PersistentVolumeClaimとPersistentVolumeが自動で関連付けられます。この一連の自動生成により、minikubeの内部ストレージにブロックストレージの領域が生成され、Podへ割り当てられます。（c）の`metadata.name`へ、先ほどのvolumeMounts（a）の名前である`data`を指定します。これにより、Dynamic Volumeにより自動生成される内部ストレージのボリュームが、MySQLのPod内の/var/lib/mysqlへマウントされます。（d）の`spec`には、自動生成されるPersistentVolumeClaimに定義する要求仕様を定義します。MySQLでは、データ格納のディレクトリを複数Podから書き込みできる共有を非推奨としているため、1つのPodからしか書き込みができない`ReadWriteOnce`を指定します。

実際に、Dynamic Volumeを追加で定義したStatefulSetをデプロイしてみましょう。デプロイの前に、3.7.5項の（1）で生成したMySQLのStatefulSetを削除します。

```
古いStatefulSetを削除
$ kubectl delete -f mysql-sts.yaml
statefulset.apps "mysql" deleted

新たにStatefulSetをデプロイ
$ kubectl create -f mysql-sts.yaml
statefulset.apps/mysql created
```

kubectlコマンドを使い、自動生成されたPersistentVolumeClaimとPersistentVolumeを確認してみます。

```
$ kubectl get persistentvolumeclaim
NAME           STATUS   VOLUME                                     CAPACITY
backup-mysql   Bound    backup                                     10Gi
data-mysql-0   Bound    pvc-f78b6f09-05bb-11e9-9cc6-08002712c28d   1Gi
data-mysql-1   Bound    pvc-0ae090e7-05bc-11e9-9cc6-08002712c28d   1Gi

                                 ACCESS MODES   STORAGECLASS   AGE
                                 RWX            nfs            1h
                                 RWO            standard       1m
                                 RWO            standard       1m
```

```
$ kubectl get persistentvolume
NAME                                       CAPACITY   ACCESS MODES   RECLAIM POLICY
backup                                     10Gi       RWX            Retain
pvc-f78b6f09-05bb-11e9-9cc6-08002712c28d   1Gi        RWO            Delete
pvc-0ae090e7-05bc-11e9-9cc6-08002712c28d   1Gi        RWO            Delete

                        STATUS   CLAIM                  STORAGECLASS   REASON   AGE
                        Bound    default/backup-mysql   nfs                     3d
                        Bound    default/data-mysql-0   standard                1mm
                        Bound    default/data-mysql-1   standard                1m
```

PersistentVolumeClaimとしてdata-mysql-0とdata-mysql-1が自動生成され、これに対応したPersistentVolumeも自動生成されています。また、自動生成されたPersistentVolumeのSTORAGECLASSは、standardになっています。これは次に示すようにminikubeであらかじめ定義されているstandardという名前のStorageClassが対応しています。このStorageClassに定義されているPROVISIONERのk8s.io/minikube-hostpathが、addonのstorage-provisionerを呼び出しています。

```
$ kubectl get storageclass
NAME                 PROVISIONER                AGE
standard (default)   k8s.io/minikube-hostpath   4d
```

MySQLのPodも確認してみます。kubectlコマンドを使い確認してみると、/var/lib/mysqlディレクトリへClaimName: data-mysql-0に関連付けられたボリュームがマウントされているのが確認できます。

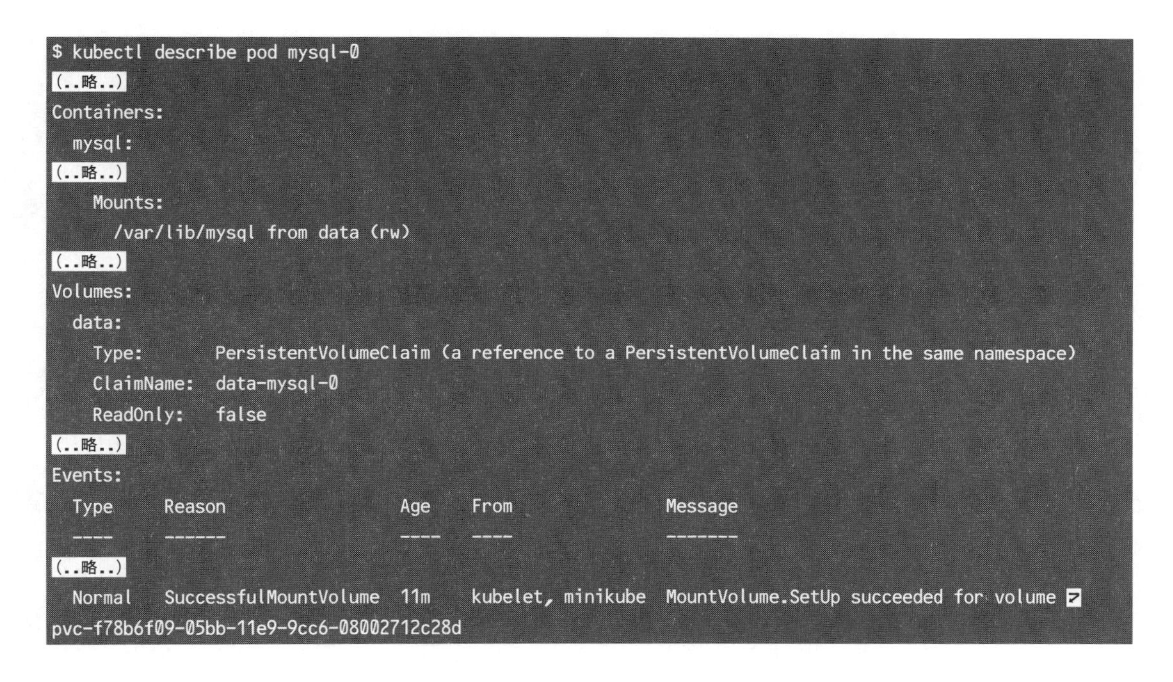

```
$ kubectl describe pod mysql-0
(..略..)
Containers:
  mysql:
(..略..)
    Mounts:
      /var/lib/mysql from data (rw)
(..略..)
Volumes:
  data:
    Type:       PersistentVolumeClaim (a reference to a PersistentVolumeClaim in the same namespace)
    ClaimName:  data-mysql-0
    ReadOnly:   false
(..略..)
Events:
  Type     Reason                   Age    From                Message
  ----     ------                   ----   ----                -------
(..略..)
  Normal   SuccessfulMountVolume    11m    kubelet, minikube   MountVolume.SetUp succeeded for volume ⏎
pvc-f78b6f09-05bb-11e9-9cc6-08002712c28d
```

ここまでで、単独のMySQLの設定はできあがりました。

(3) 設定ファイルをMaster、Slave用に設定し配置

このステップからMySQLのMaster-Slave用の構成を設定していきます。

まず、Pod内のMySQLの設定ファイルをMaster用、Slave用に設定します。設定では、StatefulSetの特徴である連続したインデックスのPod名を活用したスクリプトをConfigMapとして定義します。ここでは、mysql-cm-script.yamlというファイル名で**リスト3-19**の内容を保存します。

リスト3-19 mysql-cm-script.yaml

```
apiVersion: v1
kind: ConfigMap
metadata:
```

```
  name: mysql-scripts
data:
  setup.sh: |
    #!/bin/bash

    set -e
    [[ $(hostname) =~ -([0-9]+)$ ]]
    serverid=${BASH_REMATCH[1]}
    CONF='/mnt/conf.d/server-id.cnf'

    # Create server-id.cnf
    echo [mysqld] > ${CONF}
    if [ "${serverid}" -eq 0 ]; then
      echo "log-bin=mysql-bin" >> ${CONF}
      echo "server-id=$((100+serverid))" >> ${CONF}
    else
      echo "read_only" >> ${CONF}
      echo "server-id=$((100+serverid))" >> ${CONF}
    fi

    exit 0
```

このConfigMapのmysql-scriptsでは、setup.shというシェルスクリプトを定義しています。このようにConfigMapにはシェルスクリプトを定義し、Podにて実行させることもできます。setup.shは、Podの名前に付けられたインデックスが0、つまりPod名がmysql-0の場合、MySQLをMasterとして起動するための設定ファイルを生成します。0以外の場合には、Slaveとして起動するための設定ファイルを生成します。このように、StatefulSetの特徴の1つである連続したインデックス番号を使うことで、スクリプトなどでPodの役割ごとに分岐させることが可能となります。

続いて、作成したmysql-scriptsのsetup.shを実行するPodを定義します。ここでは、次の特徴を持つinitContainersを使いsetup.shを実行します。

- 常に完了するまで実行する
- すべて成功しないと、次のPodが起動しない

initContainersは、起動したいアプリケーションのPodの事前設定などを行いたい場合に利用すると便利です。ここではinitContainersを用いてMySQLの設定ファイルを生成する定義を、mysql-sts.yamlに追加します（**リスト3-20**）。

リスト3-20　mysql-sts.yaml（MySQLの設定ファイルを生成する定義を追加）

```
(..1〜14行目は略..)
        labels:
          app: mysql
      spec:
-       containers:
+       initContainers:      …(a)
+       - name: init-mysql
+         image: k8spracticalguide/mysql:5.7.22
+         command: ["bash", "/mnt/scripts/setup.sh"]      …(b)
+         volumeMounts:      …(c)
+         - name: confd
+           mountPath: /mnt/conf.d
+         - name: scripts
+           mountPath: /mnt/scripts
+       containers:      …(d)
        - name: mysql
          image: k8spracticalguide/mysql:5.7.22
          envFrom:
(..略..)
          volumeMounts:
          - name: data
            mountPath: /var/lib/mysql
+         - name: confd
+           mountPath: /etc/mysql/conf.d
+       volumes:      …(e)
+       - name: confd
+         emptyDir: {}
+       - name: scripts
+         configMap:
+           name: mysql-scripts
    volumeClaimTemplates:
    - metadata:
        name: data
(..略..)
```

（a）のspec.template.spec.initContainersにinitContainersの定義を追加します。このinitContainersでは、（b）のcommandの内容が実行されます。このcommand内で、ConfigMapのmysql-scripts内で定義したsetup.shを呼び出しています。

このConfigMapのmysql-scripts自身は、（c）のvoulmeMountsと（e）のspec.template.spec.volumesの定義によって、ファイルとしてマウントされます。また、併せて、setup.shにて生成する設定ファイルの出力先である/mnt/conf.dディレクトリもマウントしておきます。

この/mnt/conf.dディレクトリは、(e) のvolumesにてemptyDir: {}としてマウントされています。このemptyDir: {}は、Podがノードに配置されたとき、空のボリュームが自動生成され、Podが削除されるのと併せて削除されるボリュームの指定になります。Podを削除してもデータを永続化したいようなケースには使えませんが、今回のような設定ファイルなど、起動するPodでしか利用しないデータの格納には向いています。また、emptyDirは、メモリをディスクとして使用するtmpfsを使うことも可能です。tmpfsを利用したい場合には、emptyDir.mediumにMemoryを指定してください。

今回はまず、initContainersで、emptyDir (confd) を/mnt/conf.dディレクトリとしてマウントし、設定ファイルを保存します。次に、MySQLのPod (d) で、同じemptyDir (confd) をMySQLの設定ファイルの格納場所である/etc/mysql/conf.dとしてマウントします。このようにemptyDirを使うことで、initContainersとContainersのPod間で設定ファイルを受け渡します。

実際に、kubectl コマンドを使い、mysql-scriptsとinitContainersを追加したStatefulSetをデプロイし、それぞれのPod内で正しくMaster、Slaveの設定ファイルが生成されているかを確認します。

```
ConfigMapとStatefulSetをデプロイ
$ kubectl apply -f mysql-cm-script.yaml
configmap/mysql-scripts created

$ kubectl apply -f mysql-sts.yaml
statefulset.apps/mysql configured

それぞれのMySQLのPodに接続して設定ファイルを確認
$ kubectl exec -ti mysql-0 cat /etc/mysql/conf.d/server-id.cnf
[mysqld]
log-bin=mysql-bin
server-id=100

$ kubectl exec -ti mysql-1 cat /etc/mysql/conf.d/server-id.cnf
[mysqld]
read_only
server-id=101
```

kubectl execコマンドを使い、mysql-0、mysql-1のPodへ接続し、それぞれの/etc/mysql/conf.dを確認します。Masterとして起動させたいmysql-0では、バイナリログの指定log-binが設定されています。Slaveとして起動させたいmysql-1では、読み込み専用read_onlyが指定されています。これで、MySQLが、それぞれMaster-Slaveで起動しました。

次からは、MasterとSlaveでのデータの同期を行っていきます。

(4) バックアップ用に外部ストレージを割り当て

MySQLでは、Master-Slave間でデータ同期をとる前に、最初にMasterのデータをバックアップし、Slaveにコピーし復元する必要があります。これにより、最初の同期処理にて、Master-Slave間で大量のデータコピーが発生しないようにします。

このステップでは、MasterのMySQLのデータをSlaveへコピーするための事前設定として、3.7.4項で設定したPersistentVolumeClaimを使い、MySQLのPodへ外部ストレージをマウントします。ここでは、mysql-sts.yamlに追加します（**リスト3-21**）。

リスト3-21　mysql-sts.yaml（外部ストレージをマウントする定義を追加）

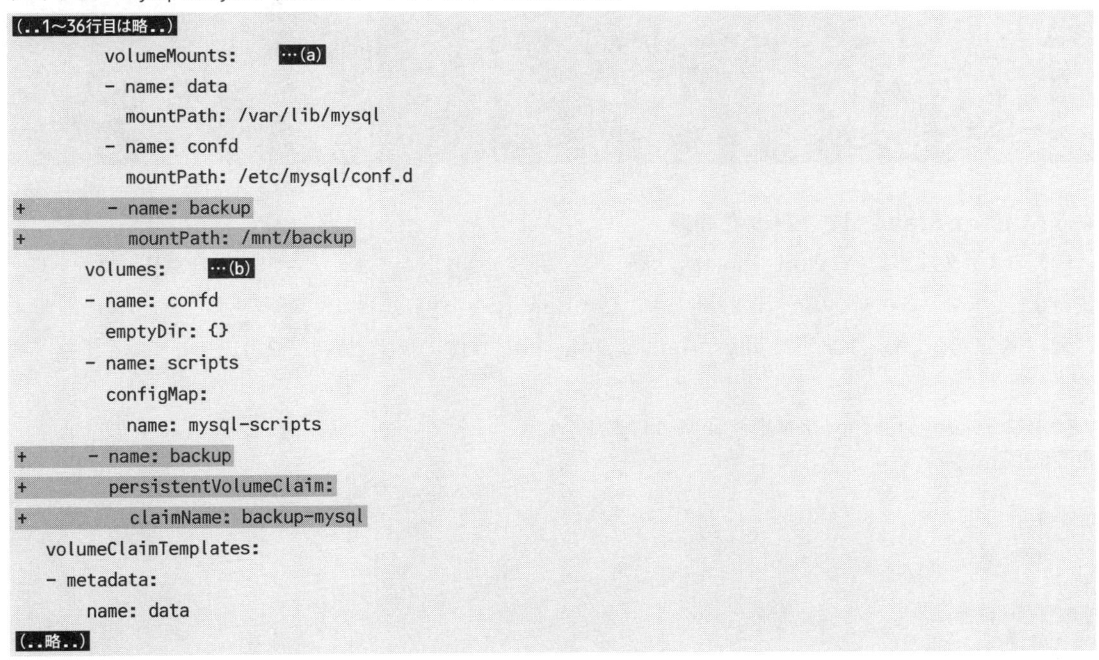

```
(..1〜36行目は略..)
          volumeMounts:      ···(a)
          - name: data
            mountPath: /var/lib/mysql
          - name: confd
            mountPath: /etc/mysql/conf.d
+         - name: backup
+           mountPath: /mnt/backup
        volumes:      ···(b)
        - name: confd
          emptyDir: {}
        - name: scripts
          configMap:
            name: mysql-scripts
+       - name: backup
+         persistentVolumeClaim:
+           claimName: backup-mysql
    volumeClaimTemplates:
    - metadata:
        name: data
(..略..)
```

(a)の`volumeMounts`にて、MySQLのPodの/mnt/backupへマウントするように指定します。

(b)の`volumes`にて、3.7.4項で作成したPersistentVolumeClaimのbackup-mysqlを指定します。

作成したmysql-sts.yamlをデプロイし、外部ストレージがマウントできているか確認します。`kubectl exec`コマンドにて、それぞれのPodへ接続し`df`コマンドにてマウント状況を確認します。mysql-0、mysql-1とも外部ストレージとして準備したNFSの"192.168.99.1:/share"をマウントしているのが確認できます。

```
StatefulSetをデプロイ
$ kubectl apply -f mysql-sts.yaml
statefulset.apps/mysql configured
```

```
マウント状況を確認
$ kubectl exec -ti mysql-0 /bin/bash
root@mysql-0:/# df -h
Filesystem           Size  Used Avail Use% Mounted on
(..略..)
192.168.99.1:/share  931G  164G  768G  18% /mnt/backup
(..略..)
root@mysql-0:/# exit

$ kubectl exec -ti mysql-1 /bin/bash
root@mysql-1:/# df -h
Filesystem           Size  Used Avail Use% Mounted on
(..略..)
192.168.99.1:/share  931G  164G  768G  18% /mnt/backup
(..略..)
root@mysql-1:/# exit
```

(5) Master-Slave間でデータを同期

最後のステップでは、Master-Slave間でデータを同期させます。このステップでは、MySQLのコマンドを使い設定します。これまでのステップと同様に、ConfigMapへMySQLのコマンドを実行するためのシェルスクリプトを定義します。ここでは、mysql-cm-script.yamlに追加します（**リスト3-22**）。

リスト3-22 mysql-cm-script.yaml（init-slave.shを追加）

```
(..1~21行目は略..)
    fi

    exit 0
+
+  init-slave.sh: |
+    #!/bin/bash
+
+    set -e
+    echo "Execute init-slave.sh"
+    [[ $(hostname) =~ -([0-9]+)$ ]]
+    serverid=${BASH_REMATCH[1]}
+    MYSQLS="mysql --user=root --password=${MYSQL_ROOT_PASSWORD}"
+    MYSQLM="${MYSQLS} -h mysql-0.mysql"
+    MYSQLDUMP="mysqldump -h mysql-0.mysql --user=root --password=${MYSQL_ROOT_PASSWORD}"
+
+    if [[ ${serverid} -ne 0 ]]; then
+      $MYSQLM -e 'FLUSH TABLES WITH READ LOCK;'
+      log_file=$(${MYSQLM} -e 'SHOW MASTER STATUS\G;' | grep File: | awk '{print $2}')
```

```
+       pos=$(${MYSQLM} -e 'SHOW MASTER STATUS\G;' | grep Position: | awk '{print $2}')
+       datestamp=$(date +%Y%m%d)
+       backupname="/mnt/backup/${MYSQL_DATABASE}-${datestamp}-${log_file}-${pos}.dump"
+       if [ ! -e "${backupname}" ]; then
+         ${MYSQLDUMP} "${MYSQL_DATABASE}" > "${backupname}"
+       fi
+       $MYSQLM -e 'UNLOCK TABLES;'
+
+       $MYSQLS "${MYSQL_DATABASE}" < "${backupname}"
+       $MYSQLS -e 'STOP SLAVE;'
+       $MYSQLS -e 'RESET SLAVE;'
+       $MYSQLS -e "CHANGE MASTER TO MASTER_HOST='mysql-0.mysql', MASTER_USER='root', MASTER_PASSWORD=\ ⏎
"${MYSQL_ROOT_PASSWORD}\", MASTER_LOG_FILE='${log_file}', MASTER_LOG_POS=${pos};"
+       $MYSQLS -e "CHANGE REPLICATION FILTER REPLICATE_DO_DB=(${MYSQL_DATABASE});"
+       $MYSQLS -e 'START SLAVE;'
+     fi
+     exit 0
```

このinit-slave.shのスクリプトは、SlaveのPodでのみ実行させます。そのため、StatefulSetにて付与されるPodのインデックスの数字が0でない場合のみ処理を実施するように、スクリプト内で条件分岐しています。このスクリプトでは、次の流れでMaster-Slave間のデータを同期させています。

①Master（mysql-0.mysql）へ接続し、データのバックアップを3.7.5項の（4）で割り当てたストレージへ保存する
②Masterのトランザクションのログ名と現在のポジションを取得する
③Slaveへ接続し、①のバックアップデータをリストアする
④Masterのホスト名やデータ同期のユーザを設定する
⑤②の情報を使い、トランザクションのログ名とポジションをMasterと合わせる
⑥Slaveをスタートする

このinit-slave.shスクリプトは、MySQLのプロセスが起動したあと、実行することを想定しています。MySQLの公式コンテナでは、/docker-entrypoint-initdb.dディレクトリに配置されているスクリプトが、コンテナ内のMySQLプロセスが起動したあとに自動実行されます。そこで、init-slave.shスクリプトを/docker-entrypoint-initdb.dディレクトリへ配置します。3.7.5項の（3）で説明したinitContainersで実行するsetup.shスクリプトに、init-slave.shスクリプトの配置処理を追加します（**リスト3-23**）。

リスト3-23　mysql-cm-script.yaml（init-slave.shの配置処理を追加）

```
(..1～20行目は略..)
      echo "server-id=$((100+serverid))" >> ${CONF}
```

```
    fi

+    # Copy init-slave.sh from scripts to initdb directory
+    cp /mnt/scripts/init-slave.sh /mnt/initdb/
+    chmod +x /mnt/initdb/init-slave.sh
+
    exit 0

  init-slave.sh: |
(..略..)
```

リスト3-23のmysql-cm-script.yamlでは、init-slave.shスクリプトを/mnt/initdbディレクトリにコピーする処理を、setup.shスクリプトに追加しています。

次に、initdbディレクトリをマウントする定義を、mysql-sts.yamlへ追加します（**リスト3-24**）。

リスト3-24 mysql-sts.yaml（initdbディレクトリをマウントする定義を追加）

```
(..1～23行目は略..)
          mountPath: /mnt/conf.d
        - name: scripts
          mountPath: /mnt/scripts
+       - name: initdb
+         mountPath: /mnt/initdb
      containers:
      - name: mysql
        image: k8spracticalguide/mysql:5.7.22
(..略..)
        volumeMounts:      …(a)
        - name: data
          mountPath: /var/lib/mysql
+       - name: initdb
+         mountPath: /docker-entrypoint-initdb.d
        - name: confd
          mountPath: /etc/mysql/conf.d
        - name: backup
          mountPath: /mnt/backup
      volumes:
+     - name: initdb
+       emptyDir: {}
      - name: confd
        emptyDir: {}
      - name: scripts
(..略..)
```

mysql-sts.yaml(**リスト3-24**)の(a)では、init-slave.shスクリプトが格納されているinitdbディレクトリを、MySQLのPodの/docker-entrypoint-initdb.dへマウントさせます。これにより、MySQLのPodが起動されたあとにinit-slave.shが実行され、Master-Slave間のデータ同期が完了します。

では、実際にkubectlコマンドを使い、Master-Slave構成のMySQLをデプロイします。

```
$ kubectl apply -f mysql-cm-script.yaml
configmap/mysql-scripts configured

$ kubectl apply -f mysql-sts.yaml
statefulset.apps/mysql configured
```

これで、データ同期を行うMaster-Slave構成のMySQLの完成です。

3.7.6 スケールするMySQLの動作検証

ここでは、作成したMaster-Slave構成のMySQLが正しく動作しているかの検証を行います。

まず、検証用にすべてのMySQLのPodに対してアクセス可能なServiceを追加します(**リスト3-25**)。

リスト3-25 mysql-svc-read.yaml

```
apiVersion: v1
kind: Service
metadata:
  name: mysql-read
  labels:
    app: mysql
spec:
  ports:
  - name: mysql
    port: 3306
  selector:
    app: mysql
```

実際に、mysql-svc-read.yaml(**リスト3-24**)に定義したmysql-readのServiceをデプロイし、動作検証します。検証では、MasterのMySQL(mysql-0)へSQLを発行し、テスト用のテーブルとテストデータを格納します。次に、すべてのMySQLに対し、mysql-readのServiceを使って、応答を返しているMySQLのserver_idとテストデータを表示させるSELECT文を繰り返し発行させます。今回は、3.5節で述べた1回限りのPodをkubectl runコマンドにて生成し、検証を行います。検証用のPodは、Ctrl - C で終了させてください。

```
Serviceをデプロイ
$ kubectl apply -f mysql-svc-read.yaml
service/mysql-read created

MasterのMySQLにSQLを発行
$ kubectl run mysql-client \
  --image=k8spracticalguide/mysql:5.7.22 -i --rm --restart=Never -- \
mysql -h mysql-0.mysql --user=root --password=rootpassword <<EOF
CREATE TABLE mattermost.test (msg VARCHAR(64));
INSERT INTO mattermost.test VALUES ('hello');
EOF

mysql-readのServiceにSQLを繰り返し発行
$ kubectl run mysql-loop \
  --image=k8spracticalguide/mysql:5.7.22 -ti --rm --restart=Never -- \
  /bin/bash -ic "while sleep 1; do mysql -h mysql-read --user=root --password=rootpassword \
  -e 'SELECT @@server_id, msg from mattermost.test'; done"

(..略..)
+-------------+-------+
| @@server_id | msg   |
+-------------+-------+
|         100 | hello |
+-------------+-------+
(..略..)
+-------------+-------+
| @@server_id | msg   |
+-------------+-------+
|         101 | hello |
+-------------+-------+
(..略..)
^C
```

このように、MySQLのMaster-Slave構成では、参照系のSQLをMaster/Slaveいずれに対して実行しても、同じ結果が返ってくることを確認できます。以上で、Master-Slave構成のMySQLは完成です。

3.7.7 Mattermostとの接続

Mattermostと接続するために、3.5節で作成したmattermost-deploy.yamlに、先ほどデプロイしたMaster-Slave構成のMySQLの値を設定します。変更例を**リスト3-26**に示します。

リスト3-26　mattermost-deploy.yaml（Master-Slave構成のMySQLの値を設定）

```
(..1～36行目は略..)
              name: common-env
              key: MYSQL_DATABASE
        - name: DB_HOST
-           value: mattermost-db
-         resources: {}
+           value: mysql-0.mysql      ……(a)
+         - name: DB_PORT_NUMBER
+           value: "3306"
+         - name: MM_SQLSETTINGS_DRIVERNAME
+           value: mysql
+         - name: MM_SQLSETTINGS_DATASOURCE
+           value: $(MM_USERNAME):$(MM_PASSWORD)@tcp(mysql-0.mysql:3306)/mattermost?charset=utf8mb4, ⏎
utf8&readTimeout=30s&writeTimeout=30s
+         ports:
+         - containerPort: 8065
        volumeMounts:
        - name: cm-volume
          mountPath: /mm/config
      volumes:
      - name: cm-volume
        configMap:
          name: mm-config-file
          items:
          - key: config.json
            path: config.json
status: {}
```

変更したmattermost-deploy.yamlを使い、Mattermostをデプロイします。

```
$ kubectl apply -f mattermost-deploy.yaml
deployment "mattermost" configured
```

これで、Mattermostで利用するMySQLがMaster-Slave構成になりました。

MattermostではMySQLへ書き込み／読み込みの両方を行うため、MySQLのMasterを指定します（**リスト3-26**の（a））。Mattermost以外のアプケーションで、MySQLに対し読み込みしか行わない場合は、Serviceで登録したmysql-readを指定すると良いでしょう。Master、SlaveのPodへリクエストがロードバランシングされ並列に処理されます。

3.7.8 Mattermostを使ったデータ永続化の動作検証

まず、デプロイしたMattermostへブラウザからアクセスします。アクセスのURLは、3.6.3項を参考にしてください。Mattermostのユーザ登録、チーム作成と進めていくとチャット画面にたどりつきます。このチャット画面で試しに何かメッセージを送信してみましょう。**図3-23**では、hogeユーザが“Hello world”とメッセージを送信しています。

図3-23　Mattermostのチャット画面

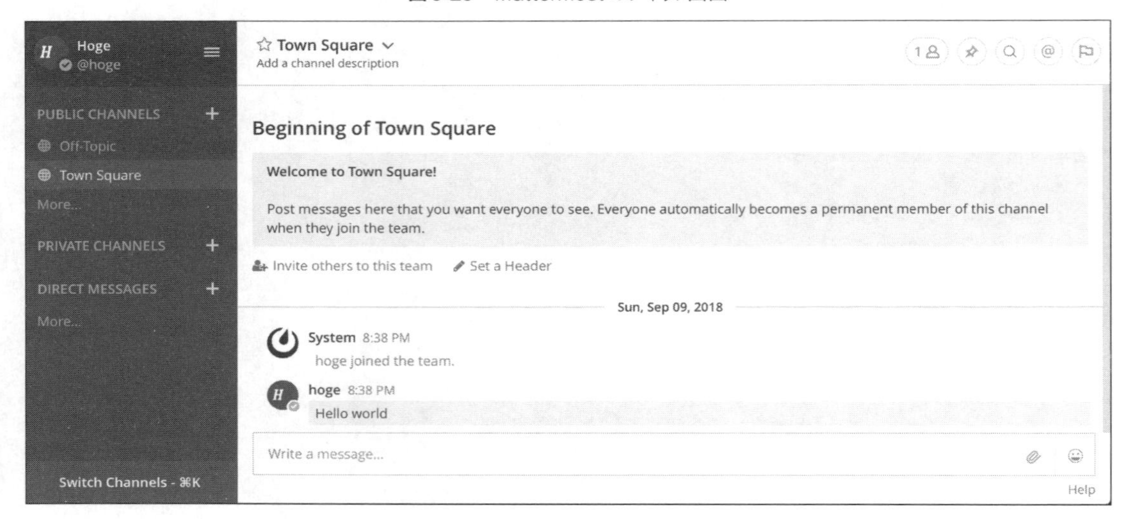

Mattermostでは、作成したユーザの情報やメッセージはMySQLに保存されます。そこで、この動作検証では、MattermostとMySQLのPodをすべて削除してみます。データが永続化されていない場合は、Podの削除とともにすべてのデータが削除されてしまいます。データが永続化されている場合は、Podを削除してもデータは削除されません。では、実際に試してみましょう。

まずは、Podをすべて削除します。`kubectl delete`コマンドでPodを削除します。以下の例では、`--all`オプションでネームスペース配下のすべてのPodを削除していますが、削除したくないPodがある場合は、Mattermost、MySQLのPodをそれぞれ指定して削除してください。

```
$ kubectl delete pod --all
pod "mattermost-5d77459675-9rxmr" deleted
pod "mattermost-5d77459675-qpbjh" deleted
pod "mysql-0" deleted
pod "mysql-1" deleted
```

Mattermost、MySQLは、それぞれDeployment、StatefulSetで定義されているため、しばらく待つとKubernetesのセルフヒーリングにより、Podが自動的に起動してきます。kubectl getコマンドでMattermost、MySQLのPodがそれぞれ起動したことを確認します。

```
$ kubectl get pod
NAME                          READY   STATUS    RESTARTS   AGE
mattermost-5d77459675-dm2nd   1/1     Running   0          28s
mattermost-5d77459675-ldsfb   1/1     Running   0          28s
mysql-0                       1/1     Running   0          21s
mysql-1                       1/1     Running   0          14s
```

再度、ブラウザでMattermostへアクセスします。すると、**図3-23**のチャット画面と同じくhogeユーザが送信した"Hello world"が表示されています。このように、データを永続化することで、Podが再作成されても、データは削除されずMattermostを使い続けることができます。

Kubernetes Operator

COLUMN

Operatorは、2016年にCoreOS社（2018年現在はIBM社／Red Hat社）から、管理者の持つアプリケーションのナレッジをKubernetesの拡張機能を活用して自動化するプログラムとして発表されました。

Kubernetesには、セルフヒーリング機能などインフラストラクチャの運用を自律化させるフレームワークが備わっています。このフレームワークを使ったOperatorを開発することでアプリケーションの運用を支援します。

たとえば、本節で説明したMySQLのMaster-Slave構成の作成には、インフラストラクチャのナレッジとMySQLのナレッジの両方を身につける必要があります。しかし、「MySQLが今すぐほしい」「MySQLを利用するアプリケーションの開発に専念したい」などの理由から、これらのナレッジを持った管理者が側にいれば良いのにと考えるケースもあるでしょう。このような場合に、Oracle社が提供するMySQL Operator[注45]を使うと、**リスト3-27**のYAMLを作成し、kubectl createコマンドでデプロイするだけでMaster-Slave構成も作成できます。

リスト3-27　mysql-cluster.yaml

```
apiVersion: mysql.oracle.com/v1alpha1
kind: Cluster
metadata:
  name: mysql
```

このように、Operatorは管理者のナレッジを実現し、アプリケーションの運用を支援するプログラムです。また、Operatorのユーザや開発者が多くなり、あらゆる運用のナレッジがOperatorに実装されるようになれば、これまで組織や管理者ごとにバラバラであった運用ナレッジを、世界中で共有できるかもしれません。

注45　https://github.com/oracle/mysql-operator

3.8 定期的にバックアップを取る

データのバックアップを定期的に取るためには、バックアップのコマンドを定期的に実行する必要があります。Kubernetesでは、サービスとして起動し続けるPodとは異なり、1回だけ実行する処理に適したJobオブジェクトと、決まった時刻に繰り返し実行するCronJobオブジェクトがあります。そこで、本節では、バックアップなどのバッチ処理に適したJobについて説明します。

3.8.1　1回のみ実行するJob

通常のPodは、処理が正常終了／異常終了に関係なく動作し続けますが、Jobは処理が正常終了すると終了します。1回のみ実行するバッチ処理などに適しています。また、Jobが正常終了しない場合は、正常終了するまで繰り返し実行します。まず、Jobで実行するMySQLのデータをバックアップするスクリプトをConfigMapへ定義します。

ここでは、mysql-cm-backup.yamlというファイル名で**リスト3-28**の内容を保存します。

リスト3-28　mysql-cm-backup.yaml

```
apiVersion: v1
kind: ConfigMap
metadata:
  name: mysql-backup
data:
  backup-db.sh: |
    #!/bin/bash

    set -e
    echo "Execute backup-db.sh"
    MYSQLM="mysql -h mysql-0.mysql --user=root --password=${MYSQL_ROOT_PASSWORD}"
    MYSQLDUMP="mysqldump -h mysql-0.mysql --user=root --password=${MYSQL_ROOT_PASSWORD}"

    $MYSQLM -e 'FLUSH TABLES WITH READ LOCK;'
    log_file=$($MYSQLM -e 'SHOW MASTER STATUS\G;' | grep File: | awk '{print $2}')
    pos=$($MYSQLM -e 'SHOW MASTER STATUS\G;' | grep Position: | awk '{print $2}')
    datestamp=$(date +%Y%m%d)
    backupname="/mnt/backup/${MYSQL_DATABASE}-${datestamp}-${log_file}-${pos}.dump"
    ${MYSQLDUMP} "${MYSQL_DATABASE}" > "${backupname}"
    $MYSQLM -e 'UNLOCK TABLES;'

    exit 0
```

次に、定義したスクリプトを実行するJobを定義します。ここでは、mysql-job.yamlというファイル名で**リスト3-29**の内容を保存します。

リスト3-29 mysql-job.yaml

```
apiVersion: batch/v1
kind: Job
metadata:
  name: mysql-backup
spec:
  completions: 1      …(a)
  parallelism: 1      …(b)
  template:
    spec:
      containers:
      - name: backup-mysql
        image: k8spracticalguide/mysql:5.7.22
        envFrom:
        - configMapRef:
            name: common-env
        - secretRef:
            name: common-env
        command: ["bash", "/mnt/backup-script/backup-db.sh"]
        volumeMounts:
        - name: backup-script
          mountPath: /mnt/backup-script
        - name: backup
          mountPath: /mnt/backup
      restartPolicy: Never      …(c)
      volumes:
       - name: backup-script
         configMap:
           name: mysql-backup
       - name: backup
         persistentVolumeClaim:
           claimName: backup-mysql
  backoffLimit: 3     …(d)
```

mysql-job.yamlに定義したJobでは、**リスト3-28**に定義したMySQLのバックアップのコマンドmysqldumpを実行し、3.7.4項で設定した外部ストレージへ保存します。また、Jobは実行中にノードが異常な状態になるなど異常終了する場合があります。**リスト3-28**のバックアップコマンドにおいても、バックアップ中にJobが異常終了をした場合、タイミングによってはMySQLがREAD LOCKの状態のままとなることがあります。その場合は、次のようにmysqlコマンドにてUNLOCK TABLESを実行してください。

```
$ kubectl run mysql-client --image=k8spracticalguide/mysql:5.7.22 \
  -i --rm --restart=Never -- \
  mysql -h mysql-0.mysql --user=root --password=rootpassword -e 'UNLOCK TABLES;'
```

Jobの定義（**リスト3-29**）の（a）のspec.completionsと（b）のspec.parallelismは、Jobの正常終了の回数と並列実行数を指定します。たとえば、completionsの値を3、parallelismの値を3として実行すると、Jobは3つのPodを生成、並列に実行し、この3つとも正常終了しないとJobが完了となりません。ただし、parallelismの値を設定しても、Jobにて生成されるPodがリソース不足などにより生成できない場合など、必ずしも望んだ数だけ並列に実行されるとは限りません[注46]。

（c）のspec.template.spec.restartPolicyは、Podが異常終了したときの再起動のポリシーを指定します。値としては、OnFailureとNeverを取ることができ、OnFailureを指定すると、Jobから生成されたPodは同じノードで再起動します。

（d）のspec.backoffLimitは、Jobが失敗した場合のリトライ回数を指定します。

実際に定義したJobを実行してみます。Jobはデプロイされると、Podを生成しスクリプトを実行します。kubectlコマンドでJobを確認すると、SUCCESSFULに成功した回数が表示されます。

```
ConfigMapとJobをデプロイ
$ kubectl apply -f mysql-cm-backup.yaml
configmap/mysql-backup created

$ kubectl apply -f mysql-job.yaml
job.batch/mysql-backup created

Podの状況を確認
$ kubectl get pod
NAME                  READY     STATUS              RESTARTS     AGE
mysql-0               1/1       Running             1            15m
mysql-1               1/1       Running             1            13m
mysql-backup-lnm8z    0/1       ContainerCreating   0            2s

Jobの状況を確認
$ kubectl get job
NAME           DESIRED   SUCCESSFUL   AGE
mysql-backup   1         1            1m
```

取得したバックアップを使ってデータを復元する場合は、MySQLのmysqlコマンドを使って復元してください[注47]。

注46 parallelismで指定した数だけ並列化できない場合の要因については、次のURLを参照。https://kubernetes.io/docs/concepts/workloads/controllers/jobs-run-to-completion/#controlling-parallelism

注47 復元の詳細なやり方は次のMySQLのマニュアルを参照。https://dev.mysql.com/doc/refman/5.7/en/backup-and-recovery.html

3.8.2　定期実行するCronJob

3.8.1項では、1回のみ実行するJobを説明しました。ここでは、Jobを決まった日付時刻に実行するCronJobを説明します。

リスト3-28で定義したMySQLのデータをバックアップするスクリプトを定期的に実行するCronJobを定義します。ここでは、mysql-cronjob.yamlというファイル名で**リスト3-30**の内容を保存します。

リスト3-30　mysql-cronjob.yaml

```
apiVersion: batch/v1beta1
kind: CronJob
metadata:
  name: cron-mysql-backup
spec:
  schedule: "0 * * * *"     ···(a)
  startingDeadlineSeconds: 60     ···(b)
  concurrencyPolicy: Forbid     ···(c)
  successfulJobsHistoryLimit: 3     ···(d)
  failedJobsHistoryLimit: 5     ···(e)
  jobTemplate:     ···(f)
    spec:
      template:
        spec:
          containers:
          - name: cron-backup-mysql
            image: k8spracticalguide/mysql:5.7.22
            envFrom:
            - configMapRef:
                name: common-env
            - secretRef:
                name: common-env
            command: ["bash", "/mnt/backup-script/backup-db.sh"]
            volumeMounts:
            - name: backup-script
              mountPath: /mnt/backup-script
            - name: backup
              mountPath: /mnt/backup
          restartPolicy: Never
          volumes:
          - name: backup-script
            configMap:
              name: mysql-backup
          - name: backup
            persistentVolumeClaim:
```

```
          claimName: backup-mysql
        restartPolicy: Never
```

JobとCronJobの定義での大きな違いは、(a) のspec.scheduleの指定です。CronJobではspec.scheduleに"MM HH dd mm ww"を指定することで決まった時間に、(f) のspec.JobTemplateに定義されたJobを実行します。Kubernetesでは、指定する時間のタイムゾーンはUTC (協定世界時) となります。Kubernetes v1.11の時点では変更できません。UTCとJST (日本標準時) との時差が+9時間となることを考慮し、時間を指定します。spec.scheduleに設定できる値を**表3-9**に示します。**リスト3-30**では、毎時00分にMySQLのデータのバックアップを実行しています。

表3-9　scheduleに設定できる値

値	説明
MM	分を指定する。値は00～59の範囲で指定する
HH	時を指定する。値は00～23の範囲で指定する
dd	日を指定する。値は1～31の範囲で指定する
mm	月を指定する。値は1～12の範囲で指定する
ww	曜日を指定する。値は0～6の範囲で指定する。0は日曜日を指す

(b) のspec.startingDeadlineSecondsは、CronJobが何らかの理由で実行されなかった際、いつまで実行可能かの期限を設定します。**リスト3-30**の設定では、毎時00分～01分の間だけ実行可能となります。

(c) のspec.concurrencyPolicyは、同時実行に関するポリシーを設定します。**表3-10**に設定できる値を示します。Forbid、Replaceは同時に実行されたくないJobを設定する場合に指定します[注48]。

表3-10　concurrencyPolicyに設定できる値

値	説明
Allow	同時実行に対して制限なし（デフォルト）
Forbid	前のJobが終了していない場合、次のJobを実行しない
Replace	前のJobをキャンセルし、新たにJobを実行する

(d) のspec.successfulJobsHistoryLimit、(e) のspec.failedJobsHistoryLimitは、保持する成功Jobの数と失敗Jobの数を指定します。とくに、失敗したJobの保存は、失敗原因の特定などのデバッグに役に立つ情報になります。また、これらの値を0に設定した場合は、Jobが終了後、即時に削除されます。

では、実際に定義したCronJobをデプロイします。kubectlコマンドでCronJobを確認すると、SCHEDULEに設定したスケジュールが表示され、LAST SCHEDULEに最後に実行してからの経過時間が表示されます。

注48　startingDeadlineSecondsとconcurrencyPolicyの組み合わせにて動作が制限されます。詳細は次のURLを参照。https://kubernetes.io/docs/concepts/workloads/controllers/cron-jobs/#cron-job-limitations

```
CronJobをデプロイ
$ kubectl apply -f mysql-cronjob.yaml
cronjob.batch/cron-mysql-backup created

CronJobの状況を確認
$ kubectl get cronjob
NAME                SCHEDULE      SUSPEND   ACTIVE    LAST SCHEDULE   AGE
cron-mysql-backup   0 * * * *     False     1         12s             33s
```

次に、バックアップされているかどうかを、3.7.4項で準備した外部ストレージを確認します。

```
$ ls -l /share
total 8
-rw-r--r--  1 nobody  wheel  1259  9  8 22:00 mattermost-20180908-mysql-bin.000003-154.dump

$ ls -l /share
total 8
-rw-r--r--  1 nobody  wheel  1259  9  8 23:00 mattermost-20180908-mysql-bin.000003-154.dump
```

外部ストレージ（NFS）の/shareディレクトリに保存されているバックアップファイルのタイムスタンプを確認すると60分おきに更新されているのが確認できます。

このように、CronJobを使うことで、MySQLのデータを定期的にバックアップすることができます。

3.9 まとめ

この章では、MattermostとMySQLをKubernetes上へデプロイする方法を説明しました。

前半では、Mattermostを使いKubernetesの動作を体感し、その後にコンテナイメージの作成、Deployment/ConfigMap/Secretを使ったマニフェストの作成、アプリケーション間の通信方法と公開方法を説明しました。

後半は、ストレージとStatefulSet/PersistentVolume/PersistentVolumeClaimを使ったMySQLのデータを永続化する方法、データのバックアップ方法について説明しました。

これによりステートレスアプリケーションであるMattermost、ステートフルアプリケーションであるMySQLの両方をKubernetes上に構築しました。

アプリケーションをデバッグする

本章ではKubernetes上にデプロイしたアプリケーションをデバッグするためのさまざまな方法を説明します。第3章のデプロイの流れの中で使用してきたコマンドも多いですが、あらためて確認してみましょう。

4.1 Kubernetesオブジェクトの状態を把握する

Kubernetesでは、アプリケーションをデプロイするために各リソースのマニフェストを用意する必要があるので、マニフェストが正しく書けているかの確認は必須です。まずはマニフェストを適用後に、クラスタにデプロイされた各リソースが、正しく動作しているかを確認する方法を見てみましょう。

4.1.1 kubectl get

kubectl getは、kubectlの最も基本となる参照コマンドです。次のように、引数にはpodやserviceなどのリソースを指定します。

```
$ kubectl get pod
NAME                              READY     STATUS     RESTARTS   AGE
(..略..)
mattermost-7c9768f45d-r7lsp       1/1       Running    0          17m
mysql-0                           1/1       Running    0          45m
(..略..)
```

指定されたリソースが一覧で表示されるので、すべてのPodがRunningになっているかどうかを手軽に確認できます。

--namespace (-n) オプションを指定すると、ネームスペースを切り替えられます。-nオプションはkubectl logsなどのほかのコマンドでもネームスペースを切り替えるために使用できます。

```
$ kubectl get pod --namespace kube-system
NAME                                READY     STATUS     RESTARTS   AGE
(..略..)
coredns-78fcdf6894-p2l56            1/1       Running    0          1h
etcd-minikube                       1/1       Running    0          1h
kube-addon-manager-minikube         1/1       Running    0          1h
kube-apiserver-minikube             1/1       Running    0          1h
(..略..)
```

--output (-o) オプションを使用すると、出力形式を変更できます。wideを指定すると、1リソース1行のまま、少し詳しい情報を取得できます。

```
$ kubectl get pod -n kube-system -o wide
NAME                          READY   STATUS    RESTARTS   AGE   IP           NODE       NOMINATED NODE
(..略..)
coredns-78fcdf6894-p2l56      1/1     Running   0          1h    172.17.0.3   minikube   <none>
etcd-minikube                 1/1     Running   0          1h    10.0.2.15    minikube   <none>
kube-addon-manager-minikube   1/1     Running   0          1h    10.0.2.15    minikube   <none>
kube-apiserver-minikube       1/1     Running   0          1h    10.0.2.15    minikube   <none>
(..略..)
```


jsonやyamlを指定すると、指定したオブジェクトの情報をすべて取得できます。このオプションは問題があるPodを特定したあとにさらに詳細に調査したいときによく使います。

```
$ kubectl get pod mattermost-68f9b766cd-gx242 -o yaml
apiVersion: v1
kind: Pod
metadata:
  creationTimestamp: 2018-11-04T09:59:00Z
(..略..)
spec:
  containers:
  - env:
    - name: MM_USERNAME
      valueFrom:
        configMapKeyRef:
          key: MYSQL_USER
          name: common-env
    - name: MM_PASSWORD
      valueFrom:
        secretKeyRef:
          key: MYSQL_PASSWORD
          name: common-env
    - name: DB_NAME
      valueFrom:
        configMapKeyRef:
          key: MYSQL_DATABASE
          name: common-env
    - name: DB_HOST
      value: mysql-0.mysql
    - name: DB_PORT_NUMBER
      value: "3306"
    - name: MM_SQLSETTINGS_DRIVERNAME
      value: mysql
    - name: MM_SQLSETTINGS_DATASOURCE
      value: $(MM_USERNAME):$(MM_PASSWORD)@tcp(mysql-0.mysql:3306)/mattermost?charset=utf8mb4, ↵
```

```
utf8&readTimeout=30s&writeTimeout=30s
    image: k8spracticalguide/mattermost:4.10.2
(..略..)
status:
  conditions:
  - lastProbeTime: null
    lastTransitionTime: 2018-11-04T09:59:00Z
    status: "True"
    type: Initialized
  - lastProbeTime: null
    lastTransitionTime: 2018-11-04T09:59:22Z
    status: "True"
    type: Ready
  - lastProbeTime: null
    lastTransitionTime: null
    status: "True"
    type: ContainersReady
  - lastProbeTime: null
    lastTransitionTime: 2018-11-04T09:59:00Z
    status: "True"
    type: PodScheduled
  containerStatuses:
  - containerID: docker://30c59731dd7b3e2bec231e6118865271d7f41fc46421f4385b33452e0fad0c25
    image: k8spracticalguide/mattermost:4.10.2
    imageID: docker-pullable://k8spracticalguide/mattermost@sha256: ⏎
93e18544fc967ceb74f47fda29bb57b490b70c95d796d23c84a4ac3e141cd763
    lastState: {}
    name: mattermost
    ready: true
    restartCount: 0
    state:
      running:
        startedAt: 2018-11-04T09:59:01Z
  hostIP: 10.0.2.15
  phase: Running
  podIP: 172.17.0.12
  qosClass: Burstable
  startTime: 2018-11-04T09:59:00Z
```

ほかにも特定の項目を抜き出して整形できるjsonpathも利用できます。これを使うと、kubectl getの取得結果をもとに何か処理をするといったスクリプトにも簡単に応用できます。

```
jsonpathでPod名のリストを取得する
$ for pod in $(kubectl get pod -o jsonpath='{range .items[*]}{.metadata.name}{"\n"}'); do echo ⏎
"Do something for $pod"; done
(..略..)
Do something for mattermost-7c9768f45d-r7lsp
Do something for mysql-0
(..略..)
```


4.1.2 kubectl describe

kubectl describeは、kubectl getよりも詳しい情報を人間が読みやすい形式で表示します。kubectl getでもjsonやyamlで出力すれば詳しい情報を取得できますが、kubectl describeはそのオブジェクトに関連したEventも参照できます。状況に応じて使い分けましょう。

```
$ kubectl describe pod mattermost-869c6dd67-zqw22
Name:               mattermost-869c6dd67-zqw22
Namespace:          default
Priority:           0
PriorityClassName:  <none>
Node:               minikube/10.0.2.15
Start Time:         Tue, 06 Nov 2018 21:39:44 +0900
Labels:             app=mattermost
                    pod-template-hash=425728823

Annotations:        <none>
Status:             Running
IP:                 172.17.0.12
Controlled By:      ReplicaSet/mattermost-869c6dd67
Containers:
  mattermost:
    Container ID:   docker://bf1e9ba995eb49083331fbfe45769c7f2d472eebee82153507c20ca89c84fddf
    Image:          k8spracticalguide/mattermost:4.10.2
    Image ID:       docker-pullable://k8spracticalguide/mattermost@sha256: ⏎
93e18544fc967ceb74f47fda29bb57b490b70c95d796d23c84a4ac3e141cd763
    Port:           8065/TCP
    Host Port:      0/TCP
    State:          Running
      Started:      Tue, 06 Nov 2018 21:40:50 +0900
    Ready:          True
    Restart Count:  0
    Environment:
      MM_USERNAME:  <set to the key 'MYSQL_USER' of config map 'common-env'>      Optional: false
      MM_PASSWORD:  <set to the key 'MYSQL_PASSWORD' in secret 'common-env'>      Optional: false
```

```
      DB_NAME:      <set to the key 'MYSQL_DATABASE' of config map 'common-env'>  Optional: false
      DB_HOST:      mysql-0.mysql
      DB_PORT_NUMBER:             3306
      MM_SQLSETTINGS_DRIVERNAME:  mysql
      MM_SQLSETTINGS_DATASOURCE:  $(MM_USERNAME):$(MM_PASSWORD)@tcp(mysql-0.mysql:3306)/ ⏎
mattermost?charset=utf8mb4,utf8&readTimeout=30s&writeTimeout=30s
    Mounts:
      /mm/config from cm-volume (rw)
      /var/run/secrets/kubernetes.io/serviceaccount from default-token-px49b (ro)
Conditions:
  Type              Status
  Initialized       True
  Ready             True
  ContainersReady   True
  PodScheduled      True
Volumes:
  cm-volume:
    Type:      ConfigMap (a volume populated by a ConfigMap)
    Name:      mm-config-file
    Optional:  false
  default-token-px49b:
    Type:        Secret (a volume populated by a Secret)
    SecretName:  default-token-px49b
    Optional:    false
QoS Class:       BestEffort
Node-Selectors:  <none>
Tolerations:     node.kubernetes.io/not-ready:NoExecute for 300s
                 node.kubernetes.io/unreachable:NoExecute for 300s
Events:
  Type    Reason     Age   From                 Message
  ----    ------     ----  ----                 -------
  Normal  Scheduled  1m    default-scheduler    Successfully assigned default/ ⏎
mattermost-869c6dd67-zqw22 to minikube
  Normal  Pulling    1m    kubelet, minikube    pulling image "k8spracticalguide/mattermost:4.10.2"
  Normal  Pulled     46s   kubelet, minikube    Successfully pulled image "k8spracticalguide/mattermo ⏎
st:4.10.2"
  Normal  Created    46s   kubelet, minikube    Created container
  Normal  Started    46s   kubelet, minikube    Started container
```

最後に関連するEventが時系列で出力されます。これを見ると、Podがスケジューラーによってminikubeノードに割り当てられ、コンテナイメージをPullしてコンテナが起動した、といった一連の情報を確認できます。

上記は正常な場合ですが、問題がある場合に確認すると原因の特定に役立ちます。たとえば、コンテナイメージのPullに失敗しているときは次のように時系列でわかりやすく表示されます。

```
Events:
  Type     Reason     Age                From               Message
  ----     ------     ----               ----               -------
  Normal   Scheduled  30s                default-scheduler  Successfully assigned default/mattermost- ⏎
644bcc97bd-hw85h to minikube
  Normal   BackOff    25s                kubelet, minikube  Back-off pulling image ⏎
"k8spracticalguide/mattermost:unknown"
  Warning  Failed     25s                kubelet, minikube  Error: ImagePullBackOff
  Normal   Pulling    12s (x2 over 30s)  kubelet, minikube  pulling image "k8spracticalguide/ ⏎
mattermost:unknown"
  Warning  Failed     9s (x2 over 26s)   kubelet, minikube  Failed to pull image "k8spracticalguide/ ⏎
mattermost:unknown": rpc error: code = Unknown desc = Error response from daemon: manifest for ⏎
k8spracticalguide/mattermost:unknown not found
  Warning  Failed     9s (x2 over 26s)   kubelet, minikube  Error: ErrImagePull
```

4.2 アプリケーションコンテナを調査する

Kubernetesでは、アプリケーションはコンテナで実行されるため、従来のVMやベアメタルサーバのように、sshでサーバにログインしてデバッグするのとは少しアプローチが異なってきます。ここでは、Kubernetes上で動作しているアプリケーションコンテナを詳しく調査する方法を説明します。

4.2.1 kubectl logs

`kubectl logs`は、kubelet経由でコンテナのログを取得するコマンドです。開発時のデバッグログなどのように、見たいログが特定できているような開発・テストの場面で使います。

`--since`オプションでログの取得時刻を制御したり、`--previous`オプションで終了した1つ前のコンテナのログを確認したりできます。また、`--follow`（`-f`）オプションで`tail -f`のようにリアルタイムにログをウォッチできるので、ログを監視しながらテストするのにも使えます。

Mattermostの標準出力を確認

```
$ kubectl logs mattermost-7c9768f45d-r7lsp
{"level":"warn","msg":"SaveConfig: An error occurred while saving the file to config/config.json, ⏎
open config/config.json: read-only file system"}
{"level":"info","ts":1541325541.7947803,"caller":"utils/i18n.go:83","msg":"Loaded system translations ⏎
for 'en' from '/mm/i18n/en.json'"}
{"level":"info","ts":1541325541.7985992,"caller":"app/app.go:181","msg":"Server is initializing (略)"}
```

```
{"level":"info","ts":1541325541.8070557,"caller":"sqlstore/supplier.go:198","msg":"Pinging SQL ⏎
master database"}
{"level":"info","ts":1541325542.6226306,"caller":"commands/server.go:73","msg":"Current version is ⏎
4.10.0 (4.10.2/Fri Jul 13 07:44:36 UTC 2018/f866d5c859412c7dedce100774bfc1c0c2077b49/none)"}
{"level":"info","ts":1541325542.622965,"caller":"commands/server.go:74","msg":"Enterprise Enabled: ⏎
false"}
```

4.2.2 kubectl cp

kubectl cpは、コンテナ内のファイルをローカル環境にコピーしたり、逆にローカル環境のファイルをコンテナ内にコピーしたりできるコマンドです。アプリケーションの設定ファイルやログファイルを手元にコピーして確認／分析する用途で使えます。基本的にKubernetesでは、設定はConfigMap、ログは標準出力・標準エラー出力を使うことが多いので、運用シーンで使うことは少ないですが、アプリケーションをコンテナ化する過程やローカルにファイル出力するようなアプリケーションでは有効な場面もあるでしょう。

```
Mattermostのログをローカルにコピーして確認
$ kubectl cp mattermost-7c9768f45d-r7lsp:logs/mattermost.log .
$ tail mattermost.log
{"level":"info","ts":1541325543.0235488,"caller":"sqlstore/post_store.go:1243","msg":"Post.Message ⏎
supports at most 16383 characters (65535 bytes)"}
{"level":"warn","ts":1541325543.0639362,"caller":"utils/config.go:417","msg":"SaveConfig: An error ⏎
occurred while saving the file to config/config.json, open config/config.json: read-only file system"}
{"level":"info","ts":1541325543.302453,"caller":"app/plugin.go:130","msg":"Deactivated plugin",⏎
"plugin_id":"jira"}
{"level":"info","ts":1541325543.3028517,"caller":"app/server.go:100","msg":"Starting Server (略)"}
{"level":"info","ts":1541325543.3032973,"caller":"app/server.go:139","msg":"Server is listening on ⏎
[::]:8065"}
{"level":"info","ts":1541325543.3974752,"caller":"app/web_hub.go:67","msg":"Starting 4 websocket hubs"}
(..略..)
```

kubectl cpは内部で、tarコマンドを使ってファイルをアーカイブしているため、使用するには対象のコンテナにtarコマンドがインストールされている必要があります。

4.2.3 kubectl exec

kubectl execは、Podのコンテナ内で任意のコマンドを実行できるコマンドです。-iオプションと-tオプションを付けるとインタラクティブにシェルで操作できるため、各種ツールやパッケージマネージャを利用できるコンテナイメージであればかなり柔軟なデバッグが可能です。コンテナイメージは基本的には必要最小限のものしか含めないほうが良いのですが、本番で使うコンテナイメージにプラスして各種ツールをインストールしたデバッグ用コンテナイメージを別で用意しておき、開発環境で使用するといった選択肢もあります。

```
mysqlコンテナでシェルを起動
$ kubectl exec -it mysql-0 /bin/sh

mysqlコンテナ内でmysqlコマンドを実行してローカルDBにアクセス
# mysql -u root -p
Enter password: (パスワードを入力)
Welcome to the MySQL monitor.  Commands end with ; or \g.
Your MySQL connection id is 1258
Server version: 5.7.22 MySQL Community Server (GPL)

Copyright (c) 2000, 2018, Oracle and/or its affiliates. All rights reserved.

Oracle is a registered trademark of Oracle Corporation and/or its
affiliates. Other names may be trademarks of their respective
owners.

Type 'help;' or '\h' for help. Type '\c' to clear the current input statement.

mysql>
```


4.2.4　kubectl run

kubectl runは、簡易的にPodを生成してコンテナを実行できるサブコマンドです。調査用のPodを一時的にデプロイして、クラスタ内で参照できるServiceの動作確認などに利用できます。

```
一時的なPodをデプロイ
$ kubectl run -it debug --image=k8spracticalguide/alpine:3.8 --rm --restart=Never /bin/sh
If you don't see a command prompt, try pressing enter.

コンテナ内でcurlをインストール
/ # apk add --update curl
fetch http://dl-cdn.alpinelinux.org/alpine/v3.8/main/x86_64/APKINDEX.tar.gz
fetch http://dl-cdn.alpinelinux.org/alpine/v3.8/community/x86_64/APKINDEX.tar.gz
(1/5) Installing ca-certificates (20171114-r3)
(2/5) Installing nghttp2-libs (1.32.0-r0)
(3/5) Installing libssh2 (1.8.0-r3)
(4/5) Installing libcurl (7.61.0-r0)
(5/5) Installing curl (7.61.0-r0)
Executing busybox-1.28.4-r0.trigger
Executing ca-certificates-20171114-r3.trigger
OK: 6 MiB in 18 packages
```

```
Serviceのドメインにアクセスして疎通を確認
/ # curl -D - http://mattermost.default.svc.cluster.local:8065
HTTP/1.1 200 OK
Accept-Ranges: bytes
Cache-Control: no-cache, max-age=31556926, public
Content-Length: 3261
Content-Security-Policy: frame-ancestors 'self'
Content-Type: text/html; charset=utf-8
Last-Modified: Fri, 13 Jul 2018 07:44:43 GMT
X-Frame-Options: SAMEORIGIN
X-Request-Id: d5cjk31qztnh8bxux73usjzonc
X-Version-Id: 4.10.0.4.10.2.5ac7d52d58b1f360c142c730e837831a.false
Date: Tue, 06 Nov 2018 13:18:53 GMT

<!DOCTYPE html> <html lang=en> <head> <meta charset=utf-8> <meta http-equiv=Content-Security-Policy (略)

/ # exit
```

4.2.5 kubectl port-forward

kubectl port-forwardを利用すると、Serviceを介さずにPodのポートにポートフォワードしてアクセスできます。クラスタ内部でのみ使用されるエンドポイントの動作確認をしたいときや、エラーになってServiceから切り離したPodを調査するときなどに役立ちます。

```
ローカルの18065ポートからMattermostの8065ポートに転送
$ kubectl port-forward mattermost-869c6dd67-zqw22 18065:8065
Forwarding from 127.0.0.1:18065 -> 8065
Forwarding from [::1]:18065 -> 8065
```

別ターミナルを開いて、「http://localhost:18065」にアクセスするとMattermostのPodに転送されます。

```
$ curl -D - http://localhost:18065
HTTP/1.1 200 OK
Accept-Ranges: bytes
Cache-Control: no-cache, max-age=31556926, public
Content-Length: 3261
Content-Security-Policy: frame-ancestors 'self'
Content-Type: text/html; charset=utf-8
Last-Modified: Fri, 13 Jul 2018 07:44:43 GMT
X-Frame-Options: SAMEORIGIN
X-Request-Id: f475cndnpidt7f5jjx3ij7p49r
X-Version-Id: 4.10.0.4.10.2.5ac7d52d58b1f360c142c730e837831a.false
```

```
Date: Tue, 06 Nov 2018 13:29:40 GMT

<!DOCTYPE html> <html lang=en> <head> <meta charset=utf-8> <meta http-equiv=Content-Security-Policy （略）
```

もちろんブラウザからもアクセス可能です。

4.3 kubectlの動作を調べる

最後にこれまで使用してきたkubectlコマンド自体の設定や動作を確認する方法を説明します。クラスタに接続できなくなった場合や、複数のクラスタを切り替えながらアクセスするような場合に役立ちます。

4.3.1 設定情報を確認する

kubectlコマンドの設定は、デフォルトでは~/.kube/configにYAML形式で保存されています。設定ファイルには、クラスタの情報、ユーザの情報、それらを組み合わせたコンテキスト情報と現在のコンテキストが保存されています。

開発環境としてminikubeを使用して、本番クラスタは別にあるような場合、複数のコンテキスト情報が保存されている状態になります。コンテキスト情報は、次のコマンドで参照できます。

```
*が付いているのが現在のコンテキスト
$ kubectl config get-contexts
CURRENT   NAME                       CLUSTER    AUTHINFO      NAMESPACE
*         minikube                   minikube   minikube

current-contextで現在のコンテキストのみ参照することも可能
$ kubectl config current-context
minikube
```

4.3.2 クラスタ情報を確認する

kubectl cluster-infoを使用すると、クラスタの情報を確認できます。複数クラスタを扱う場合は、このコマンドでも、現在kubectlがどのクラスタのKubernetes APIサーバと通信しているかを確認できます。

```
$ kubectl cluster-info
Kubernetes master is running at https://192.168.99.100:8443
```

```
KubeDNS is running at https://192.168.99.100:8443/api/v1/namespaces/kube-system/services/kube-dns:dns/
proxy

To further debug and diagnose cluster problems, use 'kubectl cluster-info dump'.
```

4.3.3 --vオプションでログレベルを変更する

kubectlは、すべてのサブコマンドで、--v（-v）オプションでログレベルを指定できます。ログレベルの数字が大きくなるほど詳細にログが出力されます。

たとえば次のように、-v 7を指定するとKubernetes APIサーバへのHTTPリクエストのヘッダ情報を見ることができます。そのサブコマンドが実際にどのようなKubernetesオブジェクトを操作しているのかがわかります。

```
$ kubectl get pod mattermost-7c9768f45d-r7lsp -v 7
(..略..)
I1104 19:45:27.865286   38159 round_trippers.go:383] GET https://192.168.99.100:8443/api/v1/namespaces/
default/pods/mattermost-7c9768f45d-r7lsp
I1104 19:45:27.865308   38159 round_trippers.go:390] Request Headers:
I1104 19:45:27.865317   38159 round_trippers.go:393]     Accept: application/json;as=Table;v=v1beta1;
g=meta.k8s.io, application/json
I1104 19:45:27.865324   38159 round_trippers.go:393]     User-Agent: kubectl/v1.11.3 (darwin/amd64)
kubernetes/a452946
I1104 19:45:27.880629   38159 round_trippers.go:408] Response Status: 200 OK in 15 milliseconds
I1104 19:45:27.881964   38159 get.go:443] no kind is registered for the type v1beta1.Table
NAME                          READY     STATUS    RESTARTS   AGE
mattermost-7c9768f45d-r7lsp   1/1       Running   0          46m
```

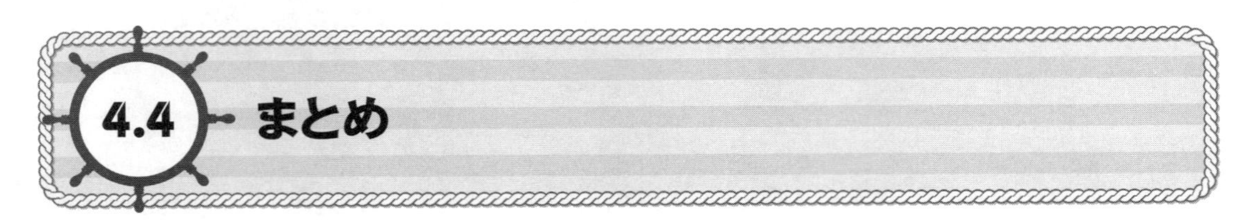

この章では、クラスタ上にデプロイされたアプリケーションをデバッグするための方法を説明しました。kubectlのさまざまなサブコマンドを使うことで、Kubernetesオブジェクトの状態やコンテナの状態を詳しく調査することができます。これらのコマンドはアプリケーションの開発やマニフェスト作成時にとくに有効なので、適切に使い分けられるようにしておくと良いでしょう。

アプリケーションを更新する

本章では、Kubernetesにデプロイしたアプリケーションをどのように更新するか、その方法を説明します。また、手動更新ではなく継続的かつ機械的に実施するため、開発プラクティスとしてCI/CDの説明を行います。その際に必要となる認証・認可についても説明します。

5.1 アプリケーションを手動更新する

多くのアプリケーションはデプロイ後も機能改善や不具合修正に伴い、バージョンアップを実施します。第3章で説明したように、Kubernetesにデプロイするアプリケーションはコンテナイメージで管理されています。**図5-1**の手順に沿い、アプリケーションを更新します。

図5-1　アプリケーションの手動更新方法

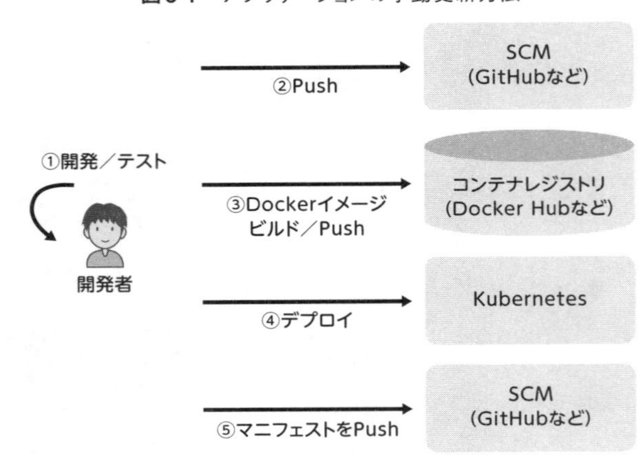

5.1.1 Dockerイメージの更新

それでは、第3章でデプロイしたMattermost[注1]のバージョンを変更して、Dockerイメージのビルド、Pushをしてみましょう。3.3.2項で利用したDockerfileを編集し、Mattermostのバージョン[注2]を4.10.2から4.10.4にバージョンアップします。Dockerfileを編集し、MM_VERSIONを4.10.4に変更します（**リスト5-1**）。

リスト5-1　Dockerfile

```
FROM k8spracticalguide/debian:9-slim AS downloader
- ARG MM_VERSION=4.10.2
+ ARG MM_VERSION=4.10.4
```

注1　まだデプロイしていなければ、次のURLのch3.8.2のマニフェストを適用してください。https://github.com/kubernetes-practical-guide/examples.git

注2　Mattermostのリリースバージョンは次のURLで確認できます。https://docs.mattermost.com/administration/changelog.html

```
ADD mm_entrypoint.sh .
ADD https://releases.mattermost.com/$MM_VERSION/mattermost-team-$MM_VERSION-linux-amd64.tar.gz .
RUN tar -zxvf ./mattermost-team-$MM_VERSION-linux-amd64.tar.gz

FROM k8spracticalguide/debian:9-slim
WORKDIR /mm
COPY --from=downloader /mattermost /mm_entrypoint.sh ./
RUN chmod +x mm_entrypoint.sh
ENTRYPOINT /mm/mm_entrypoint.sh
```

Dockerイメージをビルドします。ビルドには少し時間を要します。ビルド時は-tオプションでDockerイメージに名前を付けます。第3章で実施したようにDocker IDにはご自身のDocker HubのIDを指定してください。

```
$ docker build -t Docker ID/mattermost:4.10.4 .
Sending build context to Docker daemon  3.072kB
Step 1/10 : FROM k8spracticalguide/debian:9-slim AS downloader
 ---> 44e19a16bde1
Step 2/10 : ARG MM_VERSION=4.10.4
 ---> 74de40c3324d
(..略..)
Successfully built 630324e1daa8
Successfully tagged Docker ID/mattermost:4.10.4
```

作成されたDockerイメージを確認します。

```
$ docker images Docker ID/mattermost:4.10.4
REPOSITORY              TAG             IMAGE ID          CREATED          SIZE
Docker ID/mattermost    4.10.4          3eade2e04230      2 minutes ago    176MB
```

DockerイメージはローカルPCに存在している状態ですので、minikubeやほかのKubernetesからも使えるように、Docker HubにDockerイメージをPushします。第3章と同様の手順でDocker Hubにログインをします。

```
$ docker login
Login with your Docker ID to push and pull images from Docker Hub. If you don't have a Docker ID, ⏎
head over to https://hub.docker.com to create one.
Username: (登録したDocker IDを入力)
Password: (登録したパスワードを入力)
Login Succeeded
```

続いてDockerイメージをPushします。

```
$ docker push Docker ID/mattermost:4.10.4
```

これで、更新するアプリケーションのDockerイメージがDocker Hubに保存されました。

5.1.2 更新したDockerイメージのデプロイ

次に、前項で更新したDockerイメージをKubernetesにデプロイします。第3章でデプロイしたMattermostのDockerイメージをDocker HubにPushしたものに変更します。すでにデプロイされているアプリケーションのコンテナイメージを変更するには次の3つの方法があります。

- kubectl set image
- kubectl edit
- kubectl apply

kubectl set image

kubectl set imageコマンドは、すでにクラスタに適用されているPod、ReplicaSet、Replication Controller、Deployment、DaemonSet、StatefulSetオブジェクトのコンテナイメージをCLIから直接変更します（**図5-2**）。

図5-2 kubectl set image

```
書式
kubectl set image Resource/Name CONTAINER_NAME_1=CONTAINER_IMAGE_1 ... CONTAINER_NAME_N= ⏎
CONTAINER_IMAGE_N

実行例
$ kubectl set image deployment/mattermost mattermost=Docker ID/mattermost:4.10.4
```

kubectl edit

すでに第3章で説明したkubectl editコマンドを使うと、Kubernetes APIサーバからオブジェクトを取得し、直接CLIから編集を行えます（**図5-3**）。このとき使用するエディタは、KUBE_EDITORまたはEDITOR環境変数で定義したものが選択されます。

同時に複数のオブジェクトを編集できますが、反映は1つずつ適用されます。たとえば、Deploymentのコンテナイメージ名を変更する場合は、**図5-3**の（a）のspec.template.spec.containers.imageフィールドを編集し、保存します。

図5-3 kubectl edit

```
書式
kubectl edit Resource/Name

Deployment mattermostを変更する例
$ kubectl edit deployment/mattermost
# Please edit the object below. Lines beginning with a '#' will be ignored,
# and an empty file will abort the edit. If an error occurs while saving this file will be
# reopened with the relevant failures.
#
apiVersion: extensions/v1beta1
kind: Deployment
metadata:
  annotations:
    deployment.kubernetes.io/revision: "1"
(..略..)
  template:
    metadata:
      creationTimestamp: null
      labels:
        app: mattermost
    spec:
      containers:
      - env:
(..略..)
        - name: MM_SQLSETTINGS_DATASOURCE
          value: $(MM_USERNAME):$(MM_PASSWORD)@tcp(mysql-0.mysql:3306)/mattermost?charset=utf8mb4, ⏎
utf8&readTimeout=30s&writeTimeout=30s
-       image: k8spracticalguide/mattermost:4.10.2
+       image: Docker ID/mattermost:4.10.4     ……(a)
        imagePullPolicy: IfNotPresent
        name: mattermost
```


kubectl apply

すでに第3章で利用しているkubectl applyコマンドは、マニフェストファイルや標準入力からオブジェクトの設定を取得し、Kubernetes APIサーバに反映します。オブジェクトがクラスタ内に存在していなければ、クラスタ内にオブジェクトを作成します。これは、kubectl create --save-configと同等のコマンドになります。クラスタ内にすでに存在している場合は、既存オブジェクトに対する更新処理となります。

このように、kubectl set image、kubectl editは、CLI上で直接操作するコマンドになります。kubectl applyは、マニフェストの設定を適用するコマンドになります。

開発環境で試用する程度であれば、kubectl set image、kubectl editの直接編集でもかまいません。

しかしながら実際に本番環境で使い、CI/CDツールと連携することを考えるのであれば、マニフェストをファイル化して管理することをお勧めします。マニフェストファイルで管理し、GitHubなどでバージョン管理することで、複数のKubernetesにおいても同じ状態を再現でき、過去の更新履歴を残すことにもつながります。

マニフェストファイルで管理し、kubectl applyコマンドでアプリケーションを更新してみましょう。まず、**リスト5-2**のようにマニフェストを修正します。

リスト5-2 mattermost-deploy.yaml（コンテナイメージを変更）

```
apiVersion: apps/v1
kind: Deployment
metadata:
  creationTimestamp: null
  labels:
    app: mattermost
  name: mattermost
spec:
  replicas: 2
  selector:
    matchLabels:
      app: mattermost
  strategy: {}
  template:
    metadata:
      creationTimestamp: null
      labels:
        app: mattermost
    spec:
      containers:
-      - image: k8spracticalguide/mattermost:4.10.2
+      - image: Docker ID/mattermost:4.10.4
        name: mattermost
        env:
(..略..)
```

修正が終わったら、kubectl applyコマンドを使い、KubernetesにMattermostをデプロイします。

```
$ kubectl apply -f mattermost-deploy.yaml
deployment.apps/mattermost configured
```

Docker Hubからコンテナイメージが取得され、minikubeに反映されます。Podが作成されたかを確認します。

```
$ kubectl get pod -w
NAME                           READY   STATUS        RESTARTS   AGE
mattermost-647bc48fb7-95rp4    1/1     Running       0          34s
mattermost-647bc48fb7-cdwr5    1/1     Running       0          21s
mattermost-cc94cf8d-rnbq6      1/1     Terminating   0          11m
mattermost-cc94cf8d-sldg2      1/1     Terminating   0          11m
```

MattermostのPodが新たに2つ作成され、STATUSがRunningとなっています。また、更新前に起動していたMattermostのPodのSTATUSはTerminatingとなっています。

次に、ブラウザでMattermostのバージョンが4.10.4に更新されたかを確認します。Mattermostのバージョンは画面左上の「Main Menu」（**図5-4**）をクリックし、「About Mattermost」をクリックすることで確認できます。**図5-5**のとおり、Mattermostがバージョン4.10.4に更新されています。

図5-4　Mattermostのバージョン確認（左上のMain Menuをクリック）

図5-5　Mattermostのバージョン確認（バージョンが更新されている）

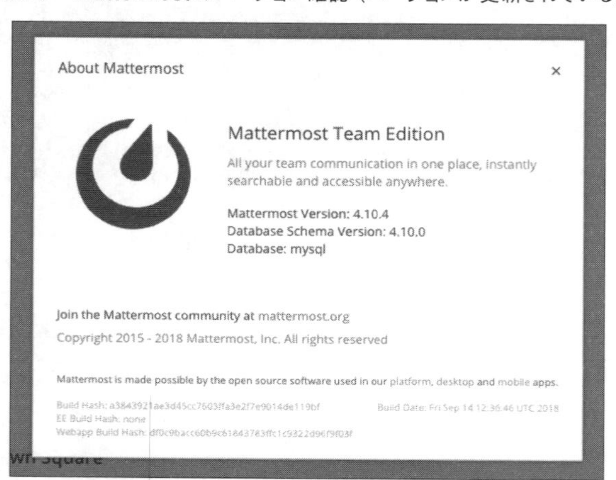

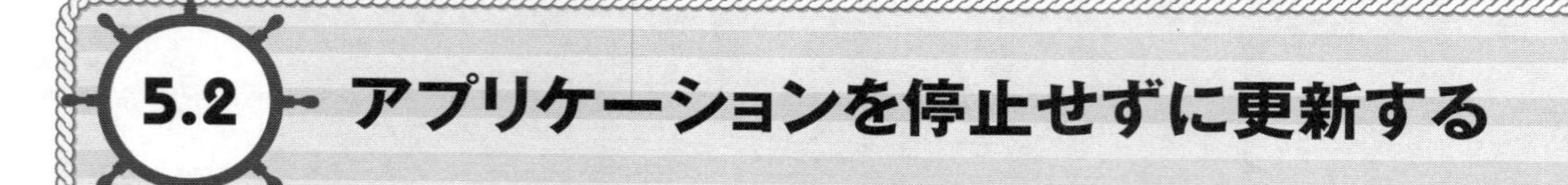

5.2 アプリケーションを停止せずに更新する

kubectl delete deploymentを行ってkubectl create deploymentを行うと、アプリケーションの停止・削除が行われ、その後、新たにDeploymentが生成されます。この処理が行われている間に、外部からアプリケーションが利用されていると、アプリケーションは一時的に不通となります。

それを防ぐには、いくつか方法があります。本節では、アプリケーションを停止することなく更新するローリングアップデートという方法を説明します。

5.2.1 ローリングアップデート

ローリングアップデートとは、システムを停止することなく、ソフトウェアの更新や入れ替えを行うことを意味します。Kubernetesでアプリケーションをローリングアップデートするには、Deploymentを使い、ゼロダウンタイムで対象のPodを新しいPodに置き換えます。

ローリングアップデートはDeployment Pod template（spec.templateフィールド）の更新をトリガーとして実行されます。5.1.2項のkubectl set image、kubectl edit、kubectl applyコマンドを使うことで、Deployment Pod templateを更新できます。

図5-6は、Deploymentのローリングアップデート開始時、実施中、完了時の変化を示しています。Deploymentによるローリングアップデートは第1章でも説明しましたが、実際にローリングアップデート中の状態も考慮して説明します。

図 5-6　Deploymentのローリングアップデート中の挙動

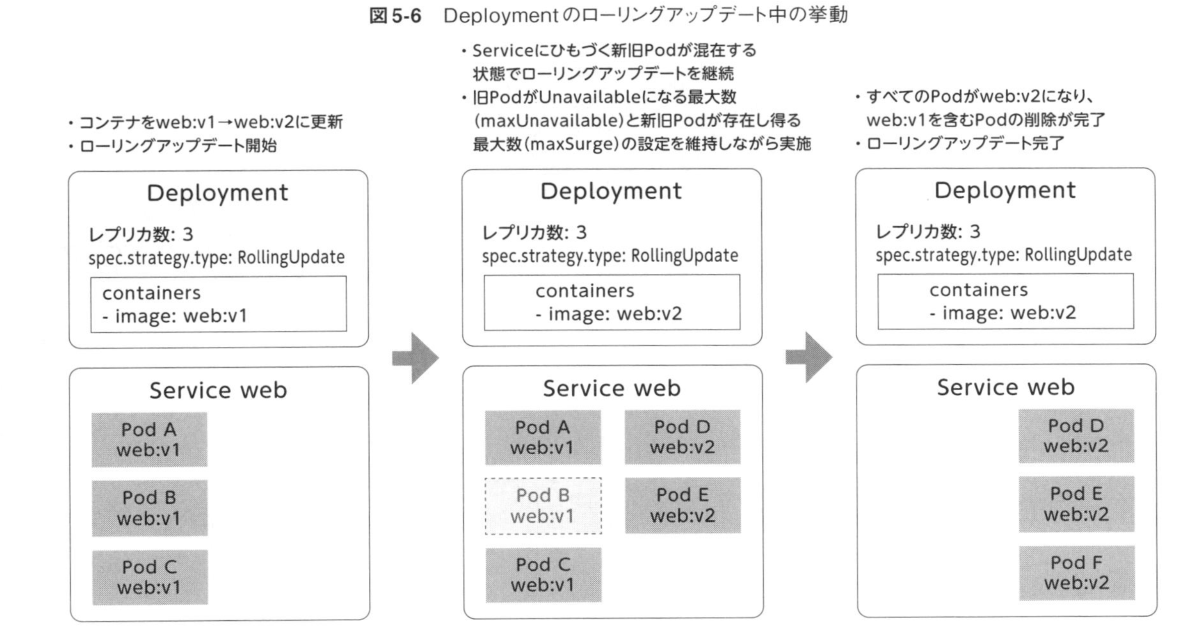

アプリケーションPodはServiceオブジェクトにより、グルーピングされた状態で利用者に提供されています。spec.templateフィールドを更新し、ローリングアップデートを開始すると、新しいPodが生成され、更新前のPodは削除されていきます。この処理中にいくつのPod数を維持するか、最大いくつのPod数がクラスタに存在可能か、という設定ができます。ローリングアップデート中は、新旧のアプリケーションPodが混在した状態となりますが、アプリケーションPodを完全に削除せずにゼロダウンタイムでアプリケーションを更新することを実現できます。これにより、利用者は意識することなくアプリケーションにアクセスし続けることが可能です。

それでは、ローリングアップデートの設定方法を少し深掘りしてみましょう。すでにデプロイされているMattermostのマニフェストを確認します。

```
$ kubectl get deployments/mattermost -o yaml
apiVersion: extensions/v1beta1
kind: Deployment
metadata:
(..略..)
spec:
  progressDeadlineSeconds: 600
  replicas: 2
  revisionHistoryLimit: 2
  selector:
```

```
    matchLabels:
      app: mattermost
  strategy:
    rollingUpdate:
      maxSurge: 25%       …(a)
      maxUnavailable: 25%     …(b)
    type: RollingUpdate     …(c)
  template:
(..略..)
```

マニフェストファイルでは指定していない項目がいくつかあります。これは、デプロイ後にKubernetes側でデフォルト設定や、管理上必要なLabelなどが付与されているためです。

spec.strategy.typeフィールド

マニフェストの（c）の`spec.strategy.type`フィールドに`RollingUpdate`という種類が設定されていることが確認できます。これは「Deploymentの更新時にローリングアップデートを適用する」ということを意味しています。

仮にローリングアップデートを適用したくない場合は、`Recreate`を指定します。`Recreate`を指定すると、更新時に更新前のPodをすべて削除したあと、新しいPodを生成します。必ず瞬断が発生してしまうので、クラスタ内のすべてのPodを常に同じバージョンにそろえる必要があるアプリケーションでない限り、使用しないほうが良いでしょう。

spec.strategy.rollingUpdate.maxUnavailableフィールド

（b）の`spec.strategy.rollingUpdate.maxUnavailable`フィールドは、Deploymentで指定しているレプリカ数に対して、ローリングアップデート中、最大いくつのPodが使用不可（Unavailable）の状態になって良いかを示す設定です。

レプリカ数に対して使用不可となる最大Pod数、もしくはパーセンテージによる割合を指定します。たとえば、レプリカ数が10、`maxUnavailable`が50%の場合、ローリングアップデートを行うと、最大5つのPodが使用不可となる可能性があります。

この値が大きければ大きいほど、ローリングアップデート中、一時的にPodの数が大きく減少します。ただし、ローリングアップデートにかかる時間を短くし、ローリングアップデートを速やかに完了できます。ローリングアップデート中に一時的にPodが減少することで、存在しているPodに対して負荷の増加が懸念される場合は、この値を小さくするとともにmaxSurgeを調整すると良いでしょう。デフォルト値は25%になっています。

spec.strategy.rollingUpdate.maxSurgeフィールド

(a) のspec.strategy.rollingUpdate.maxSurgeフィールドは、必要なレプリカ数に対して、どれだけ多くのPodがクラスタ内に存在するのを許容するかの設定です。パーセンテージ指定か、Pod数を指定します。

maxUnavailableが0のときは、必ず1つ以上のPodをAvailableの状態で維持する必要があるため、この値を0にすることはできません。

たとえば、maxSurgeを30%にしたうえでローリングアップデートを行うと、クラスタ内の更新前と更新後のPod数がレプリカ数に対し、最大130%まで増加します。

この値が大きいとクラスタ内に新しいPodを増やしてから古いPodを削除するため、アプリケーションの更新にかかる時間を短縮し、1つのPodに対する負荷も軽減できます。ただし、PodをmaxSurgeの値まで増加させるためには、クラスタ内の空きリソースが十分にある必要があります。デフォルト値は25%になっています。

5.3 アプリケーションを以前の状態に戻す

前節では、アプリケーションを更新しました。本節ではアプリケーションを以前の状態に戻す操作について扱います。

たとえば、最新バージョンのアプリケーションをデプロイしたあと、不具合が見つかり、Podが正常に稼働しないCrashLoopBackOffの状態に陥る場合があります。CrashLoopBackOffはPodの起動後、異常終了、再生成、起動……を何度も繰り返している状態を意味します。何らかのエラーによって、Podを正常に起動できていないため、エラーの原因を確認し、修正する必要があります。

このような場合、即座にアプリケーションの修正・準備が可能であれば、最新バージョンに更新することで解決できるかもしれません。しかし多くの場合、原因の特定・修正には時間がかかり、その間アプリケーションが停止している状態をよしとしないシステムが多いのではないでしょうか。そこで、以前のバージョンは安定稼働していたため、まずはその状態に戻したい、というニーズが生まれます。この以前のバージョンに戻す機能をロールバックと言います。

5.3.1 ロールバック

KubernetesにはDeploymentをロールバックする機能があります。それでは、実際に前節で更新したMattermostをロールバックしながら、内容を説明します。

まずは、Deploymentの更新履歴を確認します。kubectl rollout historyコマンドを実行します。

```
$ kubectl rollout history deployment mattermost
deployments "mattermost"
REVISION    CHANGE-CAUSE
1           <none>
2           <none>
```

このコマンドで過去のDeploymentの更新履歴を確認できます。デフォルトでは、10バージョンまで保存されています。もしも変更したい場合は、Deploymentのマニフェストにspec.revisionHistoryLimitの値を設定します。

REVISION番号は、Deploymentの状態ごとに連番が振られ、新しいバージョンには大きい値が表示されます。ロールバックしたいREVISION番号の内容を確認します。

```
$ kubectl rollout history deployment mattermost --revision=1
deployments "mattermost" with revision #1
Pod Template:
  Labels:       app=mattermost
        pod-template-hash=425728823
  Containers:
   mattermost:
    Image:      k8spracticalguide/mattermost:4.10.2
    Port:       8065/TCP
    Host Port:  0/TCP
    Environment:
      MM_USERNAME:   <set to the key 'MYSQL_USER' of config map 'common-env'>      Optional: false
      MM_PASSWORD:   <set to the key 'MYSQL_PASSWORD' in secret 'common-env'>      Optional: false
      DB_NAME:       <set to the key 'MYSQL_DATABASE' of config map 'common-env'>  Optional: false
      DB_HOST:       mysql-0.mysql
      DB_PORT_NUMBER:             3306
      MM_SQLSETTINGS_DRIVERNAME:  mysql
      MM_SQLSETTINGS_DATASOURCE:  $(MM_USERNAME):$(MM_PASSWORD)@tcp(mysql-0.mysql:3306)/ ⏎
mattermost?charset=utf8mb4,utf8&readTimeout=30s&writeTimeout=30s
    Mounts:
      /mm/config from cm-volume (rw)
  Volumes:
   cm-volume:
    Type:      ConfigMap (a volume populated by a ConfigMap)
    Name:      mm-config-file
    Optional:  false
```

では、このREVISION 1にロールバックし、Deploymentのコンテナイメージが以前のバージョンのk8spracticalguide/mattermost:4.10.2に戻るか確認してみます。ロールバックを行うにはkubectl rollout undoコマンドを使用します。

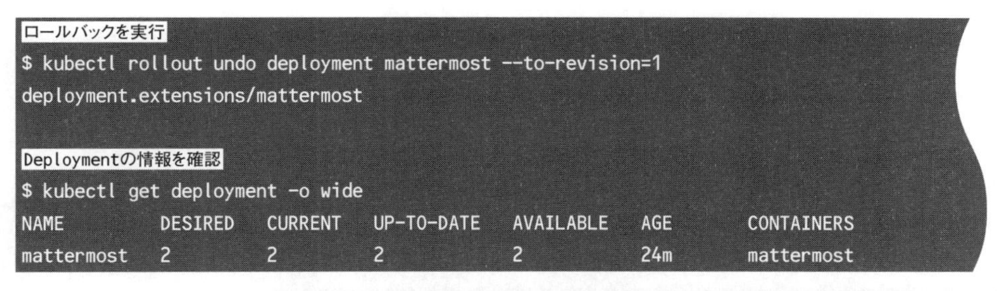

```
ロールバックを実行
$ kubectl rollout undo deployment mattermost --to-revision=1
deployment.extensions/mattermost

Deploymentの情報を確認
$ kubectl get deployment -o wide
NAME         DESIRED   CURRENT   UP-TO-DATE   AVAILABLE   AGE     CONTAINERS
mattermost   2         2         2            2           24m     mattermost
```

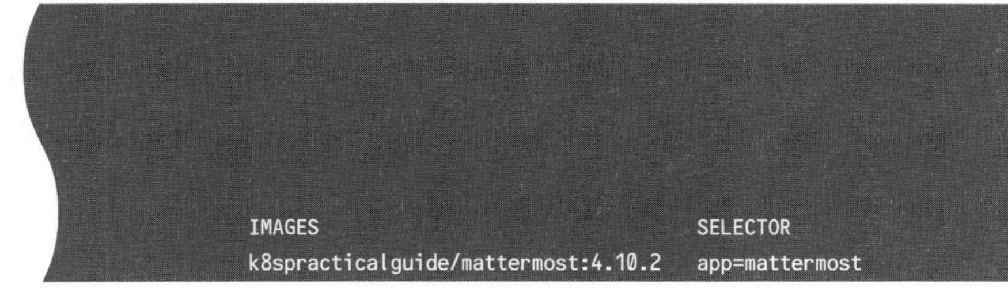

```
IMAGES                                  SELECTOR
k8spracticalguide/mattermost:4.10.2     app=mattermost
```

問題なく以前のバージョン4.10.2にロールバックされました。履歴がどう変更されたか確認してみます。

```
$ kubectl rollout history deployment mattermost
deployments "mattermost"
REVISION  CHANGE-CAUSE
2         <none>
3         <none>
```

指定したREVISION 1にロールバックされましたが、このロールバックによる変更はREVISION 3として履歴に追記されています。

先述の例では、--to-revisionにREVISION番号を指定し、ロールバックをしました。指定しない場合は、現REVISIONの直前のREVISIONにロールバックされます。

また、先述の例はマニフェストでの更新によるロールバックでしたが、前節で説明したkubectl set imageコマンドやkubectl editコマンドで直接Deploymentオブジェクトを変更する場合もREVISIONとして記録されます。

さて、先述の履歴のCHANGE-CAUSEの値が<none>となっています。これはどのようなコマンドで変更が行われたかが記録されていない、ということを意味しています。

kubectl set image、kubectl edit、kubectl apply時に--recordオプションを付けると、そのコマンドがCHANGE-CAUSEとして記録されます。ただし、記録されるのはコマンドの内容のみであり、あまり有益な情報ではありません。詳細な情報をkubectl rollout historyで確認したうえで、ロールバックを行うのが良いでしょう。

5.3.2　ロールバックの注意点

Deploymentをロールバックする機能は非常に強力ですが、注意点があります。更新履歴にはレプリカ数は記録されません。そのため、ロールバック時は現在のレプリカ数を維持したまま実行されます。

ロールバックで変更されるのは、`spec.template`以下に定義されているコンテナイメージ、ポート、環境変数、マウント情報、Label、Annotation、ボリュームのみであり、`spec.replicas`で定義されるレプリカ数は変更されません。ロールバックを行う前に、以前のレプリカ数を確認し、レプリカ数も併せて変更すべきかどうか判断するのが良いでしょう。

また、`kubectl scale`コマンドや`kubectl edit`コマンド、またはマニフェストで`spec.replicas`を変更し、Podのレプリカ数を変更した場合も同様に履歴として記録されません。ロールバックする際はその点を正しく理解したうえで実行しましょう。

このほかに、アプリケーション自体の仕様変更を伴うバージョンアップ後のロールバックは、注意が必要です。たとえば、アプリケーションがバージョンアップする際にバックエンドのデータベースのスキーマを更新するような場合です。この状態でアプリケーションをロールバックさせると、アプリケーションが過去のバージョンのデータベーススキーマでアクセスします。これにより、最新のデータベーススキーマとの間で不整合が生じてしまい、アプリケーションがエラーのまま動作しないことになります。このような大きな変化を伴う場合に、アプリケーション側が意図的に過去のバージョンへのロールバック処理に対応しているものは極めて稀(まれ)でしょう。アプリケーションがどのような変更を含んでいるか正しく把握したうえでロールバックを行うようにしましょう。

5.4　アプリケーションを継続的に更新する

本章ではこれまで手動でアプリケーションを更新する方法を説明しました。今回はコンテナイメージの再ビルドのみでしたが、実際の開発現場ではプログラムの開発、テストの実行、コンテナイメージのビルド・Push、Kubernetesへのデプロイをすることが一般的です。この一連の作業を更新のたびに手動で行うことは、開発者にとって大きな負担になります。また、人が行うことでさまざまなトラブルを引き起こします。実施手順の誤り、テストコードの実行忘れ、コンテナイメージのタグ名の付け間違い、Kubernetesへのデプロイ忘れ、誤った環境へのデプロイなど、さまざまです。

このようなトラブルを回避するにはどうすれば良いのでしょうか。また、いかに人力による作業を減らせば良いのでしょうか。これらの問題を解決するのがCI/CDという開発プラクティスです。

5.4.1 CI/CDとは

CI（継続的インテグレーション）はContinuous Integrationの略です。開発者はGitHubやGitLabなどのSCM（Source Code Management）に対して、ソースコードをPushし、マージします。マージをきっかけに、コンパイル・ビルド、ユニットテストといった処理を実行する開発手法をCIと呼びます。開発者がソースコードを変更したあとの定常作業を自動化し、開発者が開発作業により専念するためのしくみとも言えます。

明確な定義はないもののコンテナを使ったアプリケーション開発では、**図5-7**のようにCIツールがテスト後、Dockerイメージをビルドし、コンテナレジストリにPushする意味合いで使われることが多いです。

図5-7　CIツールを用いたDockerイメージのビルド

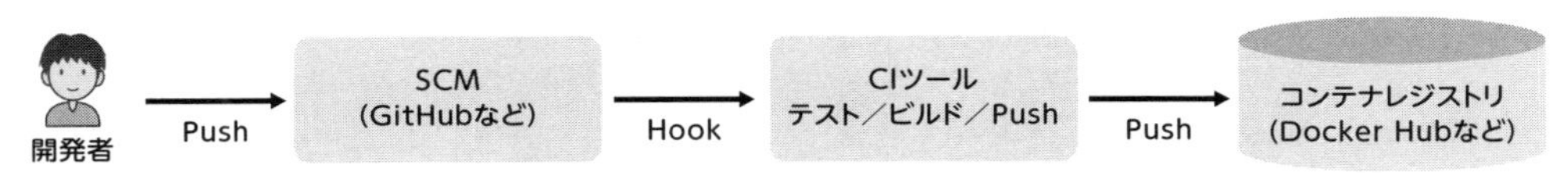

CDは継続的デリバリ、または継続的デプロイを意味します。継続的デリバリ（Continuous Delivery）は、デプロイ用の構成ファイルなどがGitHubなどのSCMにマージされたことを受け、定期的もしくは自動的にテスト環境にデプロイし、e2e（End-to-End）テストや負荷テストを実施します。一般的に本番環境への反映は、自動化されている必要はなく、エンジニアの手による確認やデプロイコマンドの実施を必要とする開発手法です。継続的デプロイ（Continuous Deploy）は継続的デリバリに加え、テストを通過後、本番環境へのデプロイも自動で実行する開発手法です。この際、リリース担当者の承認は必要としません。

Kubernetesのアプリケーションにおいては、**図5-8**のようにCDツールが検証環境にデプロイし、テストを実施、テストを通過したあと、本番環境にデプロイする流れが一般的です。

ただし、本番環境に対するデプロイをCDツールで自動化することに対してはしっかり検討するのが良いでしょう。たとえば、デプロイする時間を決めたい場合や必ず責任者の承認を必要とする場合など、そのアプリケーションのリリース戦略やリリースのライフサイクルに依存することになるからです。

図5-8　CDツールを用いたアプリケーションのデプロイ

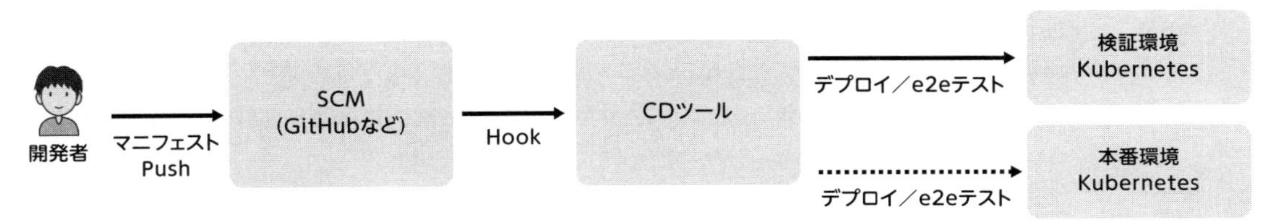

5.4.2 CI/CDツール

CI/CDの開発手法を適用するためには、既存のCI/CDツールを使う方法が手っ取り早く、既存のノウハウも流用できます。ただし、CI/CDツールはさまざまなものが乱立しています。シンプルで使い勝手は良いものの拡張性が低いもの、拡張性は高いが導入に至るまでの構築や使い方を覚えるまでの準備に時間がかかるものなどさまざまです。参考までにCI/CDツールの一例を紹介します。

クラウドプロバイダが提供するCI/CDツール

大手クラウドプロバイダはCI/CDのためのプラットフォームやツールを用意しています。当然そのクラウドプロバイダのさまざまなプラットフォームとの連携に最適化されています。もしも、クラウドプロバイダ上でKubernetesを動作させている場合は検討することをお勧めします。

Google Cloud Build[注3]

- Google Cloud Platformが提供するマネージドサービス。Dockerイメージのビルド、Google Kubernetes Engine(GKE)やGoogle App Engine、Google Cloud Functionsへのデプロイ機能などGoogle Cloud Platform向けの機能が充実しています。複雑なパイプラインを組むために、後述のSpinnakerと連携する公式チュートリアル[注4]が用意されています

AWS CodePipeline、CodeBuild、CodeDeploy[注5]

- Amazon Web Servicesが提供するマネージドサービス。AWS CodeBuild、AWS CodeDeployなどと組み合わせてCI/CDパイプラインを設計できます。Dockerイメージのビルドには適していますが、2018年10月時点ではAmazon Elastic Container Service for Kubernetes(EKS)へのデプロイには対応していないため、後述のCI/CDツールなどと併用する必要があります

Azure Pipelines[注6]

- Microsoft Azureが提供するマネージドサービス。Dockerイメージのビルド、Azure Kubernetes Service(AKS)やAzure Web App for Containersへのデプロイが可能です

SaaSやOSSのCI/CDツール

Jenkins X[注7]

- Jenkins XはCIツールとして著名なJenkinsをバックエンドに持ち、Jenkinsの煩雑な操作をせずに、Kubernetesへのデプロイを簡潔に実現することをコンセプトにして作られたOSSです
- Jenkins Xのインターフェースはjenkinsとはまったく異なり、Jenkins X自体はKubernetes上で動作します

注3　https://cloud.google.com/cloud-build/

注4　https://cloud.google.com/solutions/continuous-delivery-spinnaker-container-engine

注5　https://aws.amazon.com/jp/codepipeline/

注6　https://azure.microsoft.com/ja-jp/services/devops/pipelines/

注7　https://jenkins.io/projects/jenkins-x/

- 機能はたいへん豊富で、アプリケーションのソースコードからひな形を作る機能のビルドパック、Jenkins Xをクラスタにインストールする機能、クラウドプロバイダにKubernetesをセットアップする機能など、さまざまあります。ビルドパックにはAzureのDraft[注8]を採用し、Kubernetesへのデプロイには Helm(コラム「Helm」を参照)が使われています
- GitOps(コラム「GitOps」を参照)を意識した設計・実装になっており、それを支えるパイプラインを定義できます。たとえば、CI後、テスト環境にデプロイしてテストを実施します。テストが正常に完了したあと、本番環境への自動デプロイが可能です。もちろん、設定を変えれば、本番環境へ手動でデプロイすることも可能です

CircleCI[注9]

- CircleCIは有償のSaaSでDockerイメージビルド、テスト、Pushの実現に必要な機能を有しています
- ビルド環境には、クラウド上でのLinux、macOSやオンプレミス環境を選択でき、ビルド環境、リポジトリ数、利用ユーザ数、ビルド数、並列実行数などの条件によって費用が変わります
- CircleCIの強力な機能がワークフローです。1つのワークフローの中でビルドやテストの単位であるジョブを複数実行できます。ジョブの実行条件も細かく指定できます。ジョブの同時実行、直列実行、指定時間実行ができます。また、あるステップに至る前に承認者の承認を要求することも可能です
- 1つのジョブでは複数のDockerイメージを起動できます。これはテスト環境の構築に役に立ちます。たとえば、1つのジョブでRails DockerイメージとPostgreSQL Dockerイメージを起動します。その後、セットアップスクリプトを実行し、DBのテーブル作成、レコード追加を行い、テスト環境を構築できます。さらに、その環境に対してテストコードを実行します。このようなことが実現できるため、テスト環境を作り込むことが可能です
- デバッグ機能も充実しています。特定のジョブに対してSSHログインができ、ビルド時の不具合検知に役立てられます
- CircleCI自体にはKubernetesにデプロイする機能は標準では用意されていません。しかしながら、ジョブの中で任意のUNIXコマンドを実行できるため、kubectlコマンドを使って、Kubernetesにデプロイすることも可能です

Travis CI Enterprise[注10]

- Travis CI Enterpriseは有償のSaaSです。フルマネージドのクラウド版、オンプレミス版が用意されています。Travis CI Enterpriseでは、シンプルな設定ファイルを定義することで、Dockerイメージのビルド・Pushを簡単に実現できます。標準で多くのプログラミング言語をサポートしており、複数のステージに分けたビルドが可能で、ビルドやテストの失敗時などは不具合の特定がしやすくなっています
- Gitの特定ブランチの更新を受け、Dockerイメージのビルド、テストを実行するようなユースケースにおいては、Travis CI Enterpriseで簡単に実現できます
- Addonを追加することも可能です。カスタムスクリプトを書くことで、Kubernetesへのデプロイを実行することも可能になります
- GitHubにPull Requestが出たことをトリガーにビルドを開始し、ビルドが正常に終了した、失敗したといったステータスをGitHubに反映する、GitOpsの機能も提供しています

注8　https://draft.sh　アプリケーションのソースコードを解析して、Dockerfile、Helm Chartを生成するツールです。

注9　https://circleci.com/

注10　https://travis-ci.com/

- Travis CI Enterpriseはシンプルな要件を満たすことには適しているものの、複雑なビルドパイプラインを組むことはなかなか難しいかもしれません。複雑な条件を伴うような場合は、CDツールとの併用、もしくはより複雑な機能を持つツールと併用するのが良いでしょう
- オープンソースプロジェクトに対しては無料で利用できるTravis CI[注11]もあります

drone[注12]

- 無償で利用可能なOSS版と、有償でのフルマネージドのクラウド版や機能強化されたオンプレミス版も用意されています。機能としてはTravis CIとよく似ており、シンプルなDockerのイメージビルドやDockerイメージのPushに最適です。また、有志により多種多様なプラグインがOSSとして開発されています
- Kubernetesにマニフェストを適用する機能もプラグインとして提供されています

GitLab CI/CD[注13]

- GitLabの機能の一部として提供されているOSSです。GitLabはSaaS版、オンプレミス版が提供されています。無償利用が可能で、技術サポート・可用性・セキュリティなどの追加機能を利用したい場合は有償版が用意されています
- Source Code Management SystemとしてはGitLabでの利用はもちろん、GitHubやほかの外部Gitリポジトリとも連携できます。Dockerイメージのビルド、Pushをサポートし、Kubernetesへのアプリケーションパッケージング・デプロイにはHelmが利用されます

Concourse CI[注14]

- Pivotal社がPaaSのCloud Foundryを開発した際のCI/CDツールとして開発され、のちにOSSとなりました
- 特徴は複雑なパイプラインの定義、可視化、カスタマイズ性です。複雑なパイプラインを定義するために、多くの学習が必要になりますが、複雑なビルド・デプロイパイプラインを、一から作り上げることができるツールとも言えます。しっかりと使い込めれば、CI/CDツールとして多様な表現力を発揮できるでしょう
- Kubernetesへのデプロイは拡張機能を使うことで可能になります[注15]

Spinnaker[注16]

- Spinnakerは継続的デリバリに特化したOSSであり、継続的インテグレーションの機能はありません。そのため、コンテナイメージのビルドはできません。しかし、デプロイに関連するパイプライン制御は、ほかのCI/CDツールでは提供されていない機能を多くそろえています
- Kubernetesへのデプロイを標準サポートしており、マニフェストベースでのデプロイが可能です。また、ほかのツールでは難しいScaleやRolloutなどのワークロードや、カナリアリリース、ブルーグリーンデプロイメントといった操作も可能です
- デプロイの前に特定の管理者に対してデプロイの承認申請を行う機能も有します

注11　https://travis-ci.org

注12　https://drone.io/

注13　https://docs.gitlab.com/ee/ci/

注14　https://concourse-ci.org/

注15　https://github.com/zlabjp/kubernetes-resource　Kubernetesへのデプロイするための拡張機能の一例として、ゼットラボ社製のオープンソースがあります。

注16　https://www.spinnaker.io/

・Spinnaker自体はGUIでの利用、Kubernetesでの利用を前提として設計されています。CIツールを別途用意する必要はありますが、CDツールとして非常に優れています

さまざまなCI/CDツールが存在しますが、残念ながらあらゆるシステムに適用でき、簡単に使える銀の弾丸のようなツールは存在しません。実際に試用し、対象システムに必要な要件を満たせるか、周囲の開発者とノウハウを共有しやすいか、といった観点でツールを選定するのが良いでしょう。

また、CI/CD自体がどの程度の規模、頻度で利用されるかも重要です。運用保守コストをしっかり検討に入れたうえで適用するのが良いでしょう。

GitOps

COLUMN

GitOpsは継続的デリバリ手法の1つです。もともとのコンセプトはWeaveworks社が提唱しました。特定のGitブランチに対してPull Requestが出され、レビュー・承認が完了し、マージされたことをトリガーにして自動的にプロビジョニングや、ソフトウェアのデプロイがなされることを意味します。この手法にはいくつかのメリットがあります。

すべてのデプロイの記録がGit上で管理されている

デプロイの情報がバージョン管理されていることで、直前のバージョンとの差分が明確になります。これは問題発生時の原因究明に非常に役立ちます。また、Gitへの反映自体がデプロイとなるので、運用者の記録漏れ、作業漏れを防げます。

不要なデプロイ作業

Git上で作業を完了するため、手動によるCDツールの操作やデプロイは不要です。

イミュータブルインフラストラクチャの実現

Git上の設定ファイルがデプロイされている状態を表しています。既存のシステムを更新するのではありません。新規にシステムを構築することを意味します。これはイミュータブルインフラストラクチャであり、インフラストラクチャのコード化 (Infrastructure as Code) でもあります。

Kubernetesは宣言的設定で行うため、GitOpsを実現するには最適なシステムです。なお、実際のデプロイには、Gitと連携可能なCDツールが一般に用いられます。詳しい内容はWeaveworks社のブログ[注17]を参照してください。

注17 https://www.weave.works/technologies/gitops/

Helm

COLUMN

Helm[注18]はKubernetesのパッケージ管理ソフトウェアです。Helmでは、1つのアプリケーションの動作に必要な複数のマニフェストをChartという単位にまとめます。具体的には、Chartは、Chart.yamlと呼ばれるChartの設定ファイル、複数のKubernetesマニフェストファイルのテンプレートファイルとテンプレーティング時のデフォルト値で構成されます。

テンプレーティングの反映は、HelmのCLI経由でクラスタにあらかじめデプロイしたTillerサーバと連携することで実現します。TillerサーバはHelmクライアントからのリクエストに基づき、Kubernetes APIサーバに反映します。

コンテナイメージの自動ビルドのみ実現したい場合

COLUMN

コンテナイメージのビルド、Pushの手間を省略したい場合の選択肢として、コンテナレジストリに付属している機能を使うこともできます。Docker RegistryやRed Hat Quayは、SCMと連携できます。SCMの変更通知を受けてDockerfileをもとにビルド、正常にビルドが完了すれば、コンテナレジストリに登録されます。ただし、CIツールのように、テストを実行できませんし、ビルドしたコンテナイメージのタグ名を任意に変更することも難しいです。ニーズに合わせて、利用するかどうかを検討されると良いでしょう。

5.4.3 CI/CDとサービスアカウント

CI/CDにおいてコンテナレジストリやKubernetesクラスタなどほかのシステムと連携する場合、サービスアカウントというアプリケーションが利用するための専用アカウントを用意することが好ましいです。連携するシステムに個人のアカウントを用いると、監査や権限管理の点で問題があります。サービスアカウントは個人にひもづかないアプリケーション専用のアカウントであり、ロボットアカウントやアプリケーションアカウントとも呼ばれます。

たとえば、CI/CDでコンテナレジストリにイメージのPushを行いたい場合は、コンテナレジストリ側にCI/CD専用のサービスアカウントを用意すると良いでしょう。

KubernetesではサービスアカウントをServiceAccountというオブジェクトでサポートしています。CI/CDツールでKubernetesへのデプロイを自動化するような場合には、このServiceAccountを利用することができます。また、Kubernetesクラスタを監視するPrometheusのようなアプリケーションも、ServiceAccountを利用することで簡単にクラスタ内にデプロイできます。

注18 https://helm.sh/

次節では、Kubernetesにおける認証・認可およびサービスアカウントの使い方を説明します。

5.5 サービスアカウントを用意する（ServiceAccount、RBAC）

この節では、デプロイなどの目的でKubernetes APIサーバにアクセスするためのサービスアカウントの作成と権限設定の方法を説明します。デプロイのほかにも、PrometheusのようなKubernetesを監視するモニタリングツールや、Kubernetes DashboardのようなKubernetesのダッシュボードツールでもこの設定が必要となります。

これまでの操作では、minikubeの管理者権限（コラム「minikubeの認証・認可」を参照）を利用してデプロイを行ってきました。しかし、CI/CDのようにKubernetesを操作するツールを利用する場合には、専用のアカウントと必要最小限の権限を設定することがセキュリティ上、望ましいです。

ここでは、Kubernetes標準の機能である「ServiceAccount」（認証）と「RBAC（Role-Based Access Control）」（認可）を使った設定方法を説明します。

まずは、Kubernetesにおけるアカウントの管理の基本となる、認証・認可の概念から見ていきましょう。

5.5.1 Kubernetesの認証・認可

Kubernetesは「認証（Authentication）」と「認可（Authorization）」の2つが分離され設計されています。「認証」「認可」はKubernetesのAPIサーバ内で行われ、APIサーバの起動オプションとして利用する方式を設定します（**図5-9**）。

図5-9　認証・認可はKubernetesのAPIサーバ内で行われる

認証と認可の流れを**図5-10**に示します。

「認証」ではユーザの本人性の確認と識別を行います。たとえばID／パスワード認証の場合は、ユーザ名（ID）が“alice”というユーザの本人性をパスワードで確認し、取得したユーザ名“alice”を認可モジュールに渡します。

「認可」では認証されたユーザが何をできるかという権限の制御を担当します。たとえば“alice”というユーザが“production”という名前空間（ネームスペース）にPodをデプロイできるかどうか、といった制御を行います。

認証、認可はそれぞれ複数の方式をサポートしています。認証、認可ともに外部システムと連携し、さまざまな設定が可能です。ここでは、Kubernetes標準の機能である「ServiceAccount」（認証）と「RBAC（Role-Based Access Control）」（認可）を使った設定方法を説明します。

図5-10　認証・認可の流れ

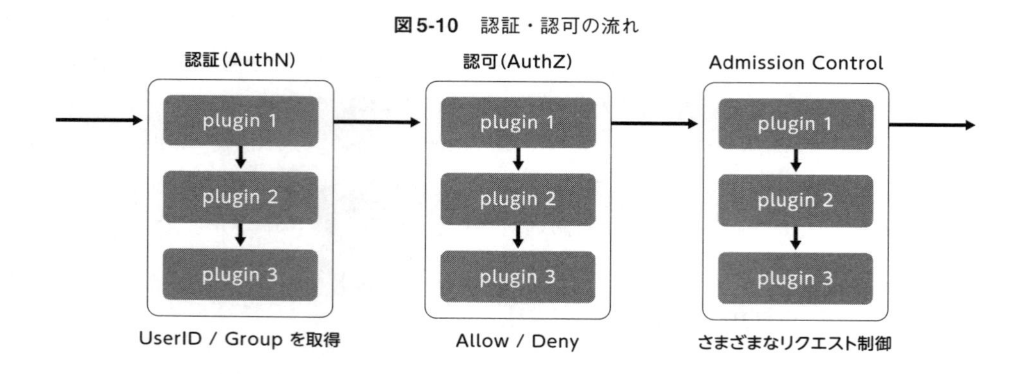

5.5.2　サービスアカウント（ServiceAccount）

Kubernetesのアカウントはおもに人が利用するための「ユーザアカウント」とKubernetesが直接管理する「サービスアカウント」の2つに分けられます。

「ユーザアカウント」のユーザは、Kubernetesが直接管理せず、認証プラグインを通して外部で管理されます。たとえばOpenID Connect認証を利用した場合は、ユーザ自体は認証情報を提供するIdentity Provider側で管理され、Kubernetesはユーザの認証情報を含むID Tokenのemailクレーム（変更可）をユーザ名として利用します。

「サービスアカウント」は、Kubernetesが直接管理するアカウントです。ServiceAccountというオブジェクトとして管理されています。おもにアプリケーション（Pod）がKubernetes APIサーバにアクセスする際のアカウントとして利用されます。たとえばPrometheusでクラスタを監視する場合、PodとしてデプロイしたPrometheusがKubernetes APIサーバから監視対象の情報などを取得するためにServiceAccountを使います。

通常、実行中のPodには何かしらのServiceAccountが設定されています[注19]。各ネームスペースには“default”という名前のServiceAccountがデフォルトで用意されており、PodにServiceAccountが明示的に指定されない場合はそのネームスペースの“default”が設定されます。

ServiceAccountの特徴として、Pod内から簡単にそのクラスタのKubernetes APIサーバにアクセスできるという特徴があります。また、認証用のトークンを取り出すことでクラスタ外から利用することも可能です。

Google Kubernetes Engineなどのクラウドプロバイダが提供するマネージドKubernetesサービスを利用する場合、独自の認証・認可のしくみを提供している場合があります。ほかのサービスと連携する場合に便利な場合もあるのでそちらも確認してみましょう。

5.5.3 ServiceAccountの作成

では、ServiceAccountを作成してみましょう。ServiceAccountはKubernetesのネームスペースに属するオブジェクトになるため、ネームスペースごとにユニークな名前である必要があります。ここでは何も指定せず“default”ネームスペースを利用します。

```
$ kubectl create serviceaccount my-service
serviceaccount/my-service created
```

次に作成したServiceAccountを確認します。今回作成したmy-serviceのほかに“default”という名前のServiceAccountが表示されているかと思います。こちらはネームスペースにデフォルトで作られるServiceAccountの名前です。

```
$ kubectl get serviceaccount
NAME         SECRETS   AGE
default      1         1m
my-service   1         29s
```

5.5.4 Pod内のServiceAccountの利用

作成したServiceAccountを使ってPod内からKubernetes APIサーバにアクセスしてみましょう。ここではServiceAccountの動作がすぐに確認できるように、kubectlが動作するPodを作成し、Kubernetes APIサーバにアクセスしてみます。まずは次のように、`kubectl run`で`--serviceaccount`の引数に作成したServiceAccountを指定し、kubectlを含むコンテナイメージのPodを作成します。

注19 ただし、Static PodではServiceAccountが設定されません。

```
$ kubectl run -it --rm --restart=Never \
  --serviceaccount "my-service" \
  --image k8s.gcr.io/hyperkube-amd64:v1.11.3 \
  kubectl
```

コンテナ内のシェルが立ち上がります。コンテナ内のシェルでkubectl getコマンドを使ってKubernetes APIサーバにアクセスしてみます。まだ認可の設定をしていないため、次のようにエラーとなります。

```
sh-4.4# kubectl get pods
Error from server (Forbidden): pods is forbidden: User "system:serviceaccount:default:my-service" ⏎
cannot list pods in the namespace "default"
```

なお、Kubernetes APIサーバのクライアントライブラリは、Podから自分のクラスタのKubernetes APIサーバの接続情報を自動的に設定する機能を持っているため、接続先の設定などは必要ありません。Kubernetes APIサーバのアドレスは環境変数から、認証に使う情報（token）は特定のディレクトリから取得するようになっています。次のように確認できます。

```
Kubernetes APIサーバの情報
sh-4.4# env | grep KUBERNETES_SERVICE
KUBERNETES_SERVICE_PORT_HTTPS=443
KUBERNETES_SERVICE_PORT=443
KUBERNETES_SERVICE_HOST=10.96.0.1

Kubernetes APIサーバに接続するための認証情報(token)
sh-4.4# ls /var/run/secrets/kubernetes.io/serviceaccount/
ca.crt    namespace  token
```

では、いったんここまでで次のようにシェルを終了しましょう。

```
sh-4.4# exit
exit
```

5.5.5 Role-Based Access Controlによる認可の設定

認可の設定はロールを定義し、それをユーザにひもづける形で行います。ロールの定義は汎用的なものがKubernetesに最初から組み込まれているので、ここでは既存のロールを使ってユーザへのロールのひもづけを行い、認可の設定をしてみます。ロールとユーザのひもづけには次のリソースを利用します（**図5-11**）。

Role

・特定のネームスペース内のロールの権限定義を行う

ClusterRole

・クラスタ全体に対するロールの権限定義を行う

RoleBinding

・特定のネームスペースに対してロールとユーザのひもづけを行う

・Role、ClusterRoleのロールとひもづけが可能

ClusterRoleBinding

・クラスタ全体のロールとユーザのひもづけを行う

・ClusterRoleのロールのみひもづけが可能

図5-11 ロールの定義とひもづけ

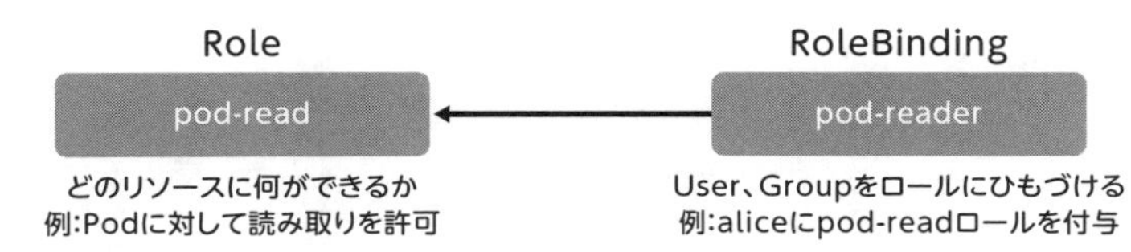

なお、ひもづけは1つのロールに対して、複数のユーザをひもづけることが可能です。1人のユーザに対して複数のロールをひもづけたい場合は、RoleBindingまたはClusterRoleBindingを権限ごとに作成する形になります。

RoleBindingでClusterRoleのひもづけを行った場合、RoleBindingで指定したネームスペースに閉じた権限となります。この場合、ClusterRoleで定義したネームスペースに属さないリソースへの権限は有効になりません。

Kubernetesには最初からいくつかのロール（ClusterRole）が組み込まれています。このロールには、Kubernetesのコンポーネントが利用するロールと、クラスタの利用者がユーザやServiceAccountにひもづけることができる汎用的なロールの2種類があります。クラスタの利用者が汎用的に使えるロールは、**表5-1**のようになります。

表5-1 Kubernetesに最初から組み込まれているロール（クラスタの利用者が汎用的に使えるもの）

ロール	説明
cluster-admin	ClusterRoleBindingでひもづけた場合、クラスタのすべてのリソースに対して権限を持った管理者権限となる。RoleBindingでネームスペースとひもづけた場合は、そのネームスペースのリソースのすべての権限が設定される
admin	RoleBindingを使って特定のネームスペースの管理者として使われることを想定した権限。Role、RoleBindingを含むネームスペースオブジェクトのほとんどの読み書きの権限を持っている
edit	ネームスペースドオブジェクトに対する読み書きの権限を持っている。Role、RoleBindingの権限は持たないため、認可の設定は行えない
view	ネームスペースドオブジェクトに対する読み取り専用の権限。権限昇格を防ぐためSecretに対する読み取り権限はない

なお、今までminikubeをkubectlで操作してきた権限はcluster-adminをClusterRoleBindingでひもづけた、全リソースに対して操作できる権限になります（コラム「minikubeの認証・認可」を参照）。

ロールの権限の詳細を知りたい場合は次のコマンドで確認できます。

```
viewのClusterRoleの情報を見る
$ kubectl get clusterrole view -o yaml
```

ClusterRoleをRoleBindingでネームスペースを絞ってユーザにひもづけるか、ClusterRoleBindingでクラスタ全体に対してユーザにひもづけるかで意味が違ってきます。実際に設定してみましょう。

まずは、RoleBindingでeditのClusterRole権限をServiceAccountにひもづけてみます。ここではkubectl create rolebindingというコマンドを使ってRoleBindingを作成しています。--clusterroleオプションでClusterRole権限であるeditを指定し、--serviceaccountオプションでひもづけるServiceAccountであるdefault:my-serviceを指定しています。

```
my-service-editというRoleBindingを作成
$ kubectl create rolebinding my-service-edit --clusterrole edit --serviceaccount default:my-service
rolebinding.rbac.authorization.k8s.io/my-service-edit created

$ kubectl get rolebinding -o wide
NAME              AGE       ROLE                 USERS     GROUPS    SERVICEACCOUNTS
my-service-edit   12s       ClusterRole/edit                         default/my-service
```

RoleBindingは作成されたネームスペースの範囲のオブジェクトに対してのみ有効です。今回は何も指定せずdefaultネームスペースに作成したオブジェクトに対して編集権限を与えています。確認してみましょう。まずは前に試したように、ServiceAccountを使ってPod内からKubernetes APIサーバにアクセスします。

```
$ kubectl run -it --rm --restart=Never \
  --serviceaccount "my-service" \
  --image k8s.gcr.io/hyperkube-amd64:v1.11.3 \
  kubectl
```

設定前はkubectl get podsを実行すると権限エラーになっていましたが、edit権限を設定したため見られるようになりました。

```
sh-4.4# kubectl get pods
NAME      READY     STATUS    RESTARTS   AGE
(..略..)
kubectl   1/1       Running   0          21s
```

書き込み権限もあるので、Deploymentを作成して確認してみます。

```
sh-4.4# kubectl run mynginx --image k8spracticalguide/nginx:1.15.5
deployment.apps/mynginx created

sh-4.4# kubectl delete deploy mynginx
deployment.extensions "mynginx" deleted
```

RoleBindingでdefaultネームスペースに権限をひもづけたので、ほかのネームスペースに対して権限がないことを確認します。

```
sh-4.4# kubectl get pods -n kube-system
Error from server (Forbidden): pods is forbidden: User "system:serviceaccount:default:my-service" ⏎
cannot list pods in the namespace "kube-system"
```


次に設定したedit権限の削除をしてみましょう。権限の削除は作成したRoleBinding（またはClusterRoleBinding）を削除することで行います。このコマンドはコンテナ内でなく、もう1つターミナルを開いてローカルのkubectlで実行してください。

```
$ kubectl delete rolebinding my-service-edit
rolebinding.rbac.authorization.k8s.io "my-service-edit" deleted
```

コンテナ内のシェルで権限がなくなったことを確認します。

```
sh-4.4# kubectl get pods
権限がなくなった
Error from server (Forbidden): pods is forbidden: User "system:serviceaccount:default:my-service" ⏎
cannot list pods in the namespace "default"
```

では今度はview権限をClusterRoleBindingでServiceAccountにひもづけてみましょう。ClusterRoleBindingでひもづけを行うと、特定のネームスペースではなくクラスタ全体にview権限を持つことになります。Podのシェルはそのままにして別のターミナルを開いて、次のコマンドでひもづけを行います。

```
$ kubectl create clusterrolebinding my-service-view --clusterrole view \
  --serviceaccount default:my-service
clusterrolebinding.rbac.authorization.k8s.io/my-service-view created
```

Podのシェルに戻り、もう一度kube-systemネームスペースのPodを表示してみます。また--all-namespacesを指定して、すべてのネームスペースのリソースが表示できることも確認してみましょう。

なお、view権限では秘密情報であるSecretは見られないようになっています。Secretを見ることができるとServiceAccountのトークンも取得することができ、権限昇格が可能になる場合がありますので、ロールを独自に設計する場合は気をつけましょう。

```
sh-4.4# kubectl get pods -n kube-system
NAME                                READY     STATUS    RESTARTS   AGE
etcd-minikube                       1/1       Running   0          55m
kube-addon-manager-minikube         1/1       Running   0          54m
(..略..)

全ネームスペースのdeployment、pod、serviceを表示
sh-4.4# kubectl get deploy,pod,svc --all-namespaces
NAMESPACE     NAME                 DESIRED   CURRENT   UP-TO-DATE   AVAILABLE   AGE
default       mattermost           2         2         2            2           41m
kube-system   coredns              1         1         1            1           1h
(..略..)

view権限ではSecretは見られない
sh-4.4# kubectl get secret
Error from server (Forbidden): secrets is forbidden: User "system:serviceaccount:default:my-service" ⏎
cannot list secrets in the namespace "default"
```

以上のようにRBACを使ってServiceAccountにロールをひもづける方法を見てきました。RoleBindingを使ってネームスペースを絞るなどして、ServiceAccountが必要とする最小限のロールをひもづけることを推奨します。

5.5.6 マニフェストでの管理

前項では、kubectl createコマンドを使った命令的な認可の設定の方法を説明しました。マニフェストとして管理したい場合は、次のように--dry-runを使ってyamlを表示して管理すると良いでしょう。

```
$ kubectl create rolebinding my-service-edit --clusterrole edit \
  --serviceaccount default:my-service --dry-run  -o yaml
```

次のマニフェスト（yaml）が生成されます。

```
apiVersion: rbac.authorization.k8s.io/v1
kind: RoleBinding
metadata:
  creationTimestamp: null
```

```
  name: my-service-edit
roleRef:
  ↓ひもづけるロールを定義
  apiGroup: rbac.authorization.k8s.io
  kind: ClusterRole
  name: edit
subjects:
  ↓ひもづける対象ユーザ(この場合ServiceAccount)を定義
- kind: ServiceAccount
  name: my-service
  namespace: default
```

クラスタ外からServiceAccountを利用する

COLUMN

クラスタ外のCI/CDなどのサービスからクラスタにアクセスしたい場合にも、ServiceAccountを利用できます[注20]。アクセスするために必要なServiceAccountのトークンやca.crtを、次のように取得することができます。このトークンを使うことで、ServiceAccountの権限でクラスタを操作することができます。

```
トークンのSecret名を確認する
$ kubectl get sa my-service -o yaml
apiVersion: v1
kind: ServiceAccount
metadata:
(..略..)
secrets:
- name: my-service-token-8zpjr

トークンやca.crtを確認(Base64エンコードされていることに注意)
$ kubectl get secret my-service-token-8zpjr -o yaml
apiVersion: v1
data:
  ca.crt: LS0tLS1CXc...
  namespace: ZGVmYXVsdA==
  token: ZXlKaGJHY2...
```

クラスタにアクセスするための設定を、kubectlの設定ファイル（kubeconfig）で定義する必要がある場合は、手動で作成するのは大変です。そこで、ここではkubernetes-practical-guide/kubernetes-scripts[注21]にあるcreate-kubeconfigというスクリプトを使用します。

注20　Kubernetesのドキュメントにもクラスタ外で利用できる旨は明記されています。 https://kubernetes.io/docs/reference/access-authn-authz/authentication/

注21　https://github.com/kubernetes-practical-guide/kubernetes-scripts

```
my-serviceというServiceAccountでアクセスするkubeconfigを作成する
$ create-kubeconfig my-service > my-service.kubeconfig

作成したkubeconfigを使って試しにアクセスしてみる
$ KUBECONFIG=$PWD/my-service.kubeconfig kubectl get pods
```

minikubeの認証・認可

COLUMN

minikubeではX.509クライアント証明書で認証が行われ、RBACによる認可でそのユーザにcluster-adminという管理者権限がひもづけられています。

kubectlの設定で認証情報を見てみましょう、次のように認証にクライアント証明書（client-certificate、client-key）を利用することがわかります。

```
$ kubectl config view --minify
users:
- name: minikube
  user:
    client-certificate: /Users/$USER/.minikube/client.crt
    client-key: /Users/$USER/.minikube/client.key
```

KubernetesのX.509クライアント証明書認証では、SubjectのO（Organization）がグループ名、CN（Common Name）がユーザ名として使われます。証明書を見ると、グループがsystem:masters、ユーザ名がminikube-userとなっていることがわかります。

```
$ cat /Users/$USER/.minikube/client.crt | openssl x509 -text | less
    Signature Algorithm: sha256WithRSAEncryption
        Issuer: CN=minikubeCA
        Validity
            Not Before: May 20 06:38:33 2018 GMT
            Not After : May 20 06:38:33 2019 GMT
        Subject: O=system:masters, CN=minikube-user
```

証明書に指定されているグループ名system:mastersは、RBACのデフォルトで用意されているClusterRoleBindingであるcluster-adminという定義で、全権限を持ったClusterRoleであるcluster-adminにひもづけられていることがわかります。

```
$ kubectl get clusterrolebinding cluster-admin -o yaml
apiVersion: rbac.authorization.k8s.io/v1
kind: ClusterRoleBinding
```

```
metadata:
(..略..)
roleRef:
  apiGroup: rbac.authorization.k8s.io
  kind: ClusterRole
  name: cluster-admin
subjects:
- apiGroup: rbac.authorization.k8s.io
  kind: Group
  name: system:masters
```

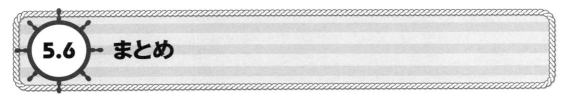

5.6 まとめ

本章ではアプリケーションの手動更新を実施しました。その際、ローリングアップデート、ロールバックの方法に触れ、その利便性と注意点を説明しました。また、開発効率向上のため、あるいは更新にかかる負荷を下げるために、CI/CDの概念、Kubernetesとの連携方法、CI/CDツールを紹介しました。その際、サービスアカウントを利用するために、Kubernetesにおける認証・認可のしくみ、およびServiceAccountを説明しました。

アプリケーションの安定性をあげる

本番環境でのサービス運用を考えると、アプリケーションは安定して動作を継続させる必要があります。しかし、これはとても難しく、ハードウェア障害やネットワーク障害、急なアクセス数の増大などのさまざまな要因により安定稼働が脅かされます。

本章では、そんな事態が発生してもアプリケーションを安定して動作させ続けるための方法を説明します。

6.1 アプリケーションの耐障害性を向上させる

Kubernetesには、障害によってアプリケーションの動作が継続できない状態から自動的に回復させる強力な自己回復機能「セルフヒーリング」が用意されています。この機能を適切に利用することによって、Kubernetesで動作させるアプリケーションの障害に対する耐性を向上できます。この節では、Kubernetesの最も重要なリソースであるPodの動作を安定させているしくみについて説明し、この恩恵を受けるために適切な設定を行う方法について説明します。

6.1.1 Podの動作を安定させるためのしくみ

Podは指定されたコンテナを動作させるためのオブジェクトです。Podには安定してコンテナを動作させるための機能がいくつか用意されています。具体的なケースを挙げて、そのケースのときにPodがどのような動作をするか見ていきましょう。

コンテナのセルフヒーリング

まずは、コンテナで動作しているアプリケーション自体に問題が発生したケースです。たとえば、予期しない操作や、利用しているリソースのリーク（メモリリーク、コネクションリークなど）、デッドロック、大量アクセスなどの負荷の向上によるリソース不足の対応漏れなどで、正常に動作しない状態になることがあります。アプリケーションを運用したことがあれば、こういった状態になったときコンテナ（プロセス）を再起動することによって復旧した経験があるでしょう。

Kubernetesはこういった状態のときに、セルフヒーリングするための機能を持っています。Podはコンテナの状態を監視するためのしくみを持っており、設定に従って監視を行います。これにより、コンテナで動作するアプリケーションが正常に動作していないと判断したら、再起動することで修復します。

Podのセルフヒーリング

次に、ハードウェア障害によってノードが停止してしまったケースです。サーバは物理的な機械であり、故障は必ず発生します。ノードとなっているサーバが停止してしまうと、そのノードで動作しているPodも当然停止してしまいます。Kubernetesはこのようなノードの障害に備えて定期的にノードの状態を監視し、ノードが正常に機能していない状態（NotReady）になったら、動作していたPodを削除します。また、この削除によってPodの数が不足していると判断した場合は、別の正常に機能している状態（Ready）となっているノードにPodを作成します。

図6-1　ノード障害によってPodが移動する様子

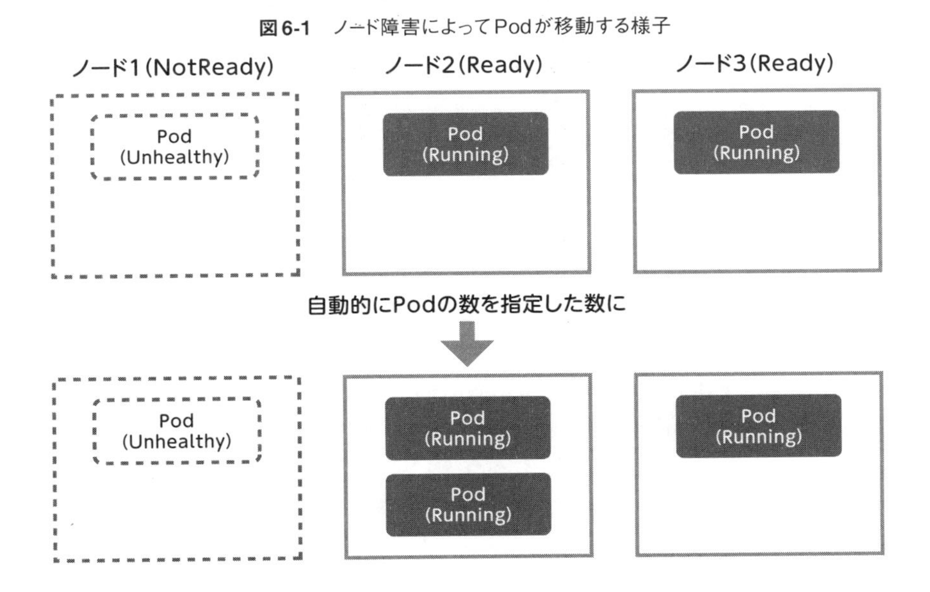

たとえば、**図6-1**のようにノードが3台あり、レプリカが3のDeploymentによってPodが各ノードに1つずつ作成されているとします。このときノードの1台に障害が発生し、NotReadyになったとします。一定時間NotReadyの状態が続くと、そのノードは復旧不可能とみなし、Kubernetesはそのノードで動作していたPodを削除します。削除するとPodは2つとなり、Deployment（ReplicaSet）によって定義されているレプリカ（3つ）に足りていないため、Kubernetesは不足しているPodを作成します。これにより望む状態であるレプリカが3の状態に自動的に修復します。

なお、この機能によってノードが停止してもPodは自動的に復旧されますが、この復旧中はPodで動作しているアプリケーションが停止します。たとえば、1つのPodのみでアプリケーションを提供している場合、そのPodが動作しているノードに障害が発生したとき、復旧までの間はアプリケーションが停止することになります。この停止が許容できない場合は、Deploymentに定義されているレプリカを増やし、複数のノードに分散させると良いでしょう[注1]。これにより、1つのノードの停止によるアプリケーション全体の停止を防止できます。

安全なアプリケーションの更新

最後に、障害ではありませんが、アプリケーションの更新の作業によって提供しているサービスが停止してしまうケースです。アプリケーションの更新は、機能追加やバグ修正、セキュリティの向上などのために継続的に行います。しかし、一般的にサービスを提供したままアプリケーションを更新することはとても難しく慎重に作業する必要があります。

アプリケーションの更新方法はさまざまありますが、Kubernetesでは、第5章で説明したDeploymentを

注1　同じDeploymentのPodは、デフォルトで別のノードに分散されるようにスケジュールされますが、完全に別ノードにスケジュールされることは保証されません。

使って、ローリングアップデートによって更新する方法があります。このローリングアップデートは、アプリケーションを停止せずに安全にアプリケーションの更新を実現するための機能を持っています。しかし、アプリケーションの停止期間（ダウンタイム）をまったく発生させずに更新するにはPodの終了処理を把握し、適切に設定しなければいけません。

Podの終了処理の流れは次のようになります。

①Podオブジェクトを削除するリクエストが、Kubernetes APIサーバに送られる
②Podの終了処理が開始する
　(a) Podの各コンテナを終了する
　　(1) Podにspec.containers.lifecycle.preStopが定義されている場合は、Pod内でそれが呼び出される
　　(2) Pod内のプロセスにSIGTERMシグナル[注2]が送信される
　　　（もし猶予期間が過ぎてもプロセスが終了しない場合は、SIGKILLシグナル[注3]が送信される）
　　(3) Podオブジェクトを削除する
　(b) Serviceのロードバランス先から該当するPodを削除する

Podの各終了処理を詳しく見ていきましょう。

まず、②-(a)で実行されるコンテナの終了処理です。Kubernetesでは、コンテナを終了させる前に実施したい処理がある場合に、preStop[注4]フックと呼ばれる設定を`spec.containers.lifecycle.preStop`に行うことで、任意の処理を実行できます。preStopフックの具体的な設定方法は、次項で説明します。通常のアプリケーションであれば、SIGTERMシグナルを受け取って終了処理を実施すれば良いですが、何らかの理由でアプリケーションが変更できない場合などに、preStopフックを利用することで終了前に処理を追加できます。

なお、preStop処理を設定する場合は、同期的に処理が実施されることに注意してください。たとえば、あるアプリケーションは、グレースフルにシャットダウンする方法として特定のエンドポイントにPOSTリクエストすることを要求するとします。この場合、preStopフックにそのエンドポイントにPOSTリクエストを行う処理を追加することで、グレースフルシャットダウン（次項で詳述）が実現できると考えてしまいます。しかし、preStopフックは同期的に処理が実行されることを想定しているため、POSTリクエストを送ったあとすぐに次の処理（SIGTERMシグナルの送信）に遷移してしまい、意図した終了処理が行われないことなってしまいます。そのため、もし非同期処理になってしまう場合は、preStop処理で開始した処理が完了する時間を待ってからpreStop処理を終了させるなどの対応が必要です。

preStop処理が終了したら、実行にかかった時間を猶予時間（GracePeriod）から引いた時間をGrace

注2　UNIX OSでプロセスに終了を伝えるシグナルです。killコマンドのデフォルトで発行されるシグナルで、一般的なアプリケーションは、このシグナルを受け取るとグレースフルに終了します。

注3　UNIX OSでプロセスの強制終了のために利用されるシグナルです。

注4　preStopのほかにもpostStartフックを追加することができます。詳細は次のURLを参照ください。https://kubernetes.io/docs/concepts/containers/container-lifecycle-hooks/

Periodに設定します。このときに、もしすでにGracePeriodを過ぎていた場合は2秒を設定します。

GracePeriodの設定が終わったらSIGTERMシグナルをコンテナのプロセスに送信します。もし猶予期間が過ぎてもプロセスが終了しない場合は、SIGKILLシグナルが送信され強制的に終了させます。GracePeriodのデフォルト値は30秒ですが、Podの`spec.terminationGracePeriodSeconds`に設定することで変更できます。

次に②-(b)で実行されるServiceのロードバランス先から該当するPodを削除する処理を見ていきましょう。前章までで説明されたように、KubernetesはServiceによってPodへのリクエストの分散を行っています。そのため、終了処理の際は、終了したPodに対してリクエストが送られないようにServiceのロードバランス先からPodを削除する必要があります。この削除処理自体は、Kubernetesの調整ループにより自動的に行われるため、ユーザが意識する必要はありません。しかし、削除されるタイミングについては把握しておかないと、終了中のPodにリクエストが送られることになってしまいます。削除されるタイミングを意識してコンテナを終了させる必要があります。

一般的なロードバランサを利用している場合は、ロードバランサのバランス先から削除したあとに、アプリケーションを終了すれば良いですが、Kubernetesの場合このロードバランサに相当するServiceの処理を行うコンポーネントがすべてのノード上に存在し非同期に削除されるため、これらの削除が行われてからPodを終了させるということができません[注5]。そのため、②-(a)の処理と②-(b)の処理は並列に実行されることになります。並列に実行されるということは次のような問題が発生する可能性があります。

たとえば、**図6-2**のように各処理が遷移した場合は、SIGTERMシグナルを発行してからA点までは新規コネクションを確立しようとしてしまいます。そのため、この間でもアプリケーションは新規コネクションを扱えるようにするか、preStop処理で数秒間sleepをしてServiceのロードバランス先から削除されることを待つといった対処が必要になります。

図6-2　Podの終了処理の流れ

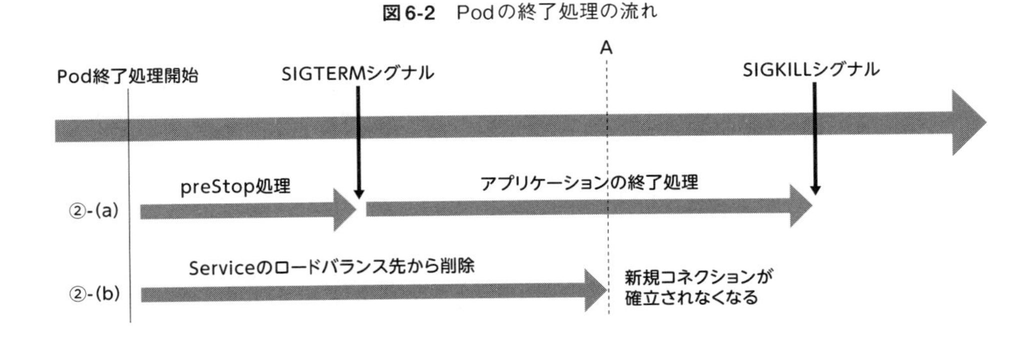

注5　この問題は将来的に修正される可能性がありますが、Kubernetes v1.11.3の時点では仕様です。

6.1.2 Podの動作を安定させるしくみの恩恵を受けるには

前項では、Kubernetesが持つPodの動作を安定させるしくみについて説明しました。このしくみの恩恵を受けるには、しくみを理解し適切に設定する必要があります。では実際に、これまでに構築してきたMattermostへ設定していきましょう。

アプリケーションの状態を伝える

まず、Kubernetesのコンテナの再起動やサービスインを適切なタイミングで実施させるためには、Kubernetesに動作しているアプリケーションの状態を伝える必要があります。Kubernetesには、この状態を伝えるためにProbeというしくみが用意されています。Probeは設定されたアクションをコンテナに対して行い、その結果からKubernetesはそのコンテナの状態を判断します。設定できるアクションには**表6-1**のものがあります。

表6-1　Probeに設定できるアクション

Probeのアクション	内容
exec	任意のコマンドを実行する
httpGet	http/httpsのGetリクエストを送信する
tcpSocket	tcpコネクションを確立する

Probeはこれらのアクションを定期的に行うことで、実行されているアプリケーションの状態を伝えます。KubernetesのProbeはLiveness ProbeとReadiness Probeの2種類のProbeがあります。それぞれ異なった状態を調べるためのProbeなので用途に合わせて設定する必要があります。それぞれ見ていきましょう。

Liveness Probe

Kubernetesはコンテナが正常に起動しているかを調べるために、Liveness Probeを使用します。このProbeの結果が失敗した場合は、正常に起動していないと判断し、コンテナを再起動します。これは、たとえばアプリケーションのバグによってデッドロックしてしまいアプリケーションが正常に動作しなくなっている場合に、再起動させることで修復を試みたい場合などに有効です。

Readiness Probe

Kubernetesはコンテナの準備ができ、トラフィックを受け付ける状態になったかどうかを調べるために、Readiness Probeを使用します。KubernetesはこのProbeが成功すると、Serviceのロードバランス先にPodを加え、トラフィックを流すようになります。そのため、コンテナ起動後にすぐトラフィックを受け付けることができないアプリケーションは設定したほうが良いでしょう。

それでは、Probeの設定をMattermostに追加しましょう。Mattermostのヘルスチェックについてはドキュメント[注6]に記載されています。

そのドキュメントに記載されているヘルスチェックのエンドポイントを定期的に監視するように、mattermost-deploy.yamlを**リスト6-1**のように変更します。

リスト6-1 mattermost-deploy.yaml（Probeの設定を追加）

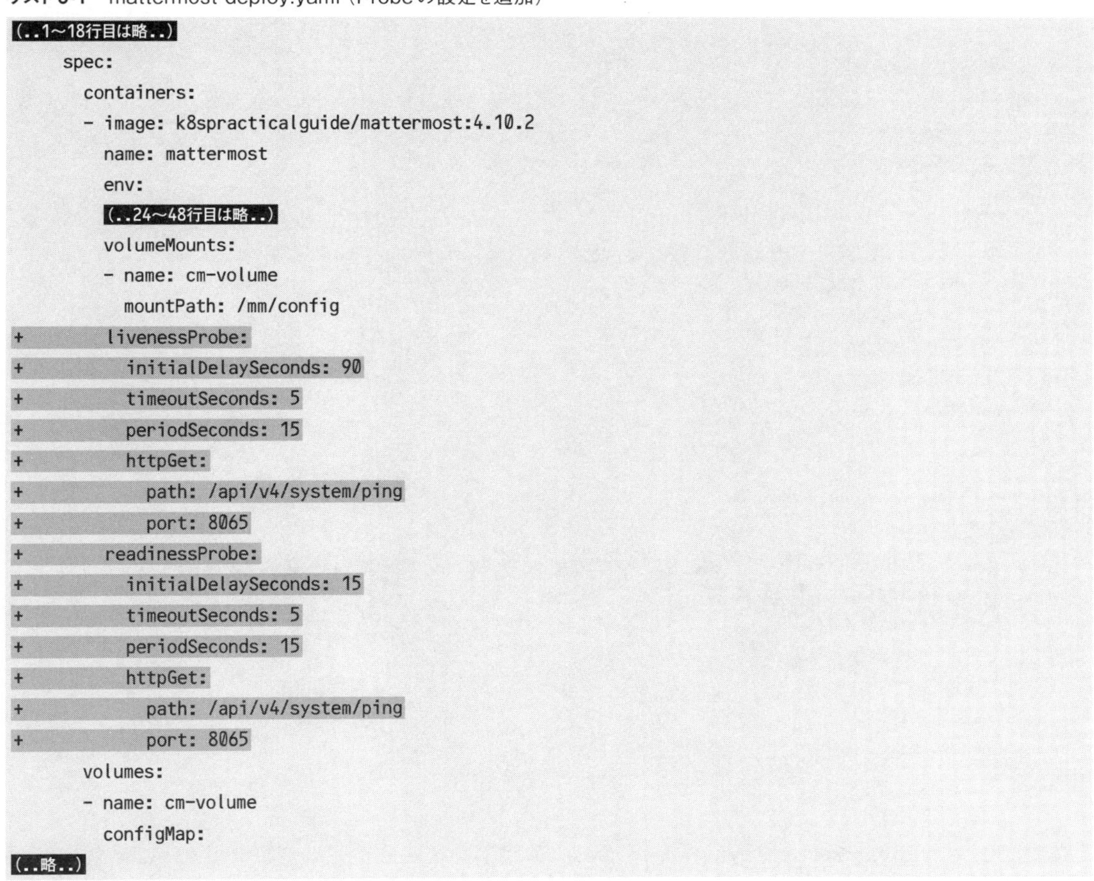

```
(..1~18行目は略..)
    spec:
      containers:
      - image: k8spracticalguide/mattermost:4.10.2
        name: mattermost
        env:
        (..24~48行目は略..)
        volumeMounts:
        - name: cm-volume
          mountPath: /mm/config
+       livenessProbe:
+         initialDelaySeconds: 90
+         timeoutSeconds: 5
+         periodSeconds: 15
+         httpGet:
+           path: /api/v4/system/ping
+           port: 8065
+       readinessProbe:
+         initialDelaySeconds: 15
+         timeoutSeconds: 5
+         periodSeconds: 15
+         httpGet:
+           path: /api/v4/system/ping
+           port: 8065
      volumes:
      - name: cm-volume
        configMap:
(..略..)
```

次に、mysql-sts.yamlにも同様に設定します（**リスト6-2**）。

注6 https://docs.mattermost.com/administration/health-check.html

リスト6-2 mysql-sts.yaml（Probeの設定を追加）

```
(..1〜28行目は略..)
      containers:
       - name: mysql
         image: k8spracticalguide/mysql:5.7.22
         envFrom:
         (..33〜43行目は略..)
         - name: backup
           mountPath: /mnt/backup
+        livenessProbe:
+          exec:
+            command:
+            - /bin/bash
+            - -ec
+            - >-
+              mysqladmin -h localhost --user=root --password=${MYSQL_ROOT_PASSWORD} ping
+          initialDelaySeconds: 5
+          periodSeconds: 30
+          timeoutSeconds: 5
+        readinessProbe:
+          exec:
+            command:
+            - /bin/bash
+            - -ec
+            - >-
+              mysql -h localhost --user=root --password=${MYSQL_ROOT_PASSWORD} -e "SELECT 1"
+          initialDelaySeconds: 5
+          periodSeconds: 30
+          timeoutSeconds: 5
       volumes:
       - name: initdb
         emptyDir: {}
(..略..)
```

MySQLはLiveness Probeで`mysqladmin ping`コマンドを使ってサーバが起動しているかを確認し、Readiness ProbeではSELECT文が実行できることを確認しています。このように、コンテナが動作していることと、トラフィックを受け付ける状態になったことを分けて伝えたい場合は、異なる設定をします。

ただし、Readiness Probeでアプリケーションの深い部分までチェックを行う設定にする場合は、注意が必要です。たとえば、MattermostでMySQLサーバに接続できている状態なら成功となるProbeをReadiness Probeに設定すると、MySQLサーバが停止したらすべてのMattermostのPodでReadiness Probeが失敗し、すべてのPodがServiceのロードバランス先から外れてしまい、Mattermostはエラーを返すこともできなくなってしまいます。アプリケーションの特性やサービスの要件に合わせて設定すると良いでしょう。

Probeに設定できる各パラメータは、**表6-2**のとおりです。

表6-2 Probeに設定できるパラメーター覧

パラメータ	説明	デフォルト値
initialDelaySeconds	Probeを開始するまで待機する秒数	なし
periodSeconds	Probeの実行間隔	10
timeoutSeconds	Probeのタイムアウト	1
successThreshold	Probeが成功したとみなす回数の閾値	1
failureThreshold	Probeが失敗したとみなす回数の閾値	3

これらのパラメータはアプリケーションに合わせて設定しましょう。この中でとくに注意するのはinitialDelaySecondsです。initialDelaySecondsは起動に時間のかかるアプリケーションなどの場合、適切に設定しないと、初期化中にLiveness Probeが失敗し続けることでコンテナが正常に起動していないと判断され、再起動を繰り返してしまいます。コンテナの起動時間を計測して適切に設定しましょう。

では、**リスト6-1**、**リスト6-2**のとおりマニフェストファイルを変更したら適用してみましょう。今回の変更でReadiness Probeが追加されたことにより、作成されるPodはアプリケーションの準備が整ってからServiceのロードバランス先に追加されるようになります。その様子を確認してみましょう。

この確認は、Serviceが内部的に利用しているEndpointsというオブジェクトを参照することで行います。Serviceは対応するEndpointsオブジェクトのsubsets.addresses.ipに含まれるアドレスにロードバランスするようになっているため、このEndpointsオブジェクトを監視することでロードバランス先の変更を確認できます。PodとEndpointsを、kubectl getコマンドの--watch（-w）オプションで監視するようにし、それらをバックグラウンドで動作させた状態でDeploymentオブジェクトを適用します。

Deploymentオブジェクトを適用すると、Readiness Probeを設定したPodに更新するためにローリングアップデートが始まります。**図6-3**にProbeを設定した場合のローリングアップデートの様子を記載しています。

図6-3 Probeを設定した場合のローリングアップデートの様子

```
バックグラウンドでPodとServiceのロードバランス先の状態を監視する
$ kubectl get pod -l app=mattermost -o wide -w &
NAME                          READY   STATUS    RESTARTS   AGE   IP            NODE       NOMINATED NODE
mattermost-8694f79577-w24qh   1/1     Running   0          18s   172.17.0.8    minikube   <none>
mattermost-8694f79577-x5q7z   1/1     Running   0          15s   172.17.0.13   minikube   <none>

$ kubectl get endpoints -l app=mattermost -w &
NAME         ENDPOINTS                             AGE
mattermost   172.17.0.13:8065,172.17.0.8:8065      21m
```

```
Probeを追加したDeploymentを適用する
$ kubectl apply -f mattermost-deploy.yaml
deployment.apps/mattermost configured

(a)新たなPodが追加される
mattermost-57d55f75f4-k8tjh  0/1    Pending              0  1s  <none>      <none>    <none>
mattermost-57d55f75f4-k8tjh  0/1    Pending              0  1s  <none>      minikube  <none>
mattermost-57d55f75f4-k8tjh  0/1    ContainerCreating    0  1s  <none>      minikube  <none>
mattermost-57d55f75f4-k8tjh  0/1    Running              0  3s  172.17.0.9  minikube  <none>

(b)新たなPodがRunningになったが、Readiness Probeが成功していないのでEndpointsにはまだ追加されない
mattermost   172.17.0.13:8065,172.17.0.8:8065   29m
mattermost-57d55f75f4-k8tjh  1/1    Running  0         20s  172.17.0.9  minikube  <none>

(c)Readiness Probeが成功してEndpointsに新たなPodが追加される
mattermost   172.17.0.13:8065,172.17.0.8:8065,172.17.0.9:8065   30m

(d)今まで動いていたPodの削除を開始する
mattermost-8694f79577-x5q7z  1/1    Terminating  0  8m  172.17.0.13  minikube  <none>

(e)次の新たなPodの作成が開始される
mattermost-57d55f75f4-l7gql  0/1    Pending  0  0s  <none>  <none>  <none>

(f)今まで動いていたPodが削除中になったので、EndpointsからそのPodが外される
mattermost   172.17.0.8:8065,172.17.0.9:8065   30m
mattermost-57d55f75f4-l7gql   0/1    Pending              0  0s  <none>       minikube  <none>
mattermost-57d55f75f4-l7gql   0/1    ContainerCreating    0  1s  <none>       minikube  <none>
mattermost-8694f79577-x5q7z   0/1    Terminating          0  8m  172.17.0.13  minikube  <none>
mattermost-57d55f75f4-l7gql   0/1    Running              0  3s  172.17.0.12  minikube  <none>
mattermost   172.17.0.8:8065,172.17.0.9:8065   30m
mattermost-8694f79577-x5q7z   0/1    Terminating          0  8m  172.17.0.13  minikube  <none>
mattermost-8694f79577-x5q7z   0/1    Terminating          0  8m  172.17.0.13  minikube  <none>
mattermost-57d55f75f4-l7gql   1/1    Running              0  18s 172.17.0.12  minikube  <none>

(g)(c)と同様に、作成されたPodのReadiness Probeが成功し、Endpointsに追加される
mattermost   172.17.0.12:8065,172.17.0.8:8065,172.17.0.9:8065   30m
mattermost-8694f79577-w24qh   1/1    Terminating  0  9m  172.17.0.8  minikube  <none>

(h)(f)と同様に動いていたPodが削除中になったためEndpointsからそのPodが外される
mattermost   172.17.0.12:8065,172.17.0.9:8065   30m
mattermost-8694f79577-w24qh   0/1    Terminating  0  9m  172.17.0.8  minikube  <none>
(..略..)

確認できたらバックグラウンドで動作させていたプロセスを停止する
$ fg
```

```
[2]  - 7261 running    kubectl get endpoints -l app=mattermost -o wide -w
Ctrl+Cで終了
^C%
$ fg
[1]  - 7203 running    kubectl get pod -l app=mattermost -o wide -w
Ctrl+Cで終了
^C%
```

図6-3の（a）で新たなPodが追加され、（b）でRunningとなります。Readiness Probeを設定する前であればここでEndpointsに追加されていましたが、Readiness Probeを設定したのでReadiness Probeが成功するまでEndpointsへの追加を待っています。（c）でReadiness Probeが成功してアプリケーションがトラフィックを受け付けられる状態になったため、Endpointsに新たなPodを追加しています。Podの追加が完了したら、（d）でPodの削除の処理を開始しています。前項のPodの終了処理で説明したように（f）で削除中となったPodはEndpointsから外され、そのPodへトラフィックが流れない状態になります。そして、レプリカが2なので、同様の処理が（e）（g）（h）で実施され、2つのPodの更新が完了します。

では、同様にMySQLにも適用します。

```
$ kubectl apply -f mysql-sts.yaml
statefulset.apps/mysql configured
```

MySQLの場合は、StatefulSetで管理されていることと、Master-Slave構成でMasterのみに接続している関係から、MattermostからMySQLへの接続に瞬断が発生します。これはStatefulSetがPodを削除して追加する更新を行うためで、今回設定したProbeとは関係ありません。この瞬断が許容できない場合は、MySQLを別の構成にするなどの対応をして1つのPodに依存しない変更が必要になるでしょう。

どのノードでも動作できるようにする

Kubernetesは、PodのセルフヒーリングやローリングアップデートのようにPodを別のノードへ任意のタイミングで移動させることがあります。Podの移動はアプリケーション開発者にとっては好ましいことではありませんが、クラスタの運用を考えるとPodの移動は避けられません。そのため、アプリケーションはいつどのノードに移動しても問題なく動作できるように、Podは一時的なオブジェクトであるという前提で考えるべきです。例外もありますが、原則次の方針に従ってPodやアプリケーションを作成すると良いでしょう。

ノードの依存度を下げる

・特定のノードにしか存在しないハードウェアやデータに依存すると、デプロイできるノードが減ってしまう

ローカルの状態（ステート）に依存しない

・ステートをローカルに保持しても良いが依存しない

・ステートに依存する場合は、PersistentVolumeや外部のサービスなどのPodの外に保持する

再現性のあるデプロイが可能になっている

・特定のタイミングでしか起動しないなどの制約を持たない

この方針はThe Twelve-Factor App[注7]の考えとも似ていて、The Twelve-Factor Appの考え方で作られたアプリケーションはKubernetesのPodにも適合しています。目を通したことがなければ一度見ておくと良いでしょう。

これらの方針に反している場合は、対応が必要になることがありますが、今回構築しているMattermost、MySQLは上記の考えに沿って作成されているため、とくに対応は必要ありません。

グレースフルに終了できるようにする

前述のとおり、Kubernetesにはアプリケーションを動作させたままアプリケーションを更新するための機能があります。しかし、更新時のダウンタイムを最小限にするには、前項で説明したKubernetesが求める終了処理に対応する必要があります。具体的には、SIGTERMシグナルまたはpreStopで行う処理を行ったあとに、猶予時間(GracePeriod)内にグレースフルに終了することが要求されます。

グレースフルに終了というのは、直訳すると穏やか(グレースフル)にプロセスを終了する方法のことで、一般的に、実行中の処理などを正常に終了させてからプロセスを終了することを指します。

逆に、グレースフルではない終了というと、強制終了のように実行中の処理などを強制的に中断してプロセスを終了する方法になります。強制的に中断して終了すると、たとえばWebアプリケーションなら、そのときに処理中のリクエストにレスポンスを返すことができず、ユーザへ影響が出てしまいます。これを回避するために、一般的なWebアプリケーションであれば、たとえば次のようにグレースフルな終了を実現します。

①SIGTERMシグナルを受け取る
②サービスのポートのリッスンを終了させる(新規のリクエストを受け付けないようにする)
③現在処理中のリクエストの処理をする
④処理中のリクエストがなくなったらプロセスを終了する

このように終了することで、アプリケーションはユーザに対してエラーを返すことなく終了できます。しかし、前項で説明したとおり、Kubernetesの場合は新規のリクエストを送られない状態にしてから終了処理を開始させることができないため、②の処理をせずに新規リクエストを受け付けられる状態を維持したまま処理中のリクエストがなくなるまで待つか、preStopフックに数秒sleepする処理を含めると良いでしょう。

Mattermostは複雑なアプリケーションなのでさまざまなコンポーネントの終了がありますが、同様の流れで

注7 https://www.12factor.net/ja/

グレースフルシャットダウンを実現しています。そのため、前述の瞬断の問題が発生する可能性があります。今回はアプリケーションの変更は避け、spec.containers.lifecycle.preStopにsleepする処理を追加します。今回のsleepする時間は5秒としますが、クラスタの規模などによってこの値は変動しますし、確実ではありません。より確実に確認したい場合は、新規リクエストを受け付けるようにしたほうが良いでしょう。では、mattermost-deploy.yamlを**リスト6-3**のように変更してください。

リスト6-3　mattermost-deploy.yaml（グレースフルシャットダウンのためpreStopの設定を行う）

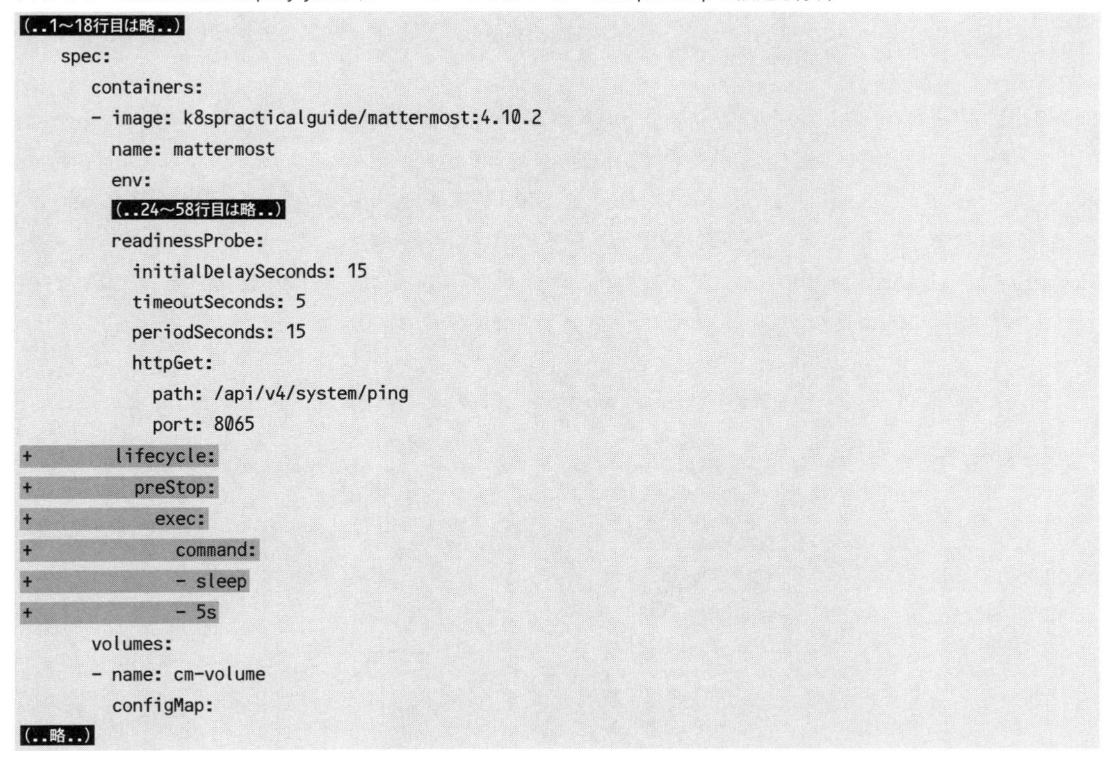

```
(..1〜18行目は略..)
    spec:
      containers:
      - image: k8spracticalguide/mattermost:4.10.2
        name: mattermost
        env:
        (..24〜58行目は略..)
        readinessProbe:
          initialDelaySeconds: 15
          timeoutSeconds: 5
          periodSeconds: 15
          httpGet:
            path: /api/v4/system/ping
            port: 8065
+         lifecycle:
+           preStop:
+             exec:
+               command:
+               - sleep
+               - 5s
      volumes:
      - name: cm-volume
        configMap:
(..略..)
```

変更したら適用しましょう。

```
$ kubectl apply -f mattermost-deploy.yaml
deployment.apps/mattermost configured
```

この変更により、コンテナを終了する前に5秒待ってから終了するようになり、ほとんどの場合にServiceのロードバランス先から外れたあとにコンテナが終了するようになります。

グレースフルに終了することはKubernetesに限った話ではありませんが、Kubernetes上で動かす場合はより重要になるので、アプリケーションを作成する場合はグレースフルに終了できるように実装すると良いでしょう。

最低起動してほしいPodの数を伝える

Kubernetesのノードは、Kubernetes自体のバージョンアップやOSのアップグレード、セキュリティ対応などさまざまな理由でノードの停止を伴うメンテナンスが必要となります。ノードの停止を伴うメンテナンスを行うには、そのノードで動作しているPodを削除する必要があります。Podを削除すると当然コンテナが停止してしまうため、クラスタ全体を停止させないようにノードを細かい単位で順番に停止してメンテナンスしていくといった方法が一般的です。

安全にノードを停止するためのコマンドとして、`kubectl drain`というコマンドがあります。このコマンドを実行すると、指定したノードをPodのスケジュール対象から外し、ノードにデプロイされているPodをほかのノードに退避させます。

このとき問題となるのが、特定のアプリケーションのPodがその停止するノードに多くデプロイされていると、アプリケーション開発者が意図していない数まで動作しているPodが減ってしまうことです。たとえば、**図6-4**のようにノードが2台あり、片方のノード（ノード1）にPodが偏っている状況で、ノード1に対して`kubectl drain`を実行します。そうするとノード1で動作しているPodは退避させられ、ノード2で起動しようとします。この退避の間はPodが起動中のため、アプリケーションは動作していません。この例だとPodは2つありますが、2つのPodの削除が重なってしまうとその間にサービス全体が停止してしまいます。

図6-4　kubectl drainでサービス停止してしまう例

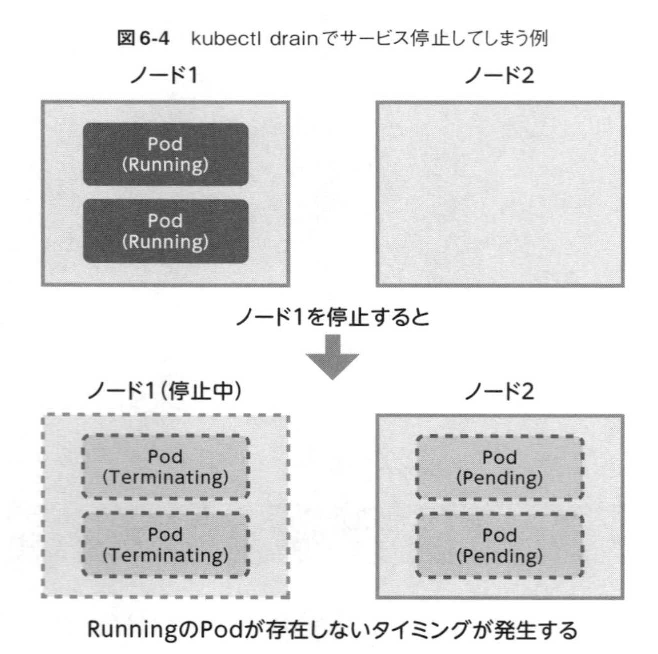

Kubernetesにはこのようなケースを避けるためにPodDisruptionBudgetというしくみが用意されています。PodDisruptionBudgetを利用することで、動作しているPodの数を保ったままノードのメンテナンスが行えます。PodDisruptionBudgetを設定した場合の動作例を**図6-5**に示します。PodDisruptionBudgetを設定すると、動作しているPodの数が指定した数以下にならないように、ノード2でPodが起動するまで待ち、動作が確認できたらノード1の残りのPodを退去します。

図6-5　PodDisruptionBudgetによってPodの数を減らさずにノードを削除する例

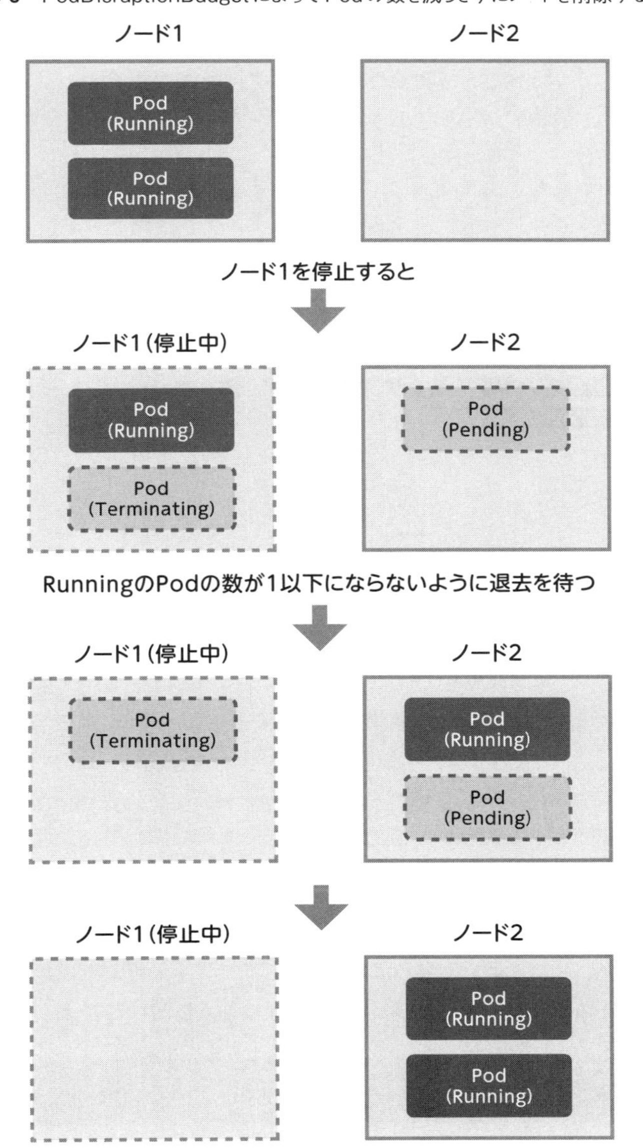

このようにPodDisruptionBudgetを設定することで、サービス全体で動作に最低限必要なPodの数を保ったままノードのメンテナンス作業を実施できます。ノードのメンテナンス作業はアプリケーション開発者が行う場合もありますが、組織によってはクラスタの管理チームがあり、そのチームのメンバー（クラスタ管理者）などのアプリケーション開発者ではない人が行うことがあります。そのような場合、クラスタにデプロイされている個々のサービスの状況を把握するのは難しいこともありますが、kubectl drainでノードを停止しPodDisruptionBudgetを設定することで、個々のサービスの状況を意識せずにノードのメンテナンスが行えるようになります。

では、Mattermostに対してPodDisruptionBudgetを設定してみましょう。PodDisruptionBudgetは、Kubernetesのオブジェクトの1つとして用意されています。今回の場合は、**リスト6-4**のようにファイル(mattermost-pdb.yaml)を作成して設定します。

リスト6-4　mattermost-pdb.yaml

```
apiVersion: policy/v1beta1
kind: PodDisruptionBudget
metadata:
  name: mattermost-pdb
spec:
   maxUnavailable: 1  …(a)動作しないことを許容する最大のPodの数または割合
   selector:  …(b)対象のPodを選択するための指定
     matchLabels:
       app: mattermost
```

（b）で指定するspec.selectorは、対象のPodを選択するための指定です。今回は第3章で作成したDeploymentのselectorと同じで良いので、同じselectorを指定します。PodDisruptionBudgetには、spec.minAvailableまたはspec.maxUnavailableを設定します。minAvailableは最低動作しておいてほしいPodの最小数または割合で、maxUnavailableは動作しないことを許容するPodの最大数または割合です。Podの個数を指定する場合は1のように数値を記載し、割合で指定したい場合は25%のように%を付けて100%以下の割合の数値を記載してください。今回は説明の都合で1つのPodのみ停止して良いこととし、（a）でspec.maxUnavailableに1を指定しています。この値はアプリケーションの可用性の要件に合わせて設定すると良いでしょう。

注意する点としてPodを1つも削除できないような指定をしてしまうと、Podの削除をブロックしてしまうことになってしまう点です。たとえば、Podが4個あるとして、minAvailableを80%にしてPodDisruptionBudgetを設定したとします。kubectl drainでそのPodが動作しているノードを停止しようとしても、Podを1つ削除すると動作しているPodの割合が3/4 = 75%となってしまうためPodDisruptionBudgetの条件を満たすまでPodの削除を待つことになり、ノードの停止をブロックしてしまいます。

このようにノードの停止をブロックしないようにするには、Podの個数に合わせて値を調整する必要があります。しかし、Podの個数は次節で説明するオートスケールなどを導入すると、動的に変更される可能性があるため都度調整するのはたいへんです。このように、Podの数を頻繁に変更する場合は、minAvailableではなく変更に強いmaxUnavailableを利用するほうが良いでしょう。maxUnavailableは0以外の割合で指定した場合の最低値は1[注8]となるため、正常にすべてのPodが動作しているケースではノードの削除がブロックされることはありません。また、StatefulSetで扱うようなアプリケーションの場合には、Podの削除を1つずつ行いたいケースがありますが、そのようなときはmaxUnavailableを1にすれば、Podの個数が変更してもPodDisruptionBudgetを変更する必要がありません。

それでは**リスト6-4**のマニフェストを適用してみましょう。ほかのマニフェストと同じようにkubectl applyで適用してください。

```
$ kubectl apply -f mattermost-pdb.yaml
poddisruptionbudget.policy/mattermost-pdb created
```

なお、適用しても前述のとおり、とくに動作に変更はありません。PodDisruptionBudgetの動作を見ることはminikubeの環境では難しいですが、複数のノードを持つクラスタであれば確認できます。具体的には、Mattermostのレプリカをノードの数以上にして1つのノードに2つ以上のPodがデプロイされている状態を作ります。そして、2つ以上のPodがデプロイされているノードにkubectl drainを行うことでPodが1つずつ移動している様子を確認できるでしょう。

負荷に応じてアプリケーションの処理能力を向上させる

急なアクセス増などによりハードウェアリソースが不足して十分なサービスが提供できない状態にならないようにするためには、負荷に応じて処理能力を向上させる必要があります。

処理能力を向上させる一般的な方法として、Podの個数を変更せずにそのPodが利用するCPUやメモリ量などを増加させるスケールアップと、Podの個数を増やすスケールアウトの2つがあります。本節ではそれぞれの方法をKubernetesでどのように実現するかを説明します。

6.2.1 スケールアップする

スケールアップはPodが利用するCPUやメモリの量などのハードウェアリソースを増やすことで実現できます。

注8　maxUnavailableを指定したときの削除できるPodの数は、小数点以下を切り上げて算出するため最低値が1になります。逆に、minAvailableのときは小数点以下を切り捨てるため0となりノードの停止をブロックすることがあります。

では、KubernetesでスケールアップするにはどうすればGood良いでしょうか。そもそもKubernetesのPodは、どのようにPodが利用するCPUやメモリ量などを決定しているのでしょうか。スケールアップする方法を説明する前に、Kubernetesがどのようにハードウェアリソースを管理しているのかを見ていきましょう。

Kubernetesのハードウェアリソース管理

KubernetesはノードにPodをスケジュールしますが、何も考えずにPodをスケジュールすると、割り当てたノードのハードウェアリソースが枯渇してアプリケーションが動作しなくなってしまうことが予想されるでしょう。そうならないために、Podには各コンテナがどのくらいのハードウェアリソースを利用するかを設定できます。Kubernetesはその設定された内容に基づいてノードのハードウェアリソースの空き状態を計算し、Podをスケジュールします。

Podに指定できるコンテナのリソースの設定は、最低限割り当てたいリソース量（Resource Request）と利用できる上限のリソース量（Resource Limit）の2種類があります。どちらも指定できるリソースの種類は同じリソースとなっていて、CPUのコア数やメモリの容量など[注9]を指定できます。それぞれ見ていきましょう。

Resource Request

Resource Requestはそのコンテナに最低限割り当てたいリソース量を指定します。指定しない場合は、そのコンテナに割り当てるリソース量が0でもかまわないという意味になるので、そのようなアプリケーションでない限りは必ず設定しましょう。設定するとスケジューラは指定したリソース量以上の空き容量があるノードにスケジュールします。このとき、スケジューラはノードのリソース量とそのノードにデプロイされているすべてのPodのRequestに指定されたリソース量の合計の差で空き容量を計算します。もし、すべてのノードに空き容量がなければ、スケジュールされず空きができるまで待機します。

なお、メモリについては、指定した値を超える量のメモリを利用したらいつでもメモリ不足のために終了されてもかまわないという状態になります。メモリというリソースはCPUと異なり、一度確保したメモリを圧縮できません。そのため、メモリ不足の場合はコンテナを終了するというアプローチをとります。このような状態を許容できないアプリケーションは、リソースリークなどが発生しないと到達しないような余裕を持った値にすると良いでしょう。

Resource Limit

Resource Limitはそのコンテナが利用できる上限のリソース量を指定します。指定しない場合は無制限に利用して良いという意味になります。CPUとメモリで挙動が異なりますので、それぞれについて説明します。

CPUは指定した値以上は利用できなくなります。ただ、一般的なアプリケーションにとっては空いている余剰CPUリソースを利用できないことは基本的にデメリットでしかないので、余剰CPUリソースを利用してほしくな

注9　Kubernetes v1.11から一時記憶領域のディスク容量も指定できるようになりました。詳細は次のURLを参照ください。https://kubernetes.io/docs/concepts/configuration/manage-compute-resources-container/#local-ephemeral-storage

いコンテナがある場合のみ利用すると良いでしょう。なお、Requestで指定したPodのリソースのほうが余剰CPUリソースより優先して確保されます。そのため、ほかのPodのRequestで指定したリソース量を確保するためにLimitを設定する必要はありません。

メモリは指定した値以上のメモリ量を利用したら、コンテナが終了する可能性があります。また、再起動可能であれば再起動します。

利用するリソース量を指定する

それでは、Mattermostに対してResource Requestを設定しましょう。今回はminikubeということもあり、リソース量が少ないため、最低限動作する値を設定します。実際に設定する場合は、実際のメトリクスを見ながら調整すると良いでしょう。Resource RequestはPodのコンテナに指定するので、mattermost-deploy.yamlを**リスト6-5**のように変更します。

リスト6-5　mattermost-deploy.yaml（コンテナに最低限割り当てたいリソース量を設定）

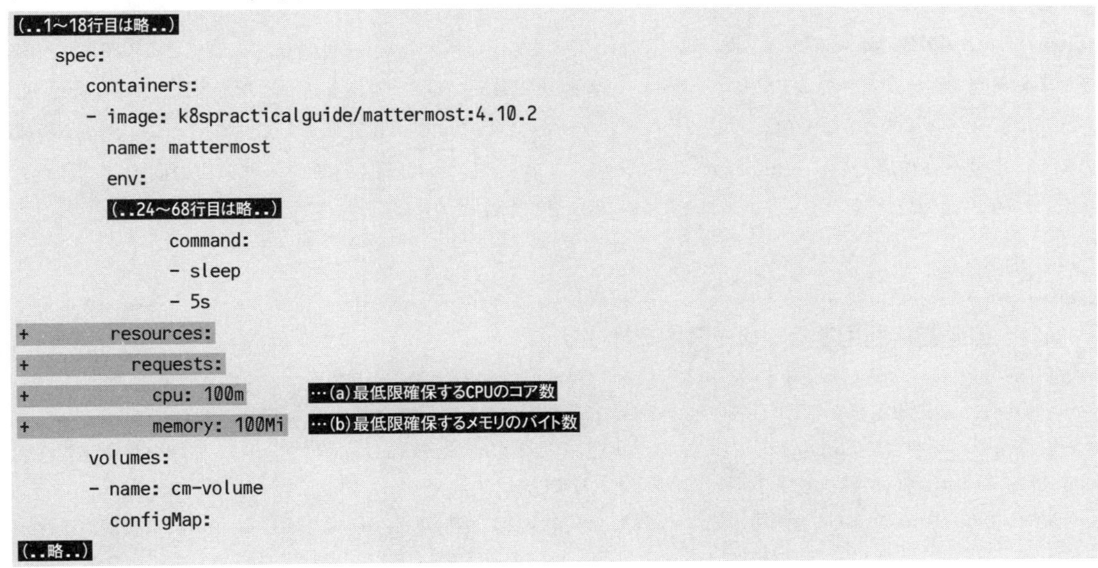

```
(..1～18行目は略..)
    spec:
      containers:
      - image: k8spracticalguide/mattermost:4.10.2
        name: mattermost
        env:
        (..24～68行目は略..)
            command:
            - sleep
            - 5s
+         resources:
+           requests:
+             cpu: 100m          …(a)最低限確保するCPUのコア数
+             memory: 100Mi      …(b)最低限確保するメモリのバイト数
      volumes:
      - name: cm-volume
        configMap:
(..略..)
```

`spec.containers.resources.requests.cpu`にはコア数を指定します。この値は`0.5`のような値も指定でき、`0.5`だと1コアの半分のリソースを要求します。また、`100m`のような指定も可能です。これは100ミリコアという意味で`0.1`と同じ意味になります。

`spec.containers.resources.requests.memory`にはメモリ容量のバイト数を指定します。数字のみによる指定も可能ですが、末尾に単位を指定することもでき、G（ギガ）やM（メガ）、やMi（メビ）[注10]などを利用す

注10　IEC 80000-13:2008で規定された二進倍量の接頭辞です。

ることもできます。たとえば、128974848、129e6、129M、123Miはすべて同じ値になります。それではマニフェストを適用してみましょう。

```
$ kubectl apply -f mattermost-deploy.yaml
deployment.apps/mattermost configured
```

適用するとRequestに指定したリソース量を考慮して、それ以上の空きリソースがあるノードにスケジュールされるようになります。minikubeのリソース量が足りない場合は、Podがスケジュールされなくなるため、ほかのリソースを削除して空きリソースを作るかRequestの値を調整してください。

利用するリソース量を増やす

ここまで、Kubernetesのハードウェアリソースを管理する方法を見てきました。では、Kubernetesでスケールアップするにはどうすれば良いでしょうか。答えは想像がつくと思いますが、先ほど指定したリソース量を増やすことがスケールアップすることになります。

Kubernetesの場合、後述するスケールアウトもアプリケーションによっては簡単に実施できるのでスケールアップを実施すべきかどうかはアプリケーションに合わせて選択すると良いでしょう。たとえば、Mattermostであれば、スケールアウトは簡単なのでスケールアウトでも良いですが、現在構築しているMaster-Slave構成のMySQLサーバの場合は、Masterサーバをスケールアップしないと書き込みの処理速度の向上は見込めません。このようにアプリケーションの特性に合わせて柔軟に対応すると良いでしょう。

自動的に利用するリソース量を増やす

COLUMN

このリソースの設定をすべてのアプリケーションに行うのはとても手間がかかり、適切に設定して利用することはたいへんです。この対処法の1つとして、現在、VerticalPodAutoscaler[注11]（VPA）の開発が進められており、Kubernetes v1.12.0でベータレベルとなりました。

VPAはそのPodのリソース使用量（メトリクス）を監視して、適切な値をResource Requestに設定する機能です。VPAを利用すれば自動的なResource Requestの設定はもちろん、自動的なスケールアップも可能になります。気になる方はVPAのリポジトリのドキュメントなどを見てみると良いでしょう。

6.2.2 スケールアウトする

次に、スケールアウトする方法を見ていきましょう。Kubernetesでスケールアウトする場合は、Podを増や

注11 https://github.com/kubernetes/autoscaler/tree/master/vertical-pod-autoscaler

すということになります。Kubernetesでは、複数のPodを管理するDeployment（ReplicaSet）やStatefulSetなどのワークロードオブジェクトを利用することで、簡単にスケールアウトできます。それでは、DeploymentによってデプロイされているMattermostのPodをスケールアウトして3つに増やしてみましょう。

Kubernetesにはスケールアウトを実施するためのコマンドとしてkubectl scaleコマンドが用意されています。今回はこれを利用します。次のように実行してみてください。

```
$ kubectl scale deployment mattermost --replicas 3
deployment.extensions "mattermost" scaled
```

スケールアウトができたか確認してみましょう。次のコマンドを実行するとPodが3つになっていることが確認できます。

```
$ kubectl get pod -l app=mattermost
NAME                          READY     STATUS    RESTARTS   AGE
mattermost-8cfd8f4db-2rcd5    1/1       Running   0          1m
mattermost-8cfd8f4db-rr4rh    1/1       Running   0          9m
mattermost-8cfd8f4db-ts48l    1/1       Running   0          10m
```

このように、Kubernetesでは非常に簡単にスケールアウトできます。

自動的にスケールアウトする

前節のように、kubectl scaleコマンドによって任意のタイミングでスケールアウトが実施できますが、予期せぬ負荷に対応するためには、その負荷に応じてスケールアウトを実施していく必要があります。Kubernetesにはそのためのしくみとして、HorizontalPodAutoscalerが用意されています。

HorizontalPodAutoscalerはDeploymentやReplicaSetのPodを自動的にスケールアウトします。どのタイミングでどのくらいPodを増やすのかといったスケールの判定には、CPUやメモリの利用率などを利用できます。利用する場合はそれらのメトリクスを収集するためのコンポーネントが必要です。標準的なCPUやメモリの利用率であればmetrics-serverという各ノードのメトリクスを収集して提供するコンポーネントが用意されています。minikubeの場合はデフォルトではデプロイされていないため、セットアップする必要があります。minikubeのaddonの中にmetrics-serverがあるので有効にしましょう。

```
$ minikube addons enable metrics-server
metrics-server was successfully enabled
```

有効にしたらmetrics-serverがデプロイされますので確認してみましょう。

```
$ kubectl get pod -n kube-system -l k8s-app=metrics-server
NAME                              READY     STATUS    RESTARTS   AGE
metrics-server-85c979995f-xqdlq   1/1       Running   0          2m
```

metrics-serverのPodがRunningになっていたら準備は完了です。では、HorizontalPodAutoscalerを使ってみましょう。HorizontalPodAutoscalerの動きを説明するために、負荷を制御できる簡単なサンプルをデプロイします。

```
$ kubectl run cpu-max --image=k8spracticalguide/busybox:1.28 --requests=cpu=50m \
  --limits=cpu=100m -- dd if=/dev/zero of=/dev/null
deployment.apps "cpu-max" created
```

busyboxコンテナイメージは、Linuxコマンドを多く含むユーティリティコンテナイメージです。今回はこのコンテナイメージを使い、ddコマンドで/dev/nullに0を出力し続けることによりCPUを100%利用するPodとして動作させています。`--requests`オプションと`--limits`オプションは前項で説明したResource RequestとLimitを設定した状態でコンテナを起動するオプションです。今回はCPUのResource Requestを50m、Limitを100mとして設定しています。

実際に利用しているCPU使用量を見てみましょう。`kubectl top pod`コマンドを利用すると、各ノードのメトリクスを集計して、その時点でのPodのリソース利用状態を表示できます。次のように実行してみてください。

```
$ kubectl top pod
NAME                           CPU(cores)   MEMORY(bytes)
cpu-max-8677c4d98c-78mpd       100m         0Mi
mattermost-8cfd8f4db-2rcd5     0m           43Mi
mattermost-8cfd8f4db-rr4rh     0m           31Mi
mattermost-8cfd8f4db-ts48l     0m           27Mi
mysql-0                        1m           86Mi
mysql-1                        1m           56Mi
```

結果を見ると、意図どおりResource Limitに設定した値までCPUを利用していることがわかります。なお、メトリクスを収集するまでに1分程度の時間がかかるため、`error: metrics not available yet`と表示された場合は、一定期間後に再度実行してください。

では、次にHorizontalPodAutoscalerオブジェクトを設定します。HorizontalPodAutoscalerはKubernetesのオブジェクトの1つであるため、マニフェストファイルを適用することで作成できます。しかし、ここでは簡易的に作成するためのコマンドである`kubectl autoscale`コマンドを利用します。

```
$ kubectl autoscale deployment cpu-max --cpu-percent=70 --min=1 --max=10
horizontalpodautoscaler.autoscaling/cpu-max autoscaled
```

--cpu-percentオプションはオートスケールの判定に利用するCPU利用率の基準値の設定です。HorizontalPodAutoscalerは、すべてのPodがこの基準値の値に近づくようにPodの数を調整します。--minオプションはPodの数の最小値、--maxオプションはPodの数の最大値の設定です。詳細はkubectl autoscale -hで確認すると良いでしょう。

コマンドを実行するとHorizontalPodAutoscalerオブジェクトが作成されています。

```
$ kubectl get horizontalpodautoscaler
NAME      REFERENCE              TARGETS    MINPODS   MAXPODS   REPLICAS   AGE
cpu-max   Deployment/cpu-max     196%/70%   1         10        1          49s
```

しばらく待つとメトリクスが収集され、オートスケールが動作します。その結果、**図6-6**のように1から3、6、10とスケールアウトされたことがわかります。

図6-6 HorizontalPodAutoscalerによりオートスケールする様子

```
$ kubectl describe hpa cpu-max
Name:                                                  cpu-max
Namespace:                                             default
Labels:                                                <none>
Annotations:                                           <none>
CreationTimestamp:                                     Wed, 03 Oct 2018 22:30:35 +0900
Reference:                                             Deployment/cpu-max
Metrics:                                               ( current / target )
  resource cpu on pods  (as a percentage of request):  199% (99m) / 70%
Min replicas:                                          1
Max replicas:                                          10
Deployment pods:                                       10 current / 10 desired
Conditions:
  Type            Status  Reason            Message
  ----            ------  ------            -------
  AbleToScale     False   BackoffBoth       the time since the previous scale is still within both ⏎
the downscale and upscale forbidden windows
  ScalingActive   True    ValidMetricFound  the HPA was able to successfully calculate a replica ⏎
count from cpu resource utilization (percentage of request)
  ScalingLimited  True    TooManyReplicas   the desired replica count is more than the maximum ⏎
replica count
Events:
  Type    Reason             Age  From                       Message
  ----    ------             ---- ----                       -------
  Normal  SuccessfulRescale  9m   horizontal-pod-autoscaler  New size: 3; reason: cpu resource ⏎
utilization (percentage of request) above target  …(a)
  Normal  SuccessfulRescale  5m   horizontal-pod-autoscaler  New size: 6; reason: cpu resource ⏎
```

```
utilization (percentage of request) above target  …(b)
  Normal   SuccessfulRescale  1m    horizontal-pod-autoscaler  New size: 10; reason: cpu resource ⏎
utilization (percentage of request) above target  …(c)
```

このようにスケールした理由を説明する前に、HorizontalPodAutoscalerのレプリカ数の算出方法を説明します。HorizontalPodAutoscalerは、指定のリソースの全体の使用割合がtargetに設定した割合（今回の例だと--cpu-percentオプションに指定した値）に近づくようにスケールします。たとえば、CPU使用率をトリガーにした場合は次の式でレプリカ数を算出します。

```
ceil (sum (PodのRequestに対する現在のCPUの利用率) / HorizontalPodAutoscalerに指定した基準値の割合)
```
注12

では、この算出方法でどのようにスケールされていったかを見てみましょう。今回の例では、Resource Requestに50mを指定し、targetは70%を指定しました。

まずレプリカ数が1のときから計算します。先ほどkubectl top podコマンドで確認したように、PodのCPU利用量はlimitに指定した100mになることから、レプリカ数は、ceil (1× (100m/50m) /0.7) = 3となります。そのため、最初のスケール（**図6-6**の (a)）ではレプリカ数が3になりました。

そのあとレプリカ数が3になったので、3の状態で再集計が行われます。レプリカ数が3のときは、ceil (3× (100m/50m) /0.7) = 9となりますが、Kubernetesでは急激なレプリカ数の増加を防ぐために、現在のレプリカ数の2倍以上は増加しないようになっています[注13]。そのため、(b) では現在のレプリカ数は3なので6になっています。

その後、レプリカ数が6の状態で再集計されてレプリカ数は18と計算されますが、maxを10としているため、(c) ではレプリカ数が10に設定されて**図6-6**のConditionsに、設定した上限へ達した旨が記載されています。

また、**図6-6**のkubectl describeの結果を見ると、レプリカの変更が3分ごと程度で行われていることがわかります。これは、頻繁にレプリカ数が上下するスラッシングという挙動を防ぐために、Kubernetesがスケールを連続して行う間隔を定めているからです。デフォルトではレプリカ数を増やすアップスケールでは3分、レプリカ数を減らすダウンスケールでは5分になっています[注14]。これを変更する場合はkube-controller-managerのオプションを変更することで調整できます。

このようにKubernetesでは指定したリソースの使用量によって自動的にスケールアウトが行えます。HorizontalPodAutoscalerの動作が確認できたら作成したオブジェクトは削除しておきましょう。

注12 ceilは整数値への切り上げを行う関数です。

注13 現在のレプリカ数が0や1の場合だけ、一度に4まで上げることは許容されています。

注14 Kubernetes v1.12.0でスケールアウト速度向上のため、アップスケールの間隔の制限が変更されました。そのため、v1.12以降では図6-6と異なり、早い間隔でスケールアウトが実施されます。

```
$ kubectl delete deploy cpu-max
deployment.extensions "cpu-max" deleted
$ kubectl delete hpa cpu-max
horizontalpodautoscaler.autoscaling "cpu-max" deleted
```

では、MattermostにHorizontalPodAutoscalerを設定しましょう。今回は、メモリ使用量に応じてスケールする設定にします。**リスト6-6**のようなHorizontalPodAutoscalerオブジェクトのマニフェストファイルを作成し、適用します。なお、kubectl autoscale[注15]コマンドでも同様のことはできますが、継続的にデプロイするアプリケーションの場合は、マニフェストファイルを使って管理したほうが良いでしょう。

リスト6-6　mattermost-hpa.yaml

```
apiVersion: autoscaling/v2beta1
kind: HorizontalPodAutoscaler
metadata:
  name: mattermost-hpa
  namespace: default
spec:
  scaleTargetRef:  …(a)スケール対象のオブジェクトの指定
    apiVersion: apps/v1
    kind: Deployment
    name: mattermost
  minReplicas: 1  …(b)最小レプリカ数
  maxReplicas: 5  …(c)最大レプリカ数
  metrics:  …(d)オートスケールの判定で利用するメトリクスの指定
  - type: Resource
    resource:
      name: memory
      targetAverageUtilization: 50
```

(a)で指定しているspec.scaleTargetRefはスケール対象のオブジェクトを指定します。今回はMattermostのDeploymentオブジェクトを対象とするので、(a)のように指定しています。(b)と(c)はスケールできる最小と最大レプリカの指定です。今回は1レプリカ以上で5レプリカ以下の間でスケールする設定としています。(d)ではオートスケールの判定で利用するメトリクスを指定します。(d)の設定を見るとわかりますが、このメトリクスは複数指定することも可能です。複数指定した場合は、先ほどCPU使用率からレプリカ数を計算したように、それぞれのメトリクスでレプリカ数を計算し、その中で最大のレプリカ数にスケールします。今回はメモリのメトリクスのみを使って判断するためmemoryを指定し、spec.metrics.resource.targetAverageUtilizationを50としています。これは全Podのメモリ使用率が50%に近づくようにスケー

注15　kubectl autoscaleコマンドは、Kubernetes v1.11.3時点ではapiVersionがautoscaling/v1のHorizontalPodAutoscalerオブジェクトを生成します。今回のマニフェストファイルの例では、v2beta1を利用しています。v1とv2beta1ではspecの仕様が大幅に変更されているので注意してください。

ルするという設定になります。

mattermost-hpa.yamlが作成できたら適用してみましょう。

```
$ kubectl apply -f mattermost-hpa.yaml
horizontalpodautoscaler.autoscaling/mattermost-hpa created
```

適用できたらメトリクスやスケール状況を確認してみましょう。

```
$ kubectl top pod
NAME                          CPU(cores)   MEMORY(bytes)
mattermost-8cfd8f4db-rr4rh    1m           27Mi
mattermost-8cfd8f4db-ts48l    0m           24Mi
mysql-0                       2m           76Mi
mysql-1                       2m           45Mi
$ kubectl get hpa
NAME             REFERENCE               TARGETS   MINPODS   MAXPODS   REPLICAS   AGE
mattermost-hpa   Deployment/mattermost   26%/50%   1         5         2          3m
```

筆者の試した環境ではMattermostのメモリが25Mi程度利用していたため、6.2.1項でレプリカ数3になっていたところからレプリカ数2にダウンスケールされました。高負荷によってMattermostのメモリ使用量がどのように増えるかは、計測してみないとわかりません。今回は説明のためにメモリを対象としましたが、アプリケーションに合わせてメトリクスを選ぶと良いでしょう。

カスタムメトリクスによるスケール

COLUMN

今回の例ではCPUとメモリのメトリクスに対してスケールさせましたが、秒間リクエスト数などの単純なリソースではないメトリクスでスケールさせたいアプリケーションもあるでしょう。そういったアプリケーションのために、Kubernetesではカスタムメトリクスによるスケールも行える機能があります。

カスタムメトリクスを対象にするには、カスタムメトリクスの収集の設定が必要となります。詳しくはKubernetesのドキュメント[注16]を参照してみてください。

クラスタのオートスケール

ここまでの設定でPodのオートスケールは実施できましたが、Podのオートスケールを実施してもノードのリソース不足になり、スケジュールされなくなってしまえば意味がありません。負荷に応じてスケールするために

注16 https://kubernetes.io/docs/tasks/run-application/horizontal-pod-autoscale/#support-for-custom-metrics

は、クラスタのオートスケールも必要になってきます。Kubernetesはクラスタのオートスケールを行うためのツールとしてCluster Autoscaler[注17]を用意しています。このCluster Autoscalerはクラウドプロバイダが提供する環境向けのツールとなっており、現在は次の環境でサポートされています。

・Google Compute Engine (GCE)[注18]
・Google Kubernetes Engine (GKE)[注19]
・Amazon Web Services (AWS)[注20]
・Microsoft Azure[注21]

これらの環境でクラスタを動作させているのであれば、利用すると良いでしょう。

6.3 まとめ

この章では、Kubernetesで動作させるアプリケーションを安定して運用するための方法として、Podの動作を安定させるしくみと負荷に応じて処理能力を向上させるしくみを説明しました。Kubernetesには、アプリケーションを安定して運用するためのさまざまなしくみが用意されていますが、それらのしくみを理解して正しく設定しないと安定した運用は実現できません。Kubernetesを使って本番環境でアプリケーションを運用する場合は、今回説明した設定を正しく行って運用するようにしましょう。

注17 https://github.com/kubernetes/autoscaler/tree/master/cluster-autoscaler
注18 https://kubernetes.io/docs/concepts/cluster-administration/cluster-management/
注19 https://cloud.google.com/container-engine/docs/cluster-autoscaler
注20 https://github.com/kubernetes/autoscaler/blob/master/cluster-autoscaler/cloudprovider/aws/README.md
注21 https://github.com/kubernetes/autoscaler/blob/master/cluster-autoscaler/cloudprovider/azure/README.md

アプリケーションのセキュリティを強化する

本章ではクラスタにデプロイしたアプリケーションのセキュリティを強化する方法について説明します。

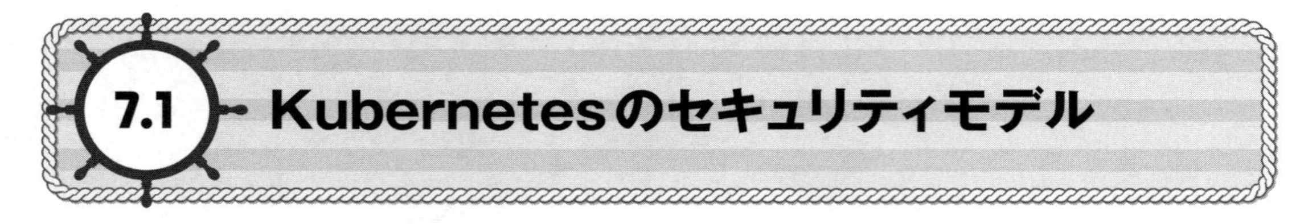

7.1 Kubernetesのセキュリティモデル

クラスタのセキュリティは大きく2つの脅威モデルに分けることができます（**図7-1**）。

1つはクラスタそのもののセキュリティです。これはクラスタを構成する各コンポーネントや、クラスタを動作させているノード、ネットワーク構成などに由来する脅威です。もう1つはクラスタにデプロイしているアプリケーション自体のセキュリティです。これはコンテナイメージ自体に脆弱性がある場合の脅威です。

図7-1　Kubernetesの脅威モデル

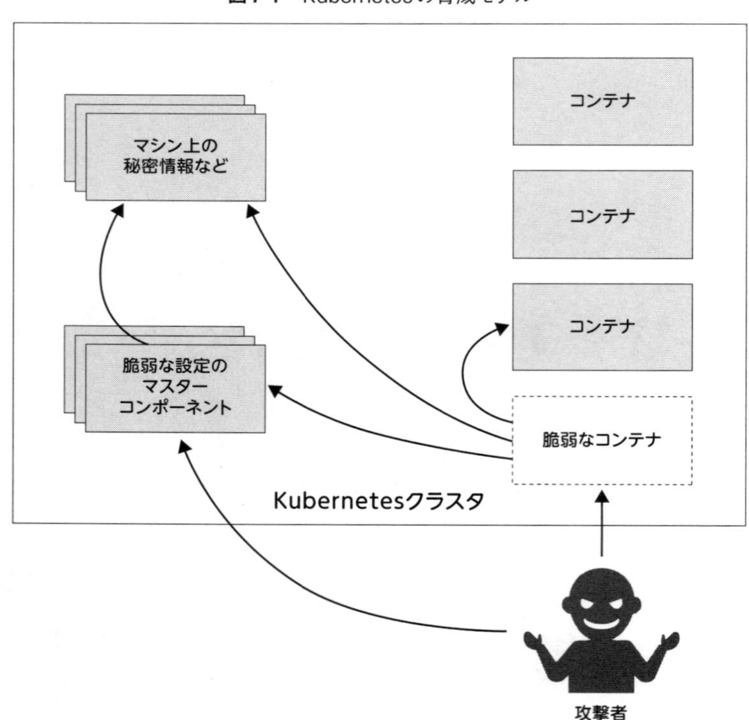

7.1.1　クラスタそのもののセキュリティ

クラスタはさまざまなコンポーネントが連携して動作しています。それらのコンポーネントの設定を間違えたり、コンポーネント自体に脆弱性があったりするとクラスタ全体がセキュリティリスクにさらされてしまいます。また、Kubernetesを動作させているノードのOSやミドルウェアなどについても同様です。

このようなセキュリティリスクは、クラスタをどのように構築しているかということと深く関わりがあります。第2章で説明したようにクラスタの構築にはさまざまな方法があります。マネージドKubernetesサービスを利用して構築している場合、クラスタそのもののセキュリティに関してはマネージドKubernetesサービスが対応し、利用者が気にすべき点はリリースノートなどでアナウンスされるはずです。

マネージドKubernetesサービスを利用せずにクラスタを構築している場合は、そのようなアナウンスはないため十分に注意する必要があります。

Kubernetesに限ったことではないですが、ソフトウェアのセキュリティについては最新版を使うことが有効な対策になります。Kubernetesは日々、改良やバグフィックスが行われています。Kubernetesのマイナーバージョンはおよそ3ヵ月ごとにリリースされ、最新を含む3つのマイナーバージョンがサポート対象となっています。たとえば、v1.3がリリースされたタイミングでは、サポート対象のバージョンはv1.1、v1.2、v1.3の3つということです[注1]。サポート対象のバージョンに対しては、バグフィックスがパッチバージョンとしてリリースされていきます。たとえば、v1.1についてはv1.1.0から始まりv1.1.1、v1.1.2という具合です。

クラスタを古いバージョンで動作させ続けることは、最新の機能が使えないという不便さがあるだけではなく、バグによりクラスタ上で動作するサービスが停止してしまったり、セキュリティリスクにさらされたりするリスクを増やすことになります。さらに、前述のサポートから外れるバージョンを使用している場合は、バグフィックスが提供されなくなってしまいます。そのため、適切なタイミングでクラスタをバージョンアップする必要があります。KubernetesのGitHubリポジトリ[注2]には各バージョンの変更履歴がありますので、常にチェックしておきましょう。

7.1.2 アプリケーション自体のセキュリティ

アプリケーション自体に脆弱性がある場合、そのコンテナが意図しない挙動をしたり、場合によっては悪意のあるユーザに乗っ取られたりする可能性もあります。さらに、悪いことにクラスタにデプロイされているほかのコンテナに攻撃される可能性も十分にあります。

また、攻撃者にKubernetesのAPIへの不正なアクセスを許してしまった場合、意図しないコンテナをデプロイすることができてしまいます。典型的な事例として、ビットコインをマイニングするソフトウェアを注入するCryptojacking[注3]という攻撃があります。

これらの脅威からクラスタを守るために、コンテナイメージのセキュリティを強化する方法を以降の節で説明していきます。

注1　https://github.com/kubernetes/community/blob/master/contributors/design-proposals/release/versioning.md#supported-releases-and-component-skew

注2　https://github.com/kubernetes/kubernetes

注3　https://wired.jp/2018/02/25/cryptojacking-tesla/

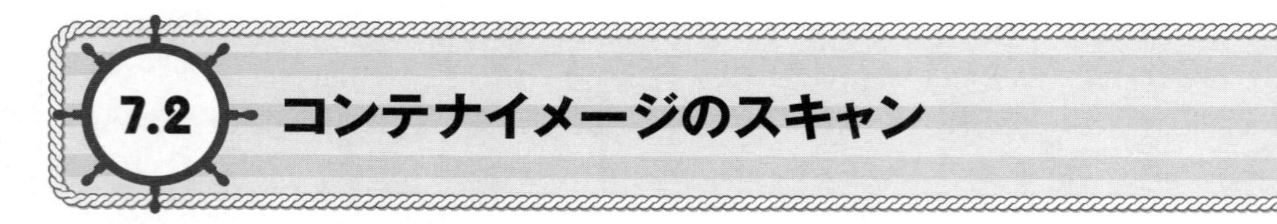

7.2 コンテナイメージのスキャン

コンテナイメージに脆弱性があるかどうかを調べる方法として、コンテナイメージのスキャンがあります。いわゆるウイルススキャンのように、既知の脆弱性がないかを調査するためのソフトウェアを用いることで調査できます。

Docker Hubでは公式のコンテナイメージに関しては脆弱性スキャンを実行し、その結果を見ることができます。たとえば、Ubuntuのコンテナイメージに関してはDocker Hubにログインした状態で「https://hub.docker.com/r/library/ubuntu/tags/」を見ることで脆弱性を確認できます（**図7-2**）。

しかし、2018年7月現在、たいていのOSのコンテナイメージには脆弱性が含まれています。脆弱性がないことに越したことはありませんが、含まれているものに関しても影響度を加味して適切なコンテナイメージを選ぶ必要があります。

図7-2　Docker Hubでのコンテナイメージのスキャン結果

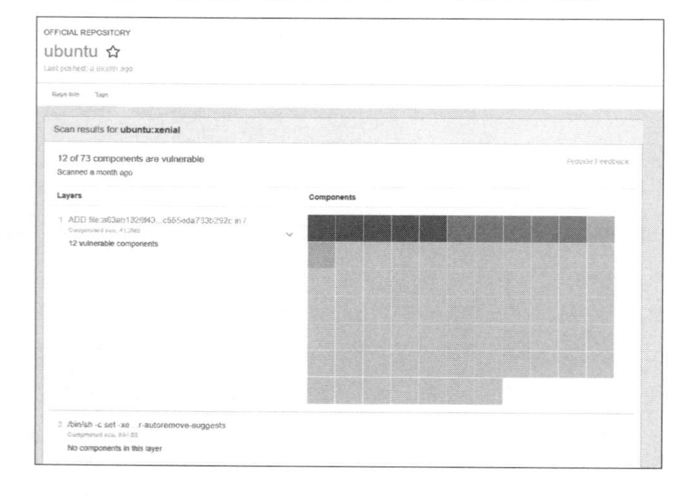

コンテナイメージに含まれるソフトウェアが多ければ多いほど、脆弱性が存在する可能性は大きくなります。そのため、不要なアプリケーションを含まないようなコンテナを使うことが、コンテナのセキュリティを強化することにつながります。

シングルバイナリで動作するGo言語で開発したアプリケーションなどの場合は、scratchイメージ[注4]をベースにすることで、ほかのソフトウェアを含まないコンテナイメージを作ることができます。

注4　Dockerfileで`FROM scratch`と記述することで、何もベースイメージを持たない軽量なコンテナイメージを作ることができます。

また、前述のスキャナも万能ではありません。未知の脆弱性や独自に開発したソフトウェアの脆弱性などはチェックできないため、後述するKubernetesのセキュリティを強化する機能を利用したり、脆弱性検査ツールを利用したりして、脆弱性がないかを多面的にチェックしましょう。

オフィシャルではないコンテナイメージに関しても脆弱性を調査するには、手元で動作するコンテナイメージスキャンツールを使います。オープンソースのClair[注5]などが利用できます。

7.3 Podのセキュリティを強化する

コンテナイメージに脆弱性がある場合、前述のスキャンでその存在を知る以外にも対応策はあります。Kubernetesには、各コンテナに与える権限を細かく設定できるSecurityContextという機能があります。この機能を活用することで、仮に脆弱性があるコンテナでもその影響を小さくできます。

7.3.1 コンテナ内でプロセスを実行するユーザを設定する

SecurityContextはPod全体、またはコンテナごとに権限を設定できる機能です。制限できる権限は多岐に渡るため順番に説明していきます。

まず、コンテナ内でプロセスを実行するユーザを設定する機能です。コンテナ内で動作するプロセスを実行するユーザは、何も指定しない場合はコンテナイメージごとに定義されているユーザとなります。しかし中には、その必要がないのにrootユーザで動作するように設定されたコンテナイメージも存在します。そのようなコンテナに脆弱性があった場合、攻撃者はコンテナのroot権限を得ることができてしまいます。コンテナのroot権限が奪われた場合、そのコンテナ内にある秘密情報を奪われたり、そのコンテナからアクセスできるほかのコンテナへさらに侵入されたりするなどの懸念があります。また、コンテナランタイム自体に脆弱性があった場合は、ホストのroot権限も奪われる可能性があります。

このようなセキュリティリスクを軽減するために、不要なroot権限を持つコンテナを動作させる際には`Pod.spec.securityContext.runAsUser`を用いてコンテナ内でプロセスを実行するユーザを設定できます。また、`Pod.spec.securityContext.fsGroup`を指定することで、ファイル作成時のグループを強制することもできます。さらに、コンテナそれぞれに指定する`Pod.spec.containers.securityContext.allowPrivilegeEscalation`でコンテナ内のユーザが権限昇格できるかどうかを指定できます。

これまで説明してきたMattermostのコンテナも、rootユーザで動作している状態であるため、一般ユーザ(UID：1000)で起動するように強制してみます。

注5　https://github.com/coreos/clair

また、第3章で説明したコンテナイメージにはpsコマンドが入っていないため、Mattermostをどのユーザが実行しているかを簡単に知ることができません。そのため、Dockerfileを編集してpsコマンドを含むprocpsパッケージをインストールするように変更します（**リスト7-1**）。

リスト7-1　Dockerfile（procpsパッケージのインストールを追加）

```
  FROM k8spracticalguide/debian:9-slim AS downloader
  ARG MM_VERSION=4.10.2
  ADD mm_entrypoint.sh .
  ADD https://releases.mattermost.com/$MM_VERSION/mattermost-team-$MM_VERSION-linux-amd64.tar.gz .
  RUN tar -zxvf ./mattermost-team-$MM_VERSION-linux-amd64.tar.gz

  FROM k8spracticalguide/debian:9-slim
  WORKDIR /mm
  COPY --from=downloader /mattermost /mm_entrypoint.sh ./
+ RUN apt-get update && apt-get install -y procps
  RUN chmod +x mm_entrypoint.sh
  ENTRYPOINT /mm/mm_entrypoint.sh
```

Dockerfileを変更後、第3章で説明したようにビルドし、Docker Hubにpushします。コンテナイメージのタグは`4.10.2-procps`としておきます。

```
$ cd image
$ docker build -t k8spracticalguide/mattermost:4.10.2-procps .
(..略..)
$ docker push k8spracticalguide/mattermost:4.10.2-procps
(..略..)
```

mattermost-deploy.yamlに定義されているイメージのタグを先ほどpushしたものに変更します（**リスト7-2**）。また、ユーザの権限に関する定義を追加します。さらに、先ほど説明した`SecurityContext`の`allowPrivilegeEscalation`も設定しておきます。

リスト7-2　mattermost-deploy.yaml（タグの変更とユーザ権限の定義の追加）

```
(..1〜18行目は略..)
     spec:
+      securityContext:
+        runAsUser: 1000   …(a)ユーザの強制変更
+        fsGroup: 1000
       containers:
-      - image: k8spracticalguide/mattermost:4.10.2
+      - image: k8spracticalguide/mattermost:4.10.2-procps   …(b)イメージのタグを変更
         name: mattermost
```

```
+         securityContext:
+           allowPrivilegeEscalation: false   …(c)権限昇格を禁止する
          env:
(..略..)
```

変更したマニフェストを適用します。

```
$ kubectl apply -f mattermost-deploy.yaml
deployment.apps/mattermost configured
```

では、実際に意図したユーザで動作しているかを確認してみます。まずは、Podの名前を確認します（MattermostのPodがローリングアップデートをするまで待ってください）。

```
$ kubectl get pods
NAME                          READY     STATUS              RESTARTS   AGE
mattermost-fdc84549-n5pg2            1/1       Running             0          2m
mattermost-fdc84549-rnnrv            1/1       Running             0          3m
mysql-0                              1/1       Running             1          41m
mysql-1                              1/1       Running             1          33m
```

その後、psコマンドで実行しているユーザを確認します。

```
$ kubectl exec mattermost-fdc84549-n5pg2 ps aux
USER  PID %CPU %MEM    VSZ   RSS TTY  STAT START  TIME COMMAND
1000    1  0.0  0.0   4292   480 ?    Ss   11:59  0:00 /bin/sh -c /mm/mm_entrypoint.sh
1000    6  0.7  1.7 373776 36280 ?    Sl   11:59  0:01 ./bin/platform --config=config/config.json
1000   18  0.0  0.1  36640  2652 ?    Rs   12:03  0:00 ps aux
```

意図どおり、runAsUserで指定したUIDで実行されていることが確認できました。

ここでは既存のMattermostのコンテナイメージをそのままにしてrunAsUserで実行時のユーザを変更しましたが、イメージ自体を変更して、そもそもrootで動作しないように作るほうが良いです。どうしても既存のイメージに変更が加えられないときに今回のようなテクニックを使うようにしましょう。

次の項では、コンテナイメージを変更する方法を説明します。

7.3.2 一般ユーザで動作するようにコンテナイメージを変更する

コンテナイメージを変更して、一般ユーザで動作するようにしてみましょう（**リスト7-3**）。

USERコマンドは、ユーザ名またはUIDを引数にとり、それ以降のRUN、CMD、ENTRYPOINTコマンドを実行するユーザを変更します。このコマンドを実行しない場合は、デフォルトの挙動としてrootユーザで実行されます。

リスト7-3 Dockerfile（USERコマンドなどを追加）

```
  FROM k8spracticalguide/debian:9-slim AS downloader
  ARG MM_VERSION=4.10.2
  ADD mm_entrypoint.sh .
  ADD https://releases.mattermost.com/$MM_VERSION/mattermost-team-$MM_VERSION-linux-amd64.tar.gz .
  RUN tar -zxvf ./mattermost-team-$MM_VERSION-linux-amd64.tar.gz

  FROM k8spracticalguide/debian:9-slim
  WORKDIR /mm
  COPY --from=downloader /mattermost /mm_entrypoint.sh ./
  RUN apt-get update && apt-get install -y procps
- RUN chmod +x mm_entrypoint.sh
+ RUN chmod +x mm_entrypoint.sh \
+   && groupadd -g 2000 mattermost \
+   && useradd -u 1000 -g mattermost mattermost \
+   && chown -R mattermost:mattermost ./
+ USER mattermost
  ENTRYPOINT /mm/mm_entrypoint.sh
```

Dockerfileをビルドし、コンテナレジストリにアップロードします。ここでは、タグを変更して4.10.2-non-rootとします。

```
$ docker build -t k8spracticalguide/mattermost:4.10.2-non-root .
$ docker push k8spracticalguide/mattermost:4.10.2-non-root
```

Deploymentのマニフェストを変更して、新しいイメージを使うように変更します（**リスト7-4**）。

リスト7-4 mattermost-deploy.yaml（再度イメージのタグを変更）

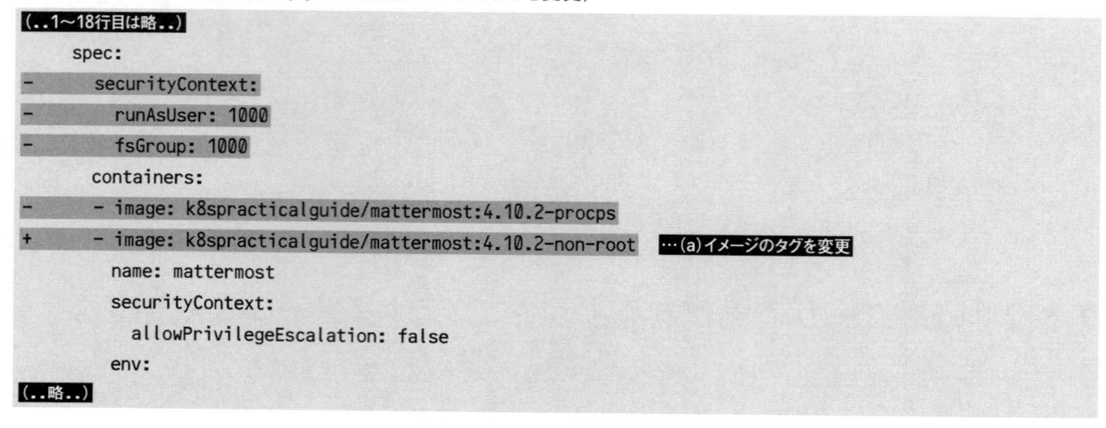

```
(..1〜18行目は略..)
      spec:
-       securityContext:
-         runAsUser: 1000
-         fsGroup: 1000
        containers:
-       - image: k8spracticalguide/mattermost:4.10.2-procps
+       - image: k8spracticalguide/mattermost:4.10.2-non-root    …(a)イメージのタグを変更
          name: mattermost
          securityContext:
            allowPrivilegeEscalation: false
          env:
(..略..)
```

変更したマニフェストを適用します。

```
$ kubectl apply -f mattermost-deploy.yaml
deployment.apps/mattermost configured
```

ここで再び、実際に意図したユーザで動作しているかを確認してみます。

```
$ kubectl get pods
NAME                          READY     STATUS             RESTARTS   AGE
mattermost-69bf758db4-4vzkk           1/1       Running            0          1m
mattermost-69bf758db4-q9srn           1/1       Running            0          1m
mysql-0                               1/1       Running            1          52m
mysql-1                               1/1       Running            1          45m

$  kubectl exec mattermost-69bf758db4-4vzkk ps aux
USER       PID %CPU %MEM    VSZ   RSS TTY   STAT START   TIME COMMAND
matterm+     1  0.0  0.0   4292   428 ?     Ss   12:12   0:00 /bin/sh -c /mm/mm_entrypoint.sh
matterm+     6  1.8  2.4 436080 49532 ?     Sl   12:12   0:01 ./bin/platform --config=config/config.json
matterm+    34  0.0  0.1  36640  2636 ?     Rs   12:14   0:00 ps aux
```

これで、Kubernetesで強制せずに一般ユーザでコンテナを実行できるようになりました。

7.3.3 OSのセキュリティ機構を利用して権限を制限する

Kubernetesには、OSのセキュリティ機構を利用してコンテナの動作に制限を加える機能もあります。Kubernetes v1.11の時点で、Linux Capabilities、SELinux、AppArmor、Seccompを利用できます。このようなしくみを使って、そのコンテナが動作するために必要な権限だけに制限することで、コンテナが攻撃を受けた際の影響を小さくできます。

ここではSeccompを使う例を示します。SeccompはLinuxカーネルの機能で、利用できるシステムコールを制限することでプロセスを隔離する機能です。Seccompはプロファイルという単位で、利用できるシステムコールを管理しています。適切なSeccompのプロファイルを適用することで、アプリケーションをより安全に運用できます。

KubernetesではデフォルトでコンテナはSeccompが適用されない設定になっています。プロファイルに`runtime/default`を指定することで、コンテナランタイムが標準で提供しているデフォルトのプロファイル[注6]を適用できます。本書で利用しているminikubeにより構築したクラスタのコンテナランタイムはDockerなので、Dockerのデフォルトのプロファイルが適用されます。

これまで扱ってきたMattermostにも、この設定を入れてみます(**リスト7-5**)。Seccompの指定はPodのAnnotationとして記述します。

注6　https://docs.docker.com/engine/security/seccomp/#significant-syscalls-blocked-by-the-default-profile

リスト7-5　mattermost-deploy.yaml（Seccompの指定を追加）

```
(..1〜13行目は略..)
  template:
    metadata:
      creationTimestamp: null
      labels:
        app: mattermost
+     annotations:
+       seccomp.security.alpha.kubernetes.io/pod: "runtime/default"   …(a)Seccompのポリシーを指定
    spec:
      containers:
      - image: k8spracticalguide/mattermost:4.10.2-non-root
        name: mattermost
        securityContext:
          allowPrivilegeEscalation: false
(..略..)
```

キー名はseccomp.security.alpha.kubernetes.io/podですが、alphaと付いているとおり、これはまだアルファ版の機能です。今後のアップデートで非互換の変更が発生する可能性があります。

変更したマニフェストを適用します。

```
$ kubectl apply -f mattermost-deploy.yaml
deployment.apps/mattermost configured
```

これでPodがローリングアップデートされ、Seccompのポリシーが適用されるようになりました。

7.4 ネットワークのセキュリティを強化する

あるコンテナが攻撃者に乗っ取られてしまった場合、クラスタにデプロイされたほかのコンテナにまで被害が拡大することを防ぐために、あらかじめ通信できるコンテナを制限しておくことは有効な対策です。KubernetesにはNetworkPolicyというPod間の通信を制限する機能が備わっています。

7.4.1 minikubeでNetworkPolicyを利用できるようにする

NetworkPolicyの機能は、Kubernetesのネットワークプラグインの機能として実装されています。しかし、第2章で説明したminikubeで構築したクラスタには、ネットワークプラグインが入っていません。この節を進めるにあたって、minikubeにNetworkPolicyをサポートしたネットワークプラグインを導入します。

まず、ネットワークプラグインの設定を有効にしてクラスタを構築します。ここでは、いくつかあるネットワークプラグインの設定のうちCNI(Container Network Interface)注7を利用する設定にしています。ネットワークプラグインを導入するために、minikube deleteを実施するため、今までクラスタにデプロイしていたマニフェストはなかったことになり、MySQLに保存されているデータも消えてしまうことに注意してください。

```
一度動作しているクラスタを削除する
$ minikube delete
(..略..)

設定を変更して再度クラスタを起動する
$ minikube start --extra-config=kubelet.network-plugin=cni --kubernetes-version=v1.11.3
(..略..)
```

次に、ネットワークプラグインをデプロイします。ネットワークプラグインはさまざまな種類がありますが、今回はNetworkPolicyをサポートしているWeave Netを利用します。

```
$ kubectl apply \
  -f "https://cloud.weave.works/k8s/net?k8s-version=$(kubectl version | base64 | tr -d '\n')"
```

これでNetworkPolicyが利用できるようになりました。

minikube deleteを実行しクラスタが削除されたため、今まで適用したマニフェストを再度適用する必要があります。

```
$ kubectl apply -f 7.3.3/manifests/mattermost/
```

7.4.2 Mattermostのネットワーク構成のおさらい

NetworkPolicyを作成する前に、これまで作成してきたMattermostのネットワーク構成をおさらいします。

Mattermostのアプリケーションを構成するのは、Mattermost自体のPodとMySQLのPodです。また、クラスタの外部からアクセスするために、minikubeのaddonであるnginx-ingress-controllerを利用しています。さらに、サービスディスカバリのためにクラスタDNSを利用しています。ここではCoreDNSです。

注7 CNIはネットワークプラグインの共通仕様です。この仕様を満たすネットワークプラグインはKubernetes以外からでも利用できます。

minikubeのnginx-ingress-controllerは、クラスタの外部からアクセスできるようにPodのspec.containers.ports.hostPortを設定しています。ここに値を設定すると、そのコンテナが動作するノードのポートとコンテナの該当するポートが結び付けられ、minikubeのIP:指定したポートで、クラスタの外部からアクセスできるようになります。ここまでのネットワーク構成をまとめると、**図7-3**のようになります。

図7-3 Mattermostのネットワーク構成

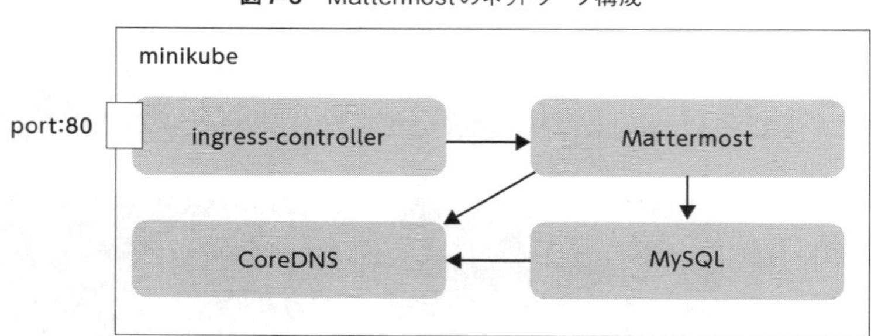

Mattermost自体のPodはデータを取得・更新するためにMySQLのPodと通信します。通信の際には、ホスト名をIPアドレスに変換するためにCoreDNSとも通信します。また、nginx-ingress-controllerは外部から来た通信で、HostヘッダがIngressオブジェクトで指定しているchat.minikubeのIP.nip.ioである場合に、Mattermost自体のPodに通信し、Mattermostのページを取得します。

図7-3の矢印はリクエストの方向を示しており、実際の通信としてはリクエストとレスポンスがあるため双方向に通信が行われます。

以降の節で、上記の通信のみを許可するポリシーを作成します。

2018年9月現在、minikubeでCNIを有効にした場合、PodのhostPortがうまく機能しません。そのため上記で説明したnginx-ingress-controllerを外部から利用できるようにする方法がそのまま利用できません。

そのため本書では、kubectl port-forwardを使ってnginx-ingress-controllerにアクセスできるようにします。

kubectl port-forwardは、指定したPodのポートをいまkubectlを実行しているPCのポートにひもづけるコマンドです。実行するとkubectlがフォアグラウンドで動作し、その間はローカルホストの指定したポートにアクセスすることで、Kubernetes上で動作するそのPodにアクセスできます。外部に公開していないPodの動作を確かめる際に有効なコマンドです。

このコマンドはさまざまな引数に対応しています

```
kubectl port-forward [TYPE/]NAME [LOCAL_PORT:]REMOTE_PORT[...[LOCAL_PORT_N:]REMOTE_PORT_N]
```

TYPEにはpodやdeploymentなどKubernetesのリソースの種類を指定します。このTYPEは省略でき、その場合はPodと解釈されます。NAMEにはそのオブジェクトの名前を指定します。続くポートの指定で、Podのどのポートを、kubectlを実行しているPCのどのポートとひもづけるかを指定します。LOCAL_PORTを省略した場合は、REMOTE_PORTと同じと解釈されます。

実際にnginx-ingress-controllerに対してkubectl port-forwardを実行していきます。まず、nginx-ingress-controllerのDeploymentを確認します

```
$ kubectl get deployment -n kube-system
NAME                       DESIRED   CURRENT   UP-TO-DATE   AVAILABLE   AGE
coredns                    2         2         2            2           1h
default-http-backend       1         1         1            1           1h
kubernetes-dashboard       1         1         1            1           1h
nginx-ingress-controller   1         1         1            1           1h
```

そして、上記で確認したDeploymentにkubectl port-forwardを実行します。

```
$ kubectl port-forward -n kube-system deployment/nginx-ingress-controller 80
Forwarding from 127.0.0.1:80 -> 80
Forwarding from [::1]:80 -> 80
```

これで、kubectlを実行したPCの80番ポートが、nginx-ingress-controllerの80番ポートとひもづきました。これ以降もこのポートフォワードは継続したいので、この端末はこのままにして、別の端末で以降の作業を行います（ほかのコマンドと同様に、Ctrl - C でプロセスを止めることでkubectl port-forwardを中断できます）。

さらに、Mattermost用に用意したIngressオブジェクトにも修正が必要です（**リスト7-6**）。今までminikubeのVMのIPアドレスを指定していましたが、kubectl port-forward経由でアクセスする場合は変更する必要があります。ここまでの作業で、kubectlを実行したノード、つまり127.0.0.1にアクセスすることでnginx-ingress-controllerにアクセスできるようになっているため、127.0.0.1に変更します。

リスト7-6　mattermost-ingress.yaml（IPアドレスを変更）

```
 apiVersion: extensions/v1beta1
 kind: Ingress
 metadata:
   name: mattermost
 spec:
   rules:
-  - host: chat.VMのIPアドレス.nip.io
+  - host: chat.127.0.0.1.nip.io
```

```
      http:
        paths:
        - backend:
            serviceName: mattermost
            servicePort: 8065
```

このマニフェストをデプロイします。

```
$ kubectl apply -f  mattermost-ingress.yaml
ingress.extensions/mattermost configured
```

その後、ブラウザのURLに「http://chat.127.0.0.1.nip.io」を指定することで、minikubeの中にデプロイしたMattermostにアクセスできるようになります。

7.4.3　NetworkPolicyの作成

NetworkPolicyを利用できる環境は整いました。この状態でNetworkPolicyオブジェクトを作成することで、指定したPodの通信を制限します。

NetworkPolicyは特定のLabelを持つPodに対してingressとegressという2つのルールを設定するものです（**図7-4**）。第3章でKubernetesのリソースとしてIngressオブジェクトを説明しましたが、ここでいうingressとは別のものです。

ingressはそのPodに入ってくる通信を許可するルールです。egressはそのPodから出ていく通信を許可するルールです。

図7-4　NetworkPolicyの概要

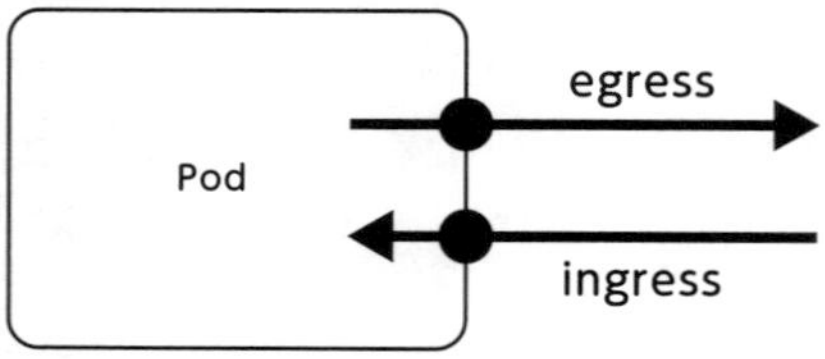

許可の方法にはIPアドレスの範囲を指定するipBlock、同一Namespace内の特定のLabelを含むPodを指定するpodSelector、特定のLabelを含むNamespaceを指定するnamespaceSelectorがあります。podSelectorとnamespaceSelectorの両方を指定することで、特定Namespaceの特定のPodを指定することもできます。さらにプロトコルやポートを限定することもできます。

どのルールにも該当しない通信は許可されます。つまり、NetworkPolicyを1つも作らない場合は、今までと同様にどの相手とも通信ができます。

ここで指定するのはリクエストについてのみで、そのレスポンスの通信は暗黙的に許可されます。たとえば、Podからほかのpodやクラスタ外のAPIを呼び出すような場合は、egressでリクエストを許可することで、そのレスポンスも暗黙的に許可されます。逆に、Podが何らかのAPIを提供しており、ほかのPodやクラスタ外からアクセスを受ける場合はingressでリクエストを許可することで、そのレスポンスも暗黙的に許可されます。

7.4.4 NetworkPolicyが無指定の場合の挙動

NetworkPolicyは指定したPodについては通信を制限しますが、指定がないものに関しては何も制限しません。つまり、今の状態ではとくに何の制限もかかっておらず、次のように意図しないPod間の通信ができてしまう状態です。

まだ通信できるか確かめる
```
$ kubectl run -it --rm  --image="k8spracticalguide/busybox:1.28" --restart=Never test -- \
  wget -T5 "http://mattermost:8065/"
Connecting to mattermost:8065 (10.106.98.35:8065)
index.html           100% |*******************************|  3261   0:00:00 ETA
pod "test" deleted
```

7.4.5 デフォルトのNetworkPolicy

NetworkPolicyの設定は、デフォルトのポリシーとして不許可にしておき、必要な通信は個別に許可するというやり方が一般的です。

リスト7-7のNetworkPolicyは、すべてのPodに関してingressを不許可にするという設定です。あるPodに適用されるNetworkPolicyが複数あった場合は、そのいずれかで許可されていれば、通信が許可されます。そのため、**リスト7-7**のようなNetworkPolicyを入れておくことで、ほかのNetworkPolicyで指定が何もないPodに関してはすべての通信を制限し、通信したい場合は個別にNetworkPolicyを定義するという利用方法が実現できます。

リスト7-7 NetworkPolicyのマニフェストの例（ingress）
```
apiVersion: networking.k8s.io/v1
kind: NetworkPolicy
metadata:
  name: default-deny-ingress
spec:
  podSelector: {}
  policyTypes:
  - Ingress
```

egressについても、**リスト7-8**のようなルールですべてのPodの通信を制限できます。

リスト7-8　NetworkPolicyのマニフェストの例（egress）

```
apiVersion: networking.k8s.io/v1
kind: NetworkPolicy
metadata:
  name: default-deny-egress
spec:
  podSelector: {}
  policyTypes:
  - Egress
```

リスト7-7、**7-8**の2つのNetworkPolicyをまとめて、ingress、egressの両方を不許可にできます（**リスト7-9**）。

リスト7-9　np-all-deny.yaml

```
apiVersion: networking.k8s.io/v1
kind: NetworkPolicy
metadata:
  name: default-deny-all
spec:
  podSelector: {}
  policyTypes:
  - Ingress
  - Egress
```

このマニフェストをデプロイします。

```
$ kubectl apply -f  np-all-deny.yaml
networkpolicy.networking.k8s.io/default-deny-all created
```

その後、ブラウザからMattermostにアクセスすると、エラー画面になります。

以降、必要な通信を許可していくことで、再びMattermostが動作するようにします。

7.4.6　MattermostのNetworkPolicy

前項で説明したデフォルトのNetworkPolicyを適用したことで、Pod間の通信ができなくなり、Mattermostは動作しなくなりました。必要な通信はできるようにするため、MattermostとMySQLのPodそれぞれに次のルールを追加します（**図7-5**）。

Mattermost

(A) nginx-ingress-controllerからのingressを許可

(B) MySQL Podへの通信をegressで許可

(C) クラスタ内DNS (CoreDNS) への通信をegressで許可

MySQL

(D) Mattermost Podからの通信をingressで許可

(E) クラスタ内DNS (CoreDNS) への通信をegressで許可

図7-5 mattermostのNetworkPolicy

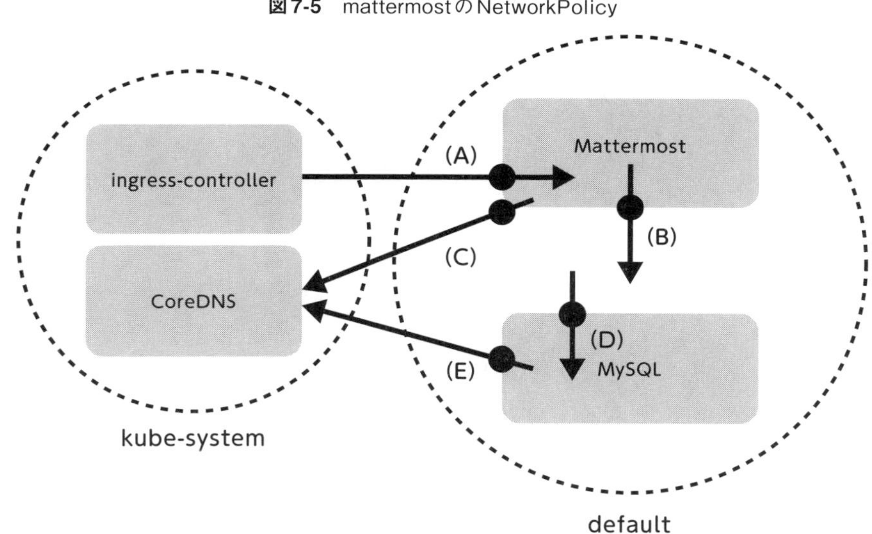

nginx-ingress-contollerやCoreDNSのPodは、MattermostやMySQLのPodとは違うNamespaceに属しています。Namespaceをまたぐ通信はNamespaceSelectorにLabelを列挙して許可しますが、minikubeで用意されているNamespace kube-systemにはLabelが付いていません。そこで、次のようにsystem=trueのLabelを付与します。

```
$ kubectl label namespace kube-system system=true
namespace "kube-system" labeled
```

MattermostのPodの通信を許可するマニフェスト(**リスト7-10**)をデプロイします。

リスト7-10 np-mattermost.yaml

```
apiVersion: networking.k8s.io/v1
kind: NetworkPolicy
metadata:
  name: mattermost
spec:
  podSelector:
    matchLabels:
      app: mattermost
  policyTypes:
  - Ingress
  - Egress
  ingress:
  - from:
    - namespaceSelector:
        matchLabels:
          system: "true"
    - podSelector:
        matchLabels:
          app: nginx-ingress-controller
    ports:
    - protocol: TCP
      port: 8065
  egress:
  - to:
    - podSelector:
        matchLabels:
          app: mysql
    ports:
    - protocol: TCP
      port: 3306
  - to:
    - namespaceSelector:
        matchLabels:
          system: "true"
    - podSelector:
        matchLabels:
          k8s-app: coredns
    ports:
    - protocol: TCP
      port: 53
    - protocol: UDP
      port: 53
```

```
$ kubectl apply -f  np-mattermost.yaml
networkpolicy.networking.k8s.io/mattermost created
```

MySQLのPodの通信を許可するマニフェスト（**リスト7-11**）をデプロイします。

リスト7-11 np-mysql.yaml

```
apiVersion: networking.k8s.io/v1
kind: NetworkPolicy
metadata:
  name: mysql
spec:
  podSelector:
    matchLabels:
      app: mysql
  policyTypes:
  - Ingress
  - Egress
  ingress:
  - from:
    - podSelector:
        matchLabels:
          app: mattermost
    ports:
    - protocol: TCP
      port: 3306
  egress:
  - to:
    - namespaceSelector:
        matchLabels:
          system: "true"
    - podSelector:
        matchLabels:
          k8s-app: coredns
    ports:
    - protocol: TCP
      port: 53
    - protocol: UDP
      port: 53
```

```
$ kubectl apply -f  np-mysql.yaml
networkpolicy.networking.k8s.io/mysql created
```

これで互いの通信を許可できました。「http://chat.127.0.0.1.nip.io/」にアクセスして、Mattermostが正しく機能しているか確認してみましょう。

次に、busyboxのPodをデプロイし、MattermostのPodへアクセスできなくなっているかを確認してみましょう。

```
$ kubectl run -it --rm --image="busybox:1.28" --restart=Never test -- \
  wget -T5 "http://mattermost:8065/"
If you don't see a command prompt, try pressing enter.
wget: bad address 'mattermost:8065'
pod "test" deleted
pod default/test terminated (Error)
```

このようにNetworkPolicyを利用し、クラスタ上のほかのPodからの意図しないアクセスを防ぐことで、攻撃を受けた際のリスクを軽減できます。

NetworkPolicyを有効にしたままだと、以降の章の説明が複雑になるため、この節以降は再びNetworkPolicyなしで説明します。そのため、NetworkPolicyをすべて削除しminikubeの設定も元に戻しておきます。

```
$ kubectl delete -f ./7.4.6/manifests/network-policy
(..略..)

一度動作しているクラスタを削除する
$ minikube delete
(..略..)

設定を変更して再度クラスタを起動する
$ minikube start --kubernetes-version=v1.11.3
(..略..)

NetworkPolicy導入前のマニフェストを適用する
$ kubectl apply -f ./7.3.3/manifests/mattermost/
(..略..)
```

7.5 まとめ

この章ではKubernetesのセキュリティモデルを説明し、とくにKubernetesにデプロイしているコンテナのセキュリティについての対策方法として、コンテナイメージのスキャンや、Podのセキュリティを強化するSecurityContextの設定、Pod間の通信を制限するNetworkPolicyを説明しました。これらの機能を適切に利用することで、堅牢なサービスを提供できるようになります。

また、クラスタにデプロイしたすべてのPodについて、正しくSecurityContextが指定されていることを保証するための、PodSecurityPolicyという管理者向けの機能があります。こちらについては、巻末の「付録」で紹介しています。必要に応じてご参照ください。

アプリケーションを運用する

セルフヒーリングやオートスケールの機能を正しく使えば、運用コストは大幅に削減できます。しかし、運用者の作業には、セルフヒーリングだけでは対応しきれないアプリケーションの障害対応やリソースのキャパシティプランニングなどもあります。本章では、アプリケーションを運用・改善していくうえで必要となる「ロギング」と「メトリクスモニタリング」について説明します。

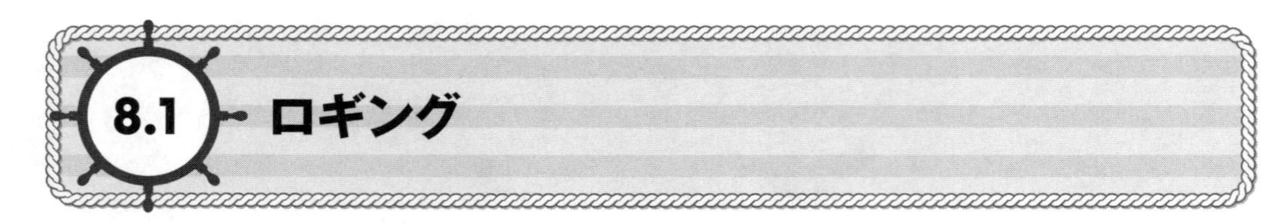

8.1 ロギング

アクセスログやエラーログなどのログを適切に出力して確認することは、アプリケーションの動作を把握するために必要不可欠です。ここでは、Kubernetes上にデプロイしたアプリケーションのログを確認する方法を説明します。

8.1.1 kubectl logsでログを確認する

これまでの章でも登場しましたが、Kubernetesにはコンテナのログを確認するためのkubectl logsコマンドが用意されています。あらためて、このkubectl logsコマンドを使ってMattermostのログを確認してみましょう。

次のように、Mattermostのログを確認できます。

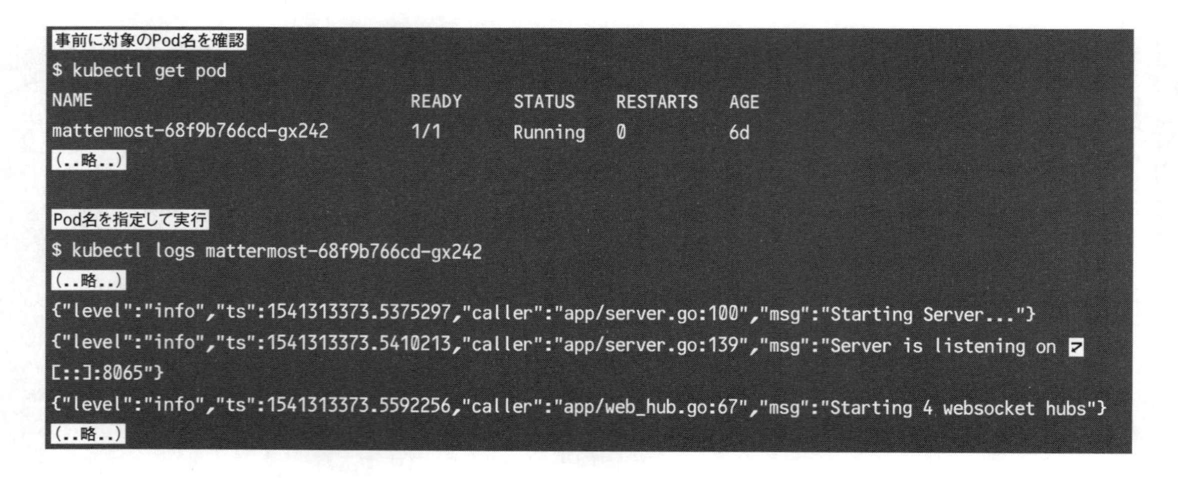

```
事前に対象のPod名を確認
$ kubectl get pod
NAME                              READY     STATUS    RESTARTS   AGE
mattermost-68f9b766cd-gx242       1/1       Running   0          6d
(..略..)

Pod名を指定して実行
$ kubectl logs mattermost-68f9b766cd-gx242
(..略..)
{"level":"info","ts":1541313373.5375297,"caller":"app/server.go:100","msg":"Starting Server..."}
{"level":"info","ts":1541313373.5410213,"caller":"app/server.go:139","msg":"Server is listening on ⏎
[::]:8065"}
{"level":"info","ts":1541313373.5592256,"caller":"app/web_hub.go:67","msg":"Starting 4 websocket hubs"}
(..略..)
```

Podにコンテナが複数ある場合は、Pod名のあとにコンテナ名を指定する必要があります。1つしかない場合は、コンテナ名は省略できます。

kubectl logsコマンドは、クラスタにデプロイされたアプリケーションのログを確認する最も手軽な方法です。とくに開発時のデバッグやテストで、確認したいPodがある程度絞れている場合に適しています。

8.1.2 kubectl logsのしくみ

それでは、kubectl logsがどのようにアプリケーションのログを取得しているか、もう少し詳しく見ていきましょう。

コンテナ化されたアプリケーションは、標準出力と標準エラー出力（stdout/stderr）にログを出力する場合が多く、今回使用しているMattermostもそのように作られています。コンテナのstdout/stderrに出力された内容は、Dockerなどのコンテナランタイムによってリダイレクトされ、各ノードにファイルとして保存されます。これらのログファイルは、/var/log/pods/podUID/containerName/restartCount.logから参照できるようになっています。

このログファイルのパスはDocker固有のものではなく、kubeletがコンテナランタイムを操作する際に使用しているCRI（Container Runtime Interface、コラム「CRI」を参照）という共通インターフェース経由で指定している値で、Docker以外のコンテナランタイムを使用した場合も同じパスで参照できます。

実際にminikubeでは、次のようにコンテナのログをファイルとして確認できます。

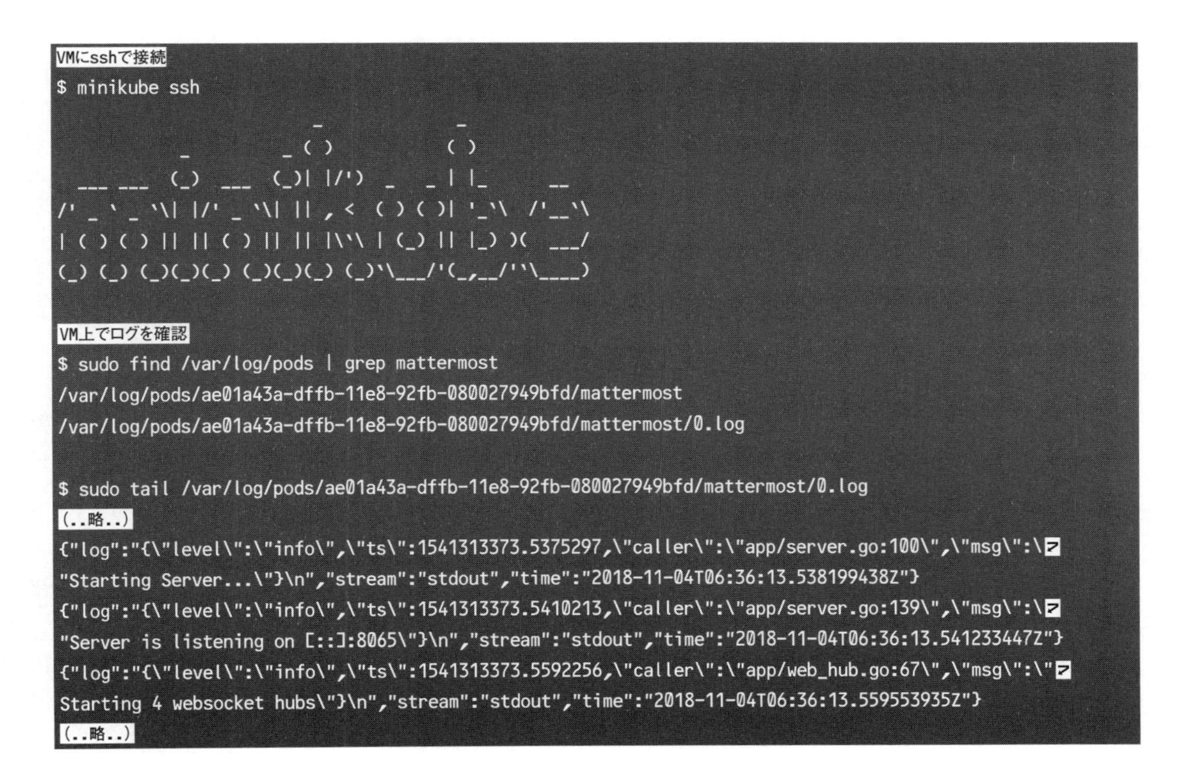

このようにノードに保存されているログファイルをkubeletが参照します。kubectl logsを実行すると、Kubernetes APIサーバ経由で各ノードのkubeletにログをリクエストし、kubeletがこれらのコンテナのログファイルを読み込んで返却します（**図8-1**）。

図8-1　kubectl logsのしくみ

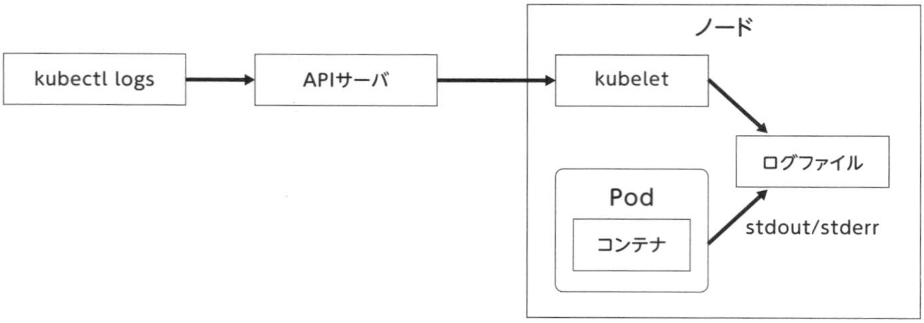

ノード
kubectl logs
APIサーバ
kubelet
ログファイル
Pod
コンテナ
stdout/stderr

stern

COLUMN

kubectl logsコマンドはPod名を指定する必要があるため、Podが再作成されたときに引数を変えてコマンドを再実行しなければなりません。また、Deploymentでは通常同じ種類のPodを複数起動させるため、すべてのPodレプリカのログを同時に見るためにはターミナルを複数立ち上げる必要があり不便です。このような課題を解決するのが、stern[注1]というOSSのツールです。

sternは複数のPodのログを同時に閲覧できるツールです。ターゲットを正規表現で指定すると、マッチするすべてのPodのログを`tail -f`相当の動作で監視できます。各行の先頭には次のようにPod名が表示されるので、どのPodのログかがひと目でわかります。

```
$ stern nginx
nginx-65899c769f-ndnbm nginx 172.17.0.1 - - [17/Sep/2018:22:18:57 +0000] "GET / HTTP/⏎
1.1" 200 612 "-" "curl/7.54.0" "-"
nginx-65899c769f-vx7dj nginx 172.17.0.1 - - [17/Sep/2018:22:18:53 +0000] "GET / HTTP/⏎
1.1" 200 612 "-" "curl/7.54.0" "-"
nginx-65899c769f-vx7dj nginx 172.17.0.1 - - [17/Sep/2018:22:18:56 +0000] "GET / HTTP/⏎
1.1" 200 612 "-" "curl/7.54.0" "-"
nginx-65899c769f-9ckvs nginx 172.17.0.1 - - [17/Sep/2018:22:18:55 +0000] "GET / HTTP/⏎
1.1" 200 612 "-" "curl/7.54.0" "-"
```

8.1.3　ログの転送・集約

Podのログを確認するkubectl logsコマンドを説明しましたが、Kubernetesは、さまざまなPodが各ノードに動的にデプロイされてアプリケーションが稼働する分散システムです。このような環境では、Podを指定してログを確認するkubectl logsコマンドだけでは運用には不十分です。また、Podが削除されたあとはそのロ

注1　https://github.com/wercker/stern

グも失われるため、本番環境ではログを別の場所に保存しておく必要があります。このように動的にデプロイ状況が変わるKubernetes上においては、Fluentdなどのログ転送エージェントを使用して、ログを別のロギングバックエンドに転送・集約するのが一般的です。

ログを転送・集約して別のロギングバックエンドに保管しておけば、クラスタを横断したログの調査が可能になるほか、Podが削除されたあとでも一定期間アプリケーションのログを失うことなく調査可能になります。

Kubernetes本体では、このロギング用のバックエンドシステム自体は提供していないので、サードパーティ製のロギングバックエンドにログを転送する必要があります。ロギングバックエンドは、保持期間、検索性能、運用コストなどを考慮して選ぶと良いでしょう。クラウドプロバイダを利用している場合は、GCPであればStackdriver Logging、AWSであればCloudWatchといったように、クラウドプロバイダの提供するソリューションを使用すると導入が簡単です。また、DatadogのようなSaaS型のモニタリングサービスをもともと使っているのであれば、ロギングエージェントを設定してそれらのサービスに転送すると、既存のアプリケーションと同様にログを集約できます。

8.1.4 ログ集約のパターン

ここではKubernetesでログを転送・集約するための代表的なパターンを紹介します。

ノードレベルのロギングエージェント

全ノードでFluentdのようなロギングエージェントを動かすパターンです。ロギングエージェントは、コンテナランタイムが作成するログファイルを監視・転送してロギングバックエンドに転送します。

ロギングエージェントは、DaemonSet[注2]やノードのネイティブプロセスで稼働させることができます。ロギングエージェントの設定しだいでは、アプリケーションコンテナのログだけでなく、Dockerなどのコンテナランタイムやkubeletのログも転送できます。GKEでは、DaemonSetで各ノードにFluentdエージェントを配置して、各コンテナやシステムのログをStackdriver Loggingに転送しています。

アプリケーションのログがファイル出力しか対応していない場合も、ログファイルを読み込んでstdout/stderrに出力するサイドカーコンテナを同梱することでほかのコンテナと同じようにログを転送できます。

ロギング用サイドカー

各アプリケーションのPodに、ロギング用のサイドカーコンテナを同梱するパターンです。アプリケーションが出力するログファイルを、サイドカーで動作するロギングエージェントが転送するように設定します。複数のログを出力するアプリケーションでとくに有効で、特定のログだけノードレベルの転送先とは別の場所に転送するといった柔軟な設定も可能です。ただし、Deploymentのマニフェストにサイドカーコンテナを設定する必要があるため、アプリケーション開発者に比較的近い担当領域でログ転送を意識する必要があります。

注2　DaemonSetは、Podを各ノードに1つずつ配置するためのKubernetesオブジェクト。詳しくは8.2.6項で説明します。

アプリケーションから直接ログ送信

Kubernetesのしくみをまったく使用せず、各アプリケーションから直接ロギングバックエンドにログを送信するパターンです。アプリケーション開発者が最も細かくログ転送を制御できる方式です。

以上をまとめると、**表8-1**のようになります。

表8-1 Kubernetesでのロギングパターン

パターン	概要	ユースケース・ポイント
ノードレベルのロギングエージェント	各ノードにロギングエージェントをデプロイし、コンテナやシステムのログを転送	・クラスタ管理者が共通で設定する ・アプリケーション開発者はログをstdout/stderrに出力しておけば、ログ転送のしくみを用意する必要がない ・ファイル出力しか対応していない場合は、サイドカーでログファイルを読み込んでstdout/stderrに出力すれば、ほかのコンテナログと同じように扱える ・コンテナ以外のシステムのログも扱いやすいのでノード障害の調査にも役立つ
ロギング用サイドカー	サイドカーコンテナでロギングエージェントをデプロイし、アプリケーションコンテナが出力したログファイルを読み込んで転送する	・アプリケーションのログが複数種類あり、それぞれ転送先を分けるといった柔軟な設定ができる ・ノードレベルでコンテナログを転送していなくても導入できるが、Kubernetesのロギングのしくみを利用しないので、kubectl logsでログは参照できない
アプリケーションから直接ログ送信	アプリケーションから直接ログを転送する	・アプリケーション開発者が最も柔軟に制御できる ・Kubernetesのロギングのしくみを利用しないので、kubectl logsでログは参照できない

どのパターンを選ぶべきかは、開発するサービスの規模や組織体制によって異なります。多くの場合は、アプリケーション開発者はstdout/stderrにログを出力するように実装し、クラスタ管理者がノードレベルでログを転送するように構築するのが、最も管理しやすくスケールするでしょう。また、これらのパターンは組み合わせることも可能なので、ノードレベルのログ転送をベースとして、ログの保持期間などの要件に合わせてロギング用サイドカーで柔軟に転送先を追加するといった構成も有効です。

8.1.5 EFKスタックでログを集約する

それでは、実際にKubernetesのシステムログと、前章までに説明したMattermostのアプリケーションのログをノードレベルのロギングエージェントを利用して転送・集約してみましょう。

本書ではminikubeのアドオンの1つであるefkアドオンを使用します。efkアドオンを使用すると、EFKスタック(ロギングバックエンドであるElasticsearch、ログ転送エージェントのFluentd、ダッシュボードのKibana)を簡単にクラスタ上に構築できます[注3]。efkアドオンでは、**図8-2**のようにFluentdエージェントがノー

注3 本書で使用しているminikube v0.28.2では、efkアドオンのデプロイにはReplicationControllerという古いAPIリソースが使用されています。EFKスタックをKubernetes上に自前で構築する際は、ElasticsearchにはStatefulSet、FluentdにはDaemonSet、KibanaにはDeploymentを利用することを検討してください。

ド上のコンテナのログをElasticsearchに転送し、KibanaでElasticsearchのデータを可視化します。

図8-2 efkアドオンの構成

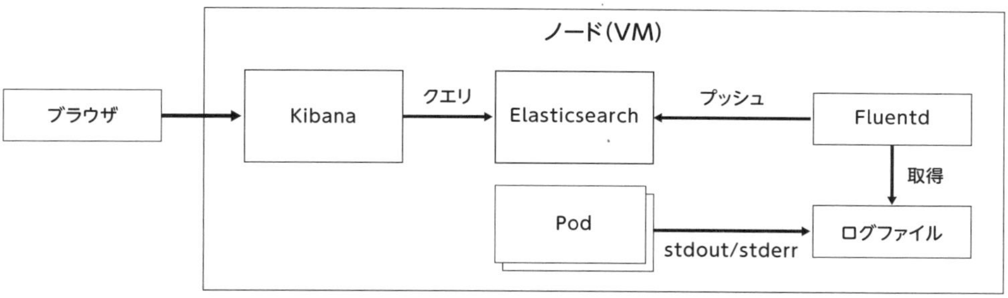

まず、Elasticsearchはヒープメモリを多く使用するため、VMのメモリを大きめに指定してminikubeを起動します[注4]。

```
メモリ指定を変更するため、既存のVMを削除
デプロイされているオブジェクトもすべて削除されるため、マニフェストファイルなどで復元できるようにしてから実施すること
$ minikube delete
Deleting local Kubernetes cluster...
Machine deleted.

メモリを大きめに指定してVMを起動
$ minikube start --kubernetes-version=v1.11.3 --memory 5012
Starting local Kubernetes v1.11.3 cluster...
Starting VM...
Getting VM IP address...
Moving files into cluster...
Setting up certs...
Connecting to cluster...
Setting up kubeconfig...
Starting cluster components...
Kubectl is now configured to use the cluster.
Loading cached images from config file.
```

起動後、Mattermostを再度デプロイします。

```
前章までで作成したマニフェストファイルを適用
$ kubectl apply -f manifests/mattermost/
```

注4 PCのメモリが不足している場合は、起動できないかPCの動作が不安定になる可能性があります。

minikubeのefkアドオンを有効にします。

```
$ minikube addons enable efk
efk was successfully enabled
```

elasticsearch-logging-*、fluentd-es-*、kibana-logging-*のPodが、すべてRunningになるまで待ちます。

```
$ kubectl get pods -n kube-system -w
NAME                            READY     STATUS              RESTARTS   AGE
(..略..)
elasticsearch-logging-r2hkt     0/1       Pending             0          0s
elasticsearch-logging-r2hkt     0/1       Pending             0          0s
elasticsearch-logging-r2hkt     0/1       Init:0/1            0          0s
fluentd-es-kxg9v                0/1       Pending             0          0s
fluentd-es-kxg9v                0/1       Pending             0          0s
fluentd-es-kxg9v                0/1       ContainerCreating   0          0s
kibana-logging-zkmcd            0/1       Pending             0          0s
kibana-logging-zkmcd            0/1       Pending             0          0s
kibana-logging-zkmcd            0/1       ContainerCreating   0          0s
elasticsearch-logging-r2hkt     0/1       PodInitializing     0          14s
```

Kibanaは起動に時間がかかるため、さらにkubectl logsでログを確認します。次のようなログが表示されてから数分後にアクセス可能になります。

```
$ kubectl logs -n kube-system kibana-logging-zkmcd
{"type":"log","@timestamp":"2018-07-29T03:06:22Z","tags":["info","optimize"],"pid":1,"message":⏎
"Optimizing and caching bundles for graph, ml, kibana, stateSessionStorageRedirect, ⏎
timelion and status_page. This may take a few minutes"}
```

次のコマンドを実行すると、Kibanaにブラウザでアクセスできます。

```
$ minikube addons open efk
Opening kubernetes service kube-system/kibana-logging in default browser…
```

エラーになる場合は、Kibanaの起動が完了していない可能性があります。数分後に再度アクセスしてください。

起動が完了していれば、初回は**図8-3**のようなインデックスパターン作成の画面にリダイレクトされます。今回はそのまま［Create］を押します。

図8-3　Kibanaの初期画面

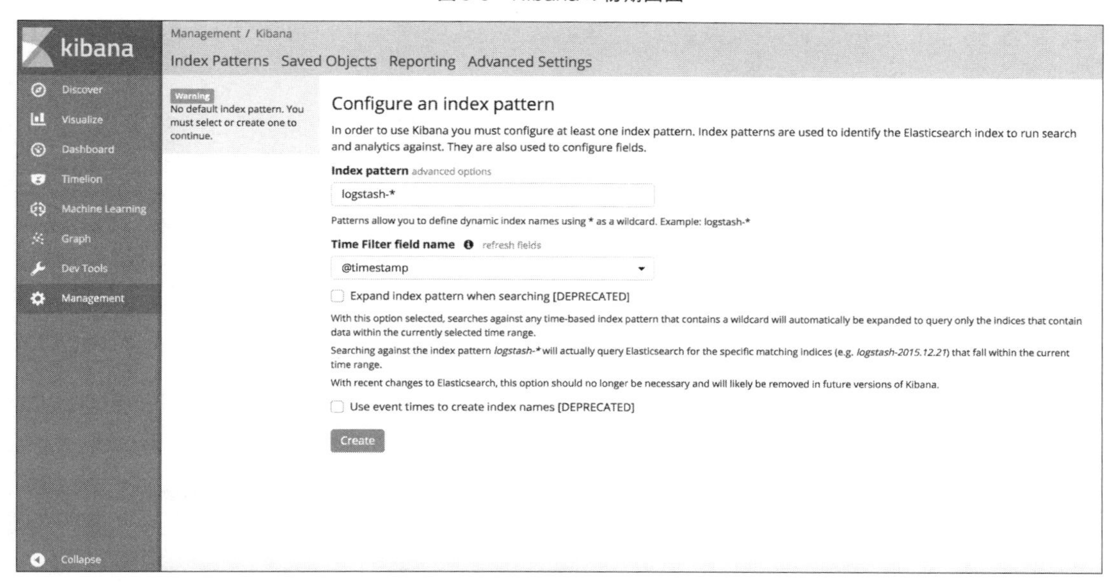

メニューの［Discover］を選び、検索窓に“mattermost”と入力して検索してみましょう（**図8-4**）。

図8-4　Kibanaのログ検索結果（mattermost）

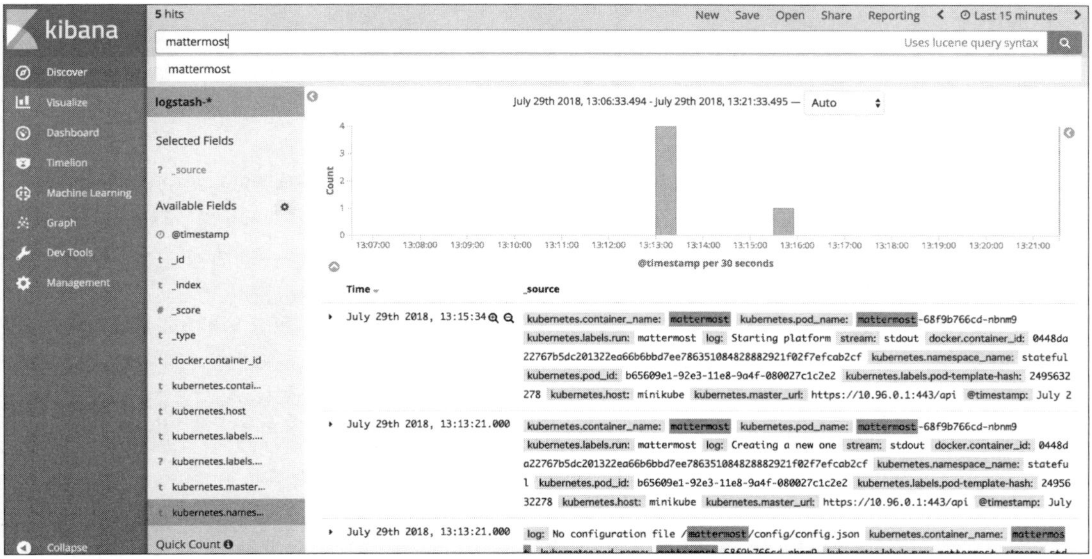

さまざまなメタデータと一緒に、logフィールドでコンテナのログが参照できるのがわかります。

次に“kube-apiserver”と検索してみましょう。Kubernetes APIサーバのログも同様に取得できます（**図8-5**）。

図8-5　Kibanaのログ検索結果（kube-apiserver）

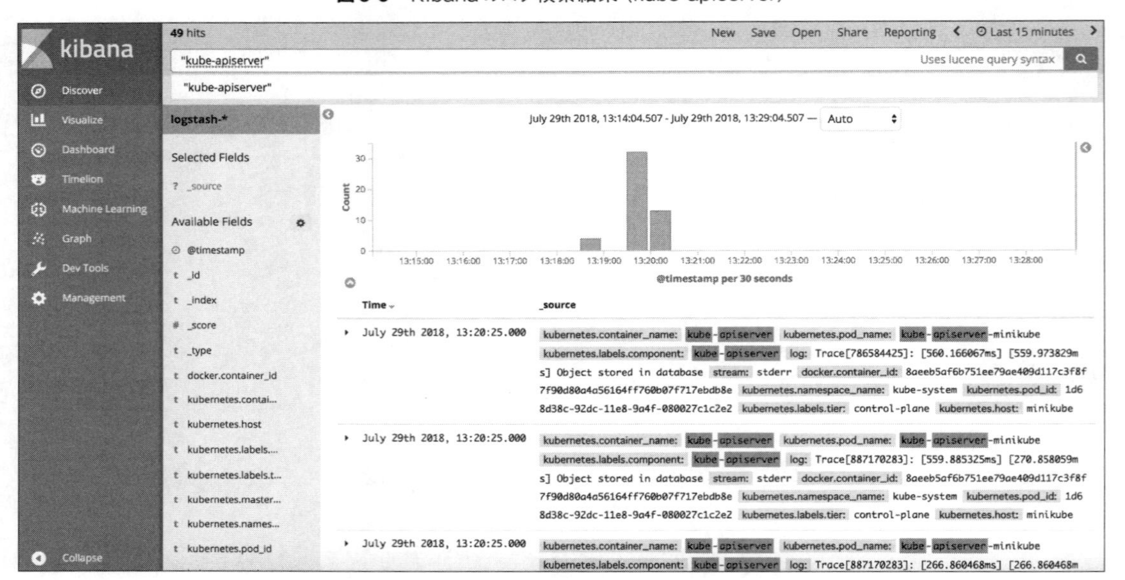

CRI (Container Runtime Interface)

COLUMN

現在使用されているコンテナランタイムはほとんどがDockerですが、KubernetesはDocker以外のコンテナランタイムもサポートしています。コンテナランタイムをプラガブルにするために作られたのが、CRI (Container Runtime Interface) というコンテナランタイムを操作するための共通インターフェースで、2016年12月のKubernetes v1.5でアルファリリースされました。

CRIはProtocol Buffersで定義されており、kubeletはgRPCでコンテナランタイムと通信します。kubeletがコンテナランタイムにコンテナイメージのpullやコンテナの起動・停止を命令する際は、直接Dockerなどを操作するのではなく、このCRIのインターフェースを使用するようになっています。Dockerの場合は、dockershimというコンポーネントがkubeletとDockerの間に入り、CRIを実装したgRPC APIを提供する構成になっています（**図8-6**）。

図8-6 CRI（Dockerの場合）

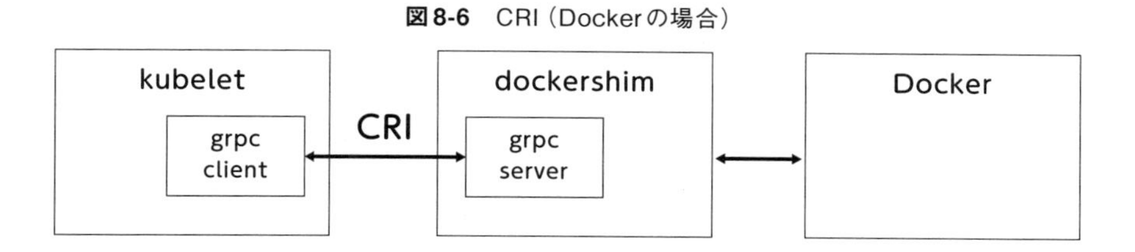

CRIに対応したコンテナランタイムは、ほかに次のようなものがあります。それぞれアーキテクチャに特徴があります。

- **cri-o**
  OCI準拠[注5]のランタイムに対応したコンテナランタイム
- **containerd**
  Docker内部でも使われているコンテナランタイム。containerd v1.1でKubernetesでの使用がGAとなった[注6]
- **rktlet**
  rktをベースにしたコンテナランタイム
- **Frakti**
  hypervisor（Kata Container）をベースにしたコンテナランタイム

Kubernetesはもともと、いろいろな部分でDockerに依存していたので、Docker以外はまだ実績が少ないのが現状です。本番環境ではしばらくはDockerが主流のままになると考えられますが、将来的にはパフォーマンスやセキュリティ要件によって複数のコンテナランタイムを使い分けられるようになっていくでしょう。

8.2 メトリクスモニタリング

前節のロギングと同様にアプリケーションの運用で重要となるのが、ノードやコンテナのCPUやメモリの使用状況、Webサーバのリクエスト数やレイテンシといったメトリクスの可視化です。ここでは、Kubernetesのメトリクスモニタリングの方法を説明します。

注5　Open Container Initiative（https://www.opencontainers.org/）は、コンテナ技術の標準化を目的としたプロジェクトで、コンテナの設定、ファイルバンドル、ライフサイクルに関するruntime-specとコンテナイメージに関するimage-specを策定しています。

注6　https://kubernetes.io/blog/2018/05/24/kubernetes-containerd-integration-goes-ga/

8.2.1 kubectl topでリソース使用状況を確認する

Kubernetesでは、ノードやPodのCPUやメモリの現在の使用状況を確認できるkubectl topコマンドが用意されています。まずは、このコマンドを使って現在のCPUやメモリの使用状況を確認してみましょう。

kubectl topをminikubeで使用するには、次のようにアドオンのMetrics serverを有効化しておく必要があります。

```
$ minikube addons enable metrics-server
metrics-server was successfully enabled
```

それでは、kubectl topを使ってみましょう。kubectl topコマンドには、ノードのリソース利用状況を出力するnodeサブコマンドと、Podのリソース利用状況を出力するpodサブコマンドがあります。

```
ノードのリソース利用状況を確認
$ kubectl top node
NAME       CPU(cores)   CPU%     MEMORY(bytes)   MEMORY%
minikube   714m         35%      4089Mi          86%

Podのリソース利用状況を確認
$ kubectl top pod
NAME                           CPU(cores)   MEMORY(bytes)
mattermost-758c794754-vx4rv    11m          25Mi
mysql-0                        16m          13Mi
mysql-1                        14m          89Mi
```

Metrics serverは起動してメトリクスが取得できるようになるまで、しばらく時間がかかります。kubectl top実行時に次のようなエラーになった場合は、数分後に再度試してください。

```
$ kubectl top node
error: metrics not available yet
```

8.2.2 kubectl topのしくみ

kubectl topがどう動いているかもう少し詳しく見ていきましょう。kubectl topは、Resource Metrics APIを使用してクラスタ内のノード、Podのメトリクスを取得します。Resource Metrics APIは、ノードとPodのリソースメトリクスを取得するための汎用的なインターフェースです（コラム「Metrics API」を参照）。kubectl topやHPA（HorizontalPodAutoscaler）から利用されます。このResource Metrics APIを実装しているコンポーネントが、先ほどminikubeのアドオンとして有効化したMetrics serverです。

図8-7にあるように、Metrics serverは、クラスタ内の全kubeletからノードとPodのリソース使用状況の

メトリクスを収集して提供します。これまでは、Heapsterというコンポーネントがこの役割を担っていましたが、Heapsterは開発管理上いくつかの課題をかかえており、Kubernetes v1.11で廃止予定になりました。現在は、Metrics serverの使用が推奨されています。

図8-7 kubectl topのしくみ

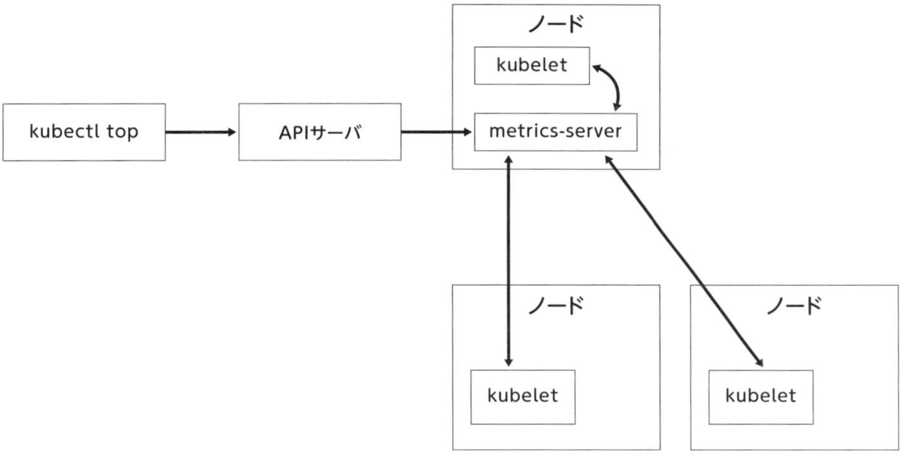

8.2.3 Kubernetesのメトリクスモニタリング

kubectl topはノードとPodのリソース状況を手軽に確認できますが、現時点のメトリクスしか取得できないため、たとえば過去1時間の傾向を見るといった使い方はできません。また、取得できるメトリクスの種類も限られています。本番環境でアプリケーションを運用していくうえでは、アプリケーション特有の任意のメトリクスも含めて継続的に取得して、グラフなどで可視化する統合的なしくみがあると良いでしょう。

GKEのStackdriver Monitoringのように、クラウドプロバイダではこのようなメトリクスモニタリングのしくみがデフォルトまたは簡単に有効化できるオプションとして提供されていることがほとんどです。クラウドプロバイダを利用する場合は、これらを利用すると最も簡単に導入できるでしょう。

本書では、特定のクラウドプロバイダに依存しない例として、Kubernetesと組み合わせて使われることの多いPrometheusを使用してメトリクスを可視化する方法を説明します。

8.2.4 Prometheusとは

Prometheusは、クラウドネイティブなアプリケーションに適したオープンソースのモニタリングシステムです。Kubernetes同様、CNCF（Cloud Native Computing Foundation）のプロジェクトの1つとして開発も活発に行われており、本番環境でKubernetesと組み合わせて使われる事例も非常に多くなっています。

アーキテクチャの特徴として、Stackdriverなどがエージェントからメトリクスやログを送信するプッシュ型なのに対して、Prometheusは監視対象に対して定期的にメトリクスを取得しにいく（スクレイプする）プル型のモデルを採用しています。プル型のモデルはサーバ側でメトリクスの流量を制御しやすいので、ネットワークやストレージの制約が大きい環境でモニタリングシステムを構築するのに適しています。また、監視対象がダウンした際に気づきやすいといったメリットもあります。プル型の場合は監視サーバが監視対象を把握する必要がありますが、Prometheusはさまざまなサービスディスカバリに対応しています。Kubernetes環境のサービスディスカバリもネイティブサポートしており、Kubernetes APIサーバを参照することで簡単にServiceやPodを監視対象に追加できます。

監視対象のシステムは、Prometheus形式のメトリクスを取得できるエンドポイントを公開しておく必要があります。Kubernetes APIサーバなどのKubernetesの各コンポーネントは、Prometheus形式のメトリクスエンドポイントをネイティブサポートしています。

Prometheus形式のメトリクスを公開していない場合は、Exporterと呼ばれるPrometheus形式のメトリクスを公開する外部プログラムを一緒に稼働させておくこともできます。Exporterの開発は活発で、データベースやWebサーバなどのミドルウェアはすでにOSSとして開発されているものも多いです[注7]。また、Prometheusのライブラリを使うことで簡単に自分でも実装できます。

Prometheusの基本的な構成は**図8-8**のようになります。

図8-8 Prometheusの基本的な構成例

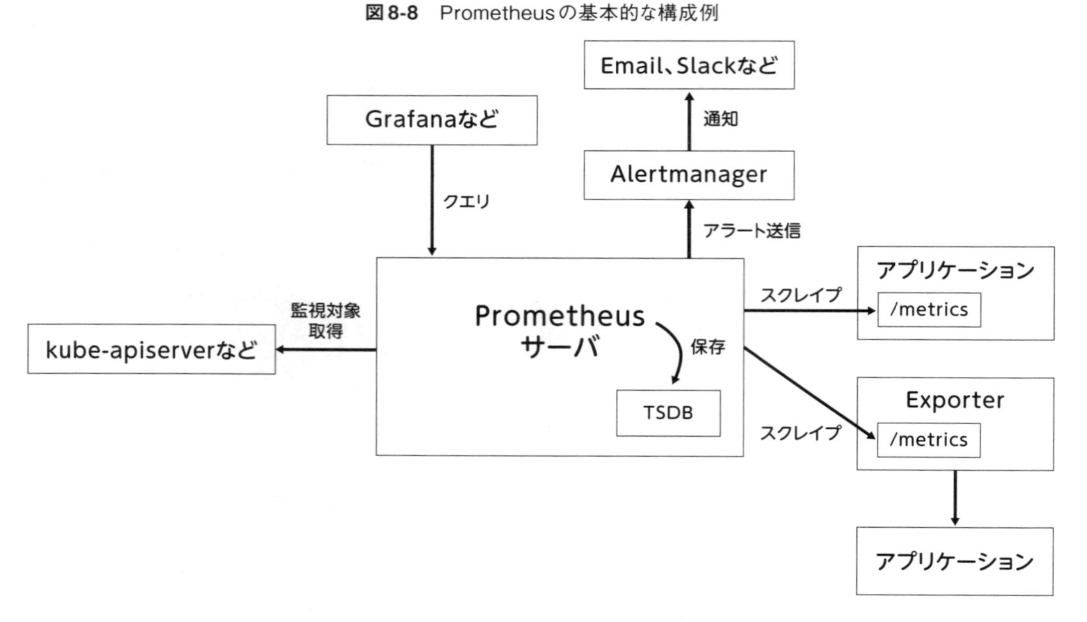

注7 サードパーティ製のExporterはPrometheusの公式ページで確認できます。https://prometheus.io/docs/instrumenting/exporters/

Prometheusサーバは、設定ファイルに従ってサービスディスカバリを行い、監視対象のエンドポイントを発見します。Kubernetes環境の場合は、Kubernetes APIサーバを利用して監視対象を発見します。監視対象がわかると、Prometheusサーバは定期的に対象のエンドポイントをスクレイプしてメトリクスを収集します。収集されたメトリクスはPrometheus独自の時系列データベース（TSDB：Time series database）に保存されます。TSDBに保存されたメトリクスは、PromQLというクエリ言語を使用してPrometheusのWeb UIやGrafanaなどのダッシュボードで可視化できます。

また、本書では詳しく扱いませんが、Prometheusには、あらかじめアラートルールを設定しておくことで、そのルールを定期的に評価してアラートを生成する機能もあります。たとえば次のルールでは、インスタンスが起動していることを0か1で表すupというメトリクスを監視して、5分間以上upが0の状態が続くとそのインスタンスがダウンしているとみなしてアラートを生成します。

```
groups:
- name: example
  rules:
  - alert: InstanceDown
    expr: up == 0   …マッチ条件
    for: 5m         …継続期間
    labels:   …アラートのラベル。Alertmanagerの通知先の切り替えなどに利用可能
      severity: page
    annotations:    …アラートの情報。Alertmanagerの通知内容などに利用可能
      summary: "Instance {{ $labels.instance }} down"
      description: "{{ $labels.instance }} of job {{ $labels.job }} has been down for more than 5 ⏎
minutes."
```

生成されたアラートは、Alertmanagerというコンポーネントに送信され、Alertmanagerがこれらを取りまとめて適切な粒度でメールやSlackなどの通知先に通知します。

8.2.5 Prometheusをデプロイする

それでは、実際にクラスタにPrometheusをデプロイしてみましょう。**リスト8-1**のマニフェストを、prometheus.yamlという名前で保存してください。このファイルは、Web[注8]からも入手できます。

リスト8-1 prometheus.yaml

```
Prometheusのスクレイピングに必要な権限を定義したClusterRole
apiVersion: rbac.authorization.k8s.io/v1beta1
kind: ClusterRole
metadata:
```

注8 https://github.com/kubernetes-practical-guide/examples/tree/master/ch8.2.5

```
  name: prometheus
rules:
- apiGroups: [""]
  resources:
  - nodes
  - nodes/metrics
  - nodes/proxy
  - services
  - endpoints
  - pods
  verbs: ["get", "list", "watch"]
- apiGroups:
  - extensions
  resources:
  - ingresses
  verbs: ["get", "list", "watch"]
- nonResourceURLs: ["/metrics"]
  verbs: ["get"]
---
PrometheusのDeploymentで使用するServiceAccount
apiVersion: v1
kind: ServiceAccount
metadata:
  name: prometheus
  namespace: default
---
Prometheus用のClusterRoleとServiceAccountのひもづけ
apiVersion: rbac.authorization.k8s.io/v1beta1
kind: ClusterRoleBinding
metadata:
  name: prometheus
roleRef:
  apiGroup: rbac.authorization.k8s.io
  kind: ClusterRole
  name: prometheus
subjects:
- kind: ServiceAccount
  name: prometheus
  namespace: default
---
Prometheusの設定ファイルを格納したConfigMap
Kubernetesの各コンポーネント、Service、Podをスクレイプする設定
apiVersion: v1
kind: ConfigMap
metadata:
```

```
  name: prometheus-config
data:
  prometheus.yml: |
    global:
      scrape_interval: 10s
    scrape_configs:
    - job_name: 'kubelet'
      kubernetes_sd_configs:
      - role: node
      scheme: https
      tls_config:
        ca_file: /var/run/secrets/kubernetes.io/serviceaccount/ca.crt
        insecure_skip_verify: true
      bearer_token_file: /var/run/secrets/kubernetes.io/serviceaccount/token
    - job_name: 'cadvisor'
      kubernetes_sd_configs:
      - role: node
      scheme: https
      tls_config:
        ca_file: /var/run/secrets/kubernetes.io/serviceaccount/ca.crt
        insecure_skip_verify: true
      bearer_token_file: /var/run/secrets/kubernetes.io/serviceaccount/token
      metrics_path: /metrics/cadvisor
    - job_name: 'kube-apiserver'
      kubernetes_sd_configs:
      - role: endpoints
      scheme: https
      tls_config:
        ca_file: /var/run/secrets/kubernetes.io/serviceaccount/ca.crt
        insecure_skip_verify: true
      bearer_token_file: /var/run/secrets/kubernetes.io/serviceaccount/token
      relabel_configs:
      - source_labels: [__meta_kubernetes_namespace, __meta_kubernetes_service_name, __meta_kubernetes_⏎
endpoint_port_name]
        action: keep
        regex: default;kubernetes;https
    - job_name: 'k8s-services'
      kubernetes_sd_configs:
      - role: endpoints
      relabel_configs:
      - source_labels: [__meta_kubernetes_namespace, __meta_kubernetes_service_name]
        action: drop
        regex: default;kubernetes
      - source_labels: [__meta_kubernetes_namespace]
        regex: default
```

```
        action: keep
      - source_labels: [__meta_kubernetes_service_name]
        target_label: job
    - job_name: 'k8s-pods'
      kubernetes_sd_configs:
      - role: pod
      relabel_configs:
      - source_labels: [__meta_kubernetes_pod_annotation_prometheus_io_scrape]
        action: keep
        regex: true
      - source_labels: [__meta_kubernetes_pod_annotation_prometheus_io_path]
        action: replace
        target_label: __metrics_path__
        regex: (.+)
      - source_labels: [__address__, __meta_kubernetes_pod_annotation_prometheus_io_port]
        action: replace
        regex: ([^:]+)(?::\d+)?;(\d+)
        replacement: $1:$2
        target_label: __address__
      - action: labelmap
        regex: __meta_kubernetes_pod_label_(.+)
      - source_labels: [__meta_kubernetes_namespace]
        action: replace
        target_label: kubernetes_namespace
      - source_labels: [__meta_kubernetes_pod_name]
        action: replace
        target_label: kubernetes_pod_name
      - source_labels: [__meta_kubernetes_pod_container_name]
        target_label: job
---
PrometheusサーバのDeployment
apiVersion: apps/v1
kind: Deployment
metadata:
  name: prometheus
spec:
  selector:
    matchLabels:
      app: prometheus
  replicas: 1
  template:
    metadata:
      labels:
        app: prometheus
    spec:
```

```
      serviceAccountName: prometheus …事前に設定したServiceAccountを使用
      containers:
      - name: prometheus
        image: k8spracticalguide/prometheus:v2.4.2
        ports:
        - containerPort: 9090
          name: default
        volumeMounts:
        - name: config-volume
          mountPath: /etc/prometheus
      volumes:
      - name: config-volume
        configMap:
         name: prometheus-config …事前に設定したConfigMapを使用
---
Prometheusサーバの公開用Service
kind: Service
apiVersion: v1
metadata:
  name: prometheus
spec:
  selector:
    app: prometheus
  type: NodePort
  ports:
  - protocol: TCP
    port: 9090
    targetPort: 9090
```

このマニフェストには、PrometheusサーバのためのServiceAccount、ClusterRole、ClusterRoleBinding、Deployment、Serviceのほか、Prometheusの設定ファイルを定義したConfigMapが含まれています。

Prometheusの設定ファイルでは、scrape_configsで次のようにスクレイプ対象を設定します。

```
(..略..)
    scrape_configs:
    - job_name: 'kubelet'
      kubernetes_sd_configs:
      - role: node
(..略..)
```

スクレイプ対象は、static_configsという設定項目で静的に指定できるほか、サービスディスカバリを利用して動的に指定することもできます。Prometheusではさまざまなサービスディスカバリに対応しており、dns_ sd_configs、openstack_sd_configsといったようにそれぞれ*_sd_configsという設定項目が用意されています。今回指定しているkubernetes_sd_configs[注9]は、Kubernetes APIサーバを利用したサービスディスカバリの設定です。roleにnode、service、podなどを指定することで各オブジェクトをスクレイプし、Pod名などのメタデータもメトリクスのラベルとして利用できます。

それでは、保存したマニフェストファイルを適用します。今回はPrometheusからkubeletへのアクセスでServiceAccountのトークンを使用するため、--extra-config=kubelet.authentication-token-webhook=trueを設定してminikubeを再起動する必要があります。

```
一度削除し、--extra-configオプションを追加して起動
デプロイされているオブジェクトもすべて削除されるため、マニフェストファイルなどで復元できるようにしてから実施すること
$ minikube delete
Deleting local Kubernetes cluster...
Machine deleted.

オプションを追加して起動
$ minikube start --kubernetes-version=v1.11.3 \
  --extra-config=kubelet.authentication-token-webhook=true
Starting local Kubernetes v1.11.3 cluster...
(..略..)

前章までで作成したマニフェストファイルを適用
$ kubectl apply -f manifests/mattermost/

$ kubectl apply -f prometheus.yaml
clusterrole.rbac.authorization.k8s.io "prometheus" created
serviceaccount "prometheus" created
clusterrolebinding.rbac.authorization.k8s.io "prometheus" created
configmap "prometheus-config" created
deployment.apps "prometheus" created
service "prometheus" created
```

PrometheusのWeb UIでメトリクスが取得できるか確認してみましょう。次のコマンドで、デプロイしたPrometheusサーバにブラウザからアクセスします。

```
$ minikube service prometheus
```

すると、**図8-9**の画面が表示されます。

注9　https://prometheus.io/docs/prometheus/latest/configuration/configuration/#kubernetes_sd_config

図8-9　PrometheusのWeb UI

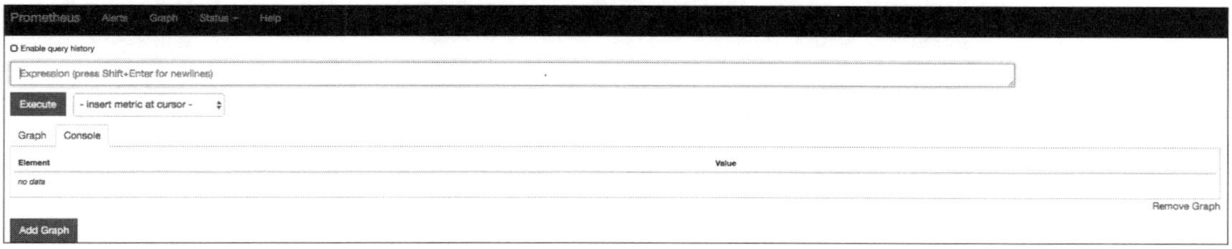

上部のフォームにPromQLを入力して、結果をコンソールかグラフで表示できます。また、ヘッダメニューの[Status]→[Target]から監視対象のエンドポイントを確認できます（**図8-10**）。

図8-10　PrometheusのTarget画面

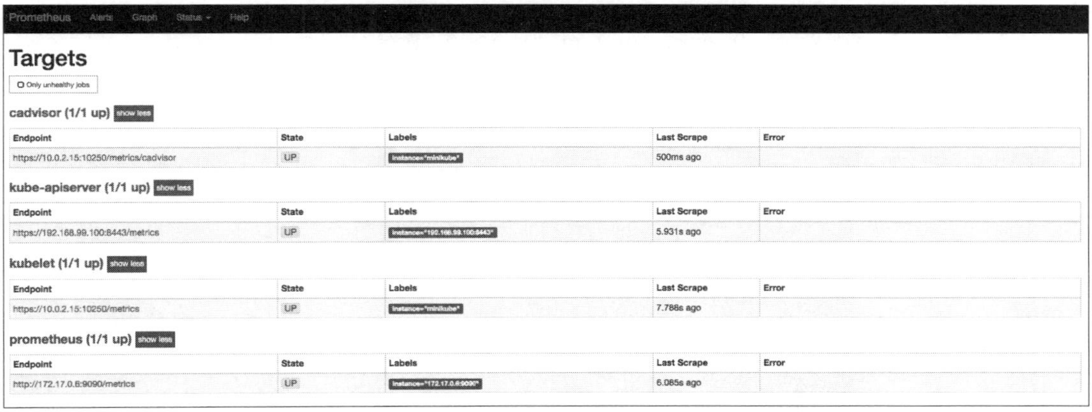

8.2.6　Prometheusでメトリクスを収集する

ここまでで、Prometheusをminikube上にデプロイできました。次は、運用する際に必要となるメトリクスをPrometheusで実際に収集してみます。Prometheusの監視設定は、Prometheus形式のエンドポイントを用意するだけで良いので、ExporterやPrometheusのクライアントライブラリを使用すれば、さまざまなメトリクスを取得できます。Kubernetes上でアプリケーションを運用する際は、次のメトリクスをモニタリングすると、インフラからアプリケーションまでのクラスタ全体の状況を把握できます。

- ノードのメトリクス
- コンテナのメトリクス
- Kubernetesのメトリクス
- アプリケーションのメトリクス

それでは、Prometheusでこれらのメトリクスを収集する方法を見ていきましょう。

ノードのメトリクス

ノードのメトリクスをモニタリングすることで、CPU／メモリの過不足やノードの故障などを把握できるので、リソースの有効活用やクラスタの安定運用に役立ちます。ノードのCPU使用率などのメトリクスを収集するには、Prometheusが公式で提供しているNode exporter[注10]を利用できます。Node exporterは、自身が稼働しているサーバやOSのメトリクスを取得してPrometheus形式で公開します。

Kubernetes上にNode exporterをデプロイするために、ここではDaemonSetというリソースを使用します。DaemonSetは、Podを各ノードに1つずつ配置するためのKubernetesリソースです。コンテナのログを収集するFluentdなどのロギングエージェントや今回のNode exporterのような各ノードで動作させる必要があるアプリケーションに適しています。マニフェストのspecには、Deploymentなどと同じようにPodテンプレートを定義します。

リスト8-2のマニフェストを、node-exporter.yamlという名前で保存してください。

リスト8-2 node-exporter.yaml

```
apiVersion: apps/v1
kind: DaemonSet
metadata:
  name: node-exporter
spec:
  selector:
    matchLabels:
      app: node-exporter
  template:
    metadata:
      labels:
        app: node-exporter
      annotations:
        prometheus.io/scrape: 'true'
        prometheus.io/port: '9100'
        prometheus.io/path: /metrics
    spec:
      containers:
      - name: node-exporter
        image: k8spracticalguide/node-exporter:v0.16.0
        ports:
        - containerPort: 9100
      hostNetwork: true
```

注10 https://github.com/prometheus/node_exporter

```
    hostPID: true
```

前項でデプロイしたPrometheusには、次のAnnotationが付加されたPodを監視ターゲットにする設定が入っています。Podテンプレートでこれらのアノテーションを付けるだけで、Prometheusがメトリクスを収集してくれます。

```
prometheus.io/scrape
prometheus.io/port
prometheus.io/path
```

保存したマニフェストファイルを適用します。

```
$ kubectl apply -f node-exporter.yaml
daemonset.apps "node-exporter" created
```


PrometheusのWeb UIの［Status］→［Target］から、Node exporterがターゲットになっているか確認してください（**図8-11**）。

図8-11　PrometheusのTarget画面（Node exporter）

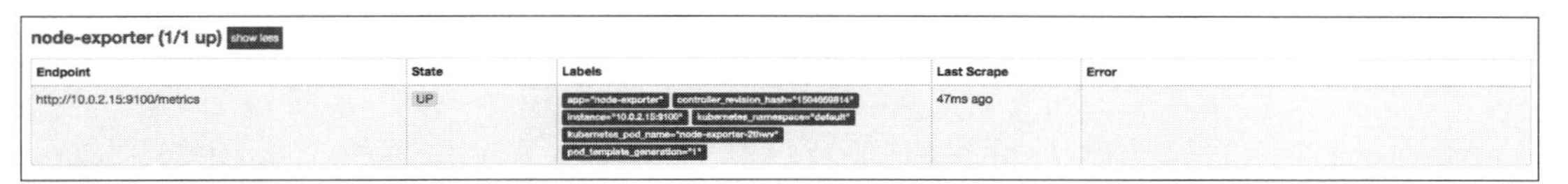

現在のノードのメモリ使用状況を確認してみましょう。Web UIのフォームで、“node_memory_Active_bytes”と入力し、［Graph］タブを選ぶと**図8-12**のように表示されます。

図8-12 PrometheusのGraph画面（Node exporter）

コンテナのメトリクス

Kubernetesでは、アプリケーションはコンテナとしてデプロイされます。各コンテナがどのくらいリソースを使用しているかをモニタリングしておくと、アプリケーションごとのリソース使用状況を把握できます。コンテナのメトリクスは、GoogleがOSSとして公開しているcAdvisor[注11]というコンテナ監視エージェントを使用して取得できます。

Kubernetesでは、cAdvisorはkubeletに組み込まれているため、別途デプロイする必要はありません。kubeletがcAdvisorで取得したコンテナのメトリクスを、/metrics/cadvisorというエンドポイントで公開しています。前項でデプロイしたPrometheusには、このエンドポイントをターゲットにする設定が入っています。

```
(..略..)
    - job_name: 'cadvisor'
      kubernetes_sd_configs:
      - role: node
      scheme: https
      tls_config:
        ca_file: /var/run/secrets/kubernetes.io/serviceaccount/ca.crt
        insecure_skip_verify: true
      bearer_token_file: /var/run/secrets/kubernetes.io/serviceaccount/token
      metrics_path: /metrics/cadvisor
(..略..)
```

注11 https://github.com/google/cadvisor

それではcAdvisorのメトリクスを確認してみましょう。PrometheusのWeb UIの［Status］→［Target］から、cAdvisorがターゲットになっているか確認してください（**図8-13**）。

図8-13 PrometheusのTarget画面（cAdvisor）

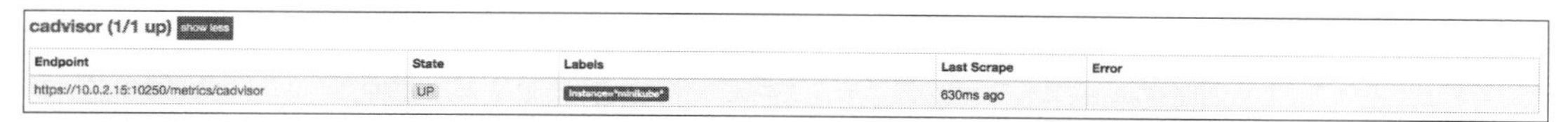

container_memory_working_set_bytes {container_name="prometheus"}というPromQLを入力してみましょう。［Graph］タブを選択すると、Prometheusコンテナのメモリ使用状況のグラフが表示されます（**図8-14**）。

図8-14 PrometheusのGraph画面（cAdvisor）

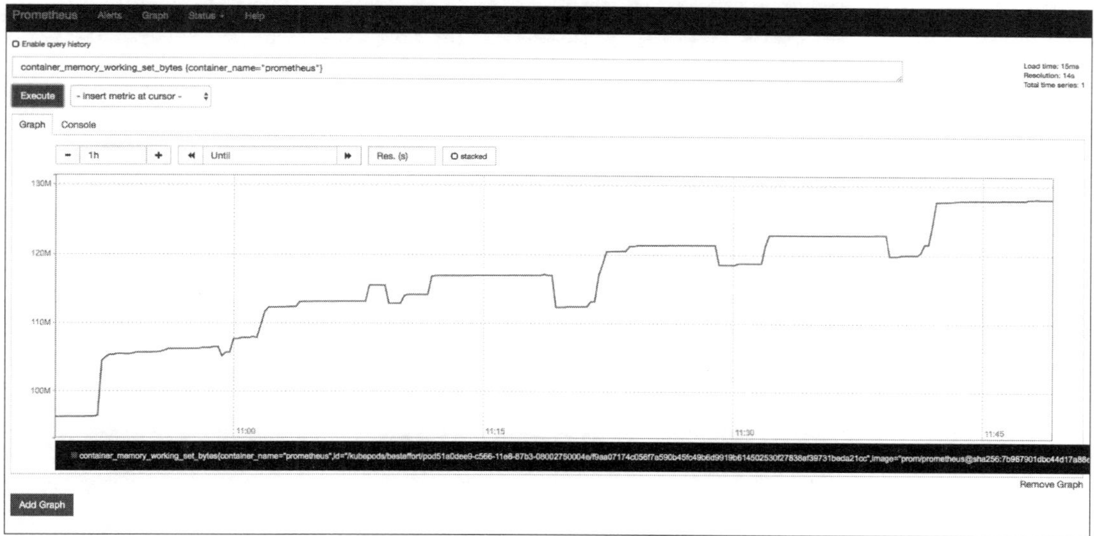

Kubernetesのメトリクス

ここまでで、ノード、コンテナそれぞれでのCPUやメモリといった一般的なシステムメトリクスを取得できました。次は、Deploymentの有効なレプリカ数といったKubernetesオブジェクトのメトリクスを取得してみます。

Kubernetesオブジェクトのメトリクスは、kube-state-metrics[注12]というKubernetesが公式で提供しているアドオンを使用することで取得できます。kube-state-metricsは、Kubernetes APIサーバを参照して

注12 https://github.com/kubernetes/kube-state-metrics

Kubernetesのリソース情報を取得し、Prometheus形式のメトリクスとして公開します。ステートレスなWebサーバなので、Deploymentを使用してデプロイするのが適しています。

リスト8-3のマニフェストを、kube-state-metrics.yamlという名前で保存してください。

リスト8-3 kube-state-metrics.yaml

```
apiVersion: v1
kind: ServiceAccount
metadata:
  name: kube-state-metrics
  namespace: default
---
apiVersion: rbac.authorization.k8s.io/v1
kind: ClusterRole
metadata:
  name: kube-state-metrics
rules:
- apiGroups: [""]
  resources:
  - configmaps
  - secrets
  - nodes
  - pods
  - services
  - resourcequotas
  - replicationcontrollers
  - limitranges
  - persistentvolumeclaims
  - persistentvolumes
  - namespaces
  - endpoints
  verbs: ["list", "watch"]
- apiGroups: ["extensions"]
  resources:
  - daemonsets
  - deployments
  - replicasets
  verbs: ["list", "watch"]
- apiGroups: ["apps"]
  resources:
  - statefulsets
  verbs: ["list", "watch"]
- apiGroups: ["batch"]
  resources:
```

```
  - cronjobs
  - jobs
  verbs: ["list", "watch"]
- apiGroups: ["autoscaling"]
  resources:
  - horizontalpodautoscalers
  verbs: ["list", "watch"]
---
apiVersion: rbac.authorization.k8s.io/v1
kind: ClusterRoleBinding
metadata:
  name: kube-state-metrics
roleRef:
  apiGroup: rbac.authorization.k8s.io
  kind: ClusterRole
  name: kube-state-metrics
subjects:
- kind: ServiceAccount
  name: kube-state-metrics
  namespace: default
---
apiVersion: apps/v1
kind: Deployment
metadata:
  name: kube-state-metrics
spec:
  selector:
    matchLabels:
      app: kube-state-metrics
  replicas: 1
  template:
    metadata:
      labels:
        app: kube-state-metrics
    spec:
      serviceAccountName: kube-state-metrics
      containers:
      - name: kube-state-metrics
        image: k8spracticalguide/kube-state-metrics:v1.4.0
        ports:
        - containerPort: 8080
          name: default
---
kind: Service
apiVersion: v1
```

```
metadata:
  name: kube-state-metrics
spec:
  selector:
    app: kube-state-metrics
  type: NodePort
  ports:
  - protocol: TCP
    port: 8080
    targetPort: 8080
```

保存したマニフェストファイルを適用します。

```
$ kubectl apply -f kube-state-metrics.yaml
serviceaccount "kube-state-metrics" created
clusterrole.rbac.authorization.k8s.io "kube-state-metrics" created
clusterrolebinding.rbac.authorization.k8s.io "kube-state-metrics" created
deployment.apps "kube-state-metrics" created
service "kube-state-metrics" created
```

PrometheusのWeb UIの［Status］→［Target］から、kube-state-metricsがターゲットになっているか確認してください（**図8-15**）。

図8-15　PrometheusのTarget画面（kube-state-metrics）

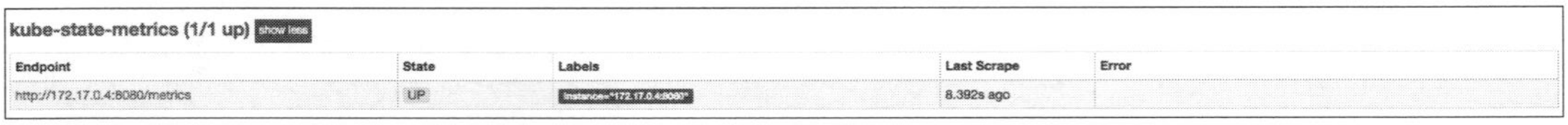

kube-state-metrics (1/1 up) show less

Endpoint	State	Labels	Last Scrape	Error
http://172.17.0.4:8080/metrics	UP	instance="172.17.0.4:8080"	8.392s ago	

kube_deployment_status_replicas_availableというPromQLを入力してみましょう。［Graph］タブを選択すると、Deploymentごとの正常に起動しているレプリカ数が表示されます（**図8-16**）。

図8-16 PrometheusのGraph画面（kube-state-metrics）

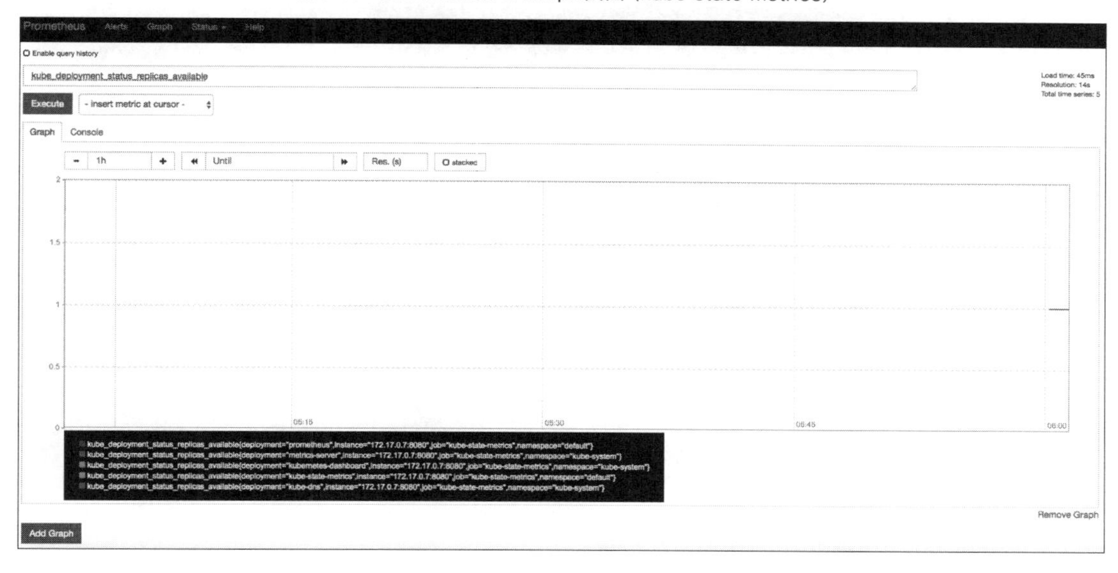

アプリケーションのメトリクス

Prometheusでは、各言語のクライアントライブラリ[注13]を使用して、アプリケーション固有のメトリクスを簡単に収集できます。これまで見てきたkube-state-metricsなどもこのライブラリを使用してPrometheusのエンドポイントを実装しています。一般的なWebアプリケーションであれば、リクエスト数、エラー数、レイテンシ、レスポンスサイズなどを収集してモニタリングすると良いでしょう。

Mattermostも、エンタープライズ版ではPrometheus用の/metricsエンドポイントが用意されています。本書で使用しているバージョンではこのメトリクスエンドポイントは利用できないので、代わりの例としてデータストアとして使用しているMySQLのメトリクスを取得してみます。

MySQLのメトリクスを取得するには、mysqld_exporter[注14]が利用できます。Exporterはメトリクスエンドポイントを提供するだけの独立したプログラムなので、MySQLとは別にデプロイします。

事前準備としてMySQLにExporter用のユーザを作成して、MySQLのメトリクスを取得するのに必要な権限を付与しておきます。次のように、`kubectl exec`コマンドで、MySQLのPodのシェルを起動してMySQLのユーザ作成、権限付与を行ってください。

```
$ kubectl exec -it mysql-0 /bin/bash
root@mysql-0:/# mysql -u root -p
Enter password: （rootのパスワードを入力）
```

注13 https://prometheus.io/docs/instrumenting/clientlibs/

注14 https://github.com/prometheus/mysqld_exporter

```
Welcome to the MySQL monitor.  Commands end with ; or \g.
(..略..)

exporterユーザを作成して権限を付与する
メトリクス取得で過負荷にならないようにコネクション数を制限することが推奨されている
mysql> CREATE USER 'exporter'@'%' IDENTIFIED BY 'exporterpassword' WITH MAX_USER_CONNECTIONS 3;
Query OK, 0 rows affected (0.03 sec)

exporterユーザに必要な権限を付与する
mysql> GRANT PROCESS, REPLICATION CLIENT, SELECT ON *.* TO 'exporter'@'%';
Query OK, 0 rows affected (0.01 sec)

mysql> exit
Bye
root@mysql-0:/# exit
exit
```

リスト8-4のマニフェストを、mysqld-exporter.yamlという名前で保存してください。

リスト8-4 mysqld-exporter.yaml

```
apiVersion: v1
kind: Secret
metadata:
  name: mysql-data-source-name
type: Opaque
data:
  '{MYSQL_USER}:{MYSQL_PASSWORD}@({MYSQL_SERVICE_DOMAIN}:3306)/'をBase64エンコードした値
  DATA_SOURCE_NAME: ZXhwb3J0ZXI6ZXhwb3J0ZXJwYXNzd29yZEAobXlzcWwuZGVmYXVsdC5zdmMuY2x1c3Rlci5sb2NhbDozMz⏎
A2KS8=  …(a)
---
apiVersion: apps/v1
kind: Deployment
metadata:
  name: mysqld-exporter
spec:
  selector:
    matchLabels:
      app: mysqld-exporter
  replicas: 1
  template:
    metadata:
      annotations:  …(b)
        prometheus.io/scrape: "true"
        prometheus.io/port: "9104"
```

```
    labels:
      app: mysqld-exporter
  spec:
    containers:
    - name: mysqld-exporter
      image: k8spracticalguide/mysqld-exporter:v0.11.0
      envFrom:
      - secretRef:
          name: mysql-data-source-name
      ports:
      - containerPort: 9104
```

リスト8-4の（a）のSecretのDATA_SOURCE_NAMEは、先ほど作成したユーザでMySQLに接続するための情報を、次のようにBase64エンコードした値です。

```
改行が入らないように-nオプションを指定すること
$ echo -n "exporter:exporterpassword@(mysql.default.svc.cluster.local:3306)/" | base64
ZXhwb3J0ZXI6ZXhwb3J0ZXJwYXNzd29yZEAobXlzcWwuZGVmYXVsdC5zdmMuY2x1c3Rlci5sb2NhbDozMzA2KS8=
```

（b）のアノテーションでPodをPrometheusのサービスディスカバリの対象にしています。

それでは、保存したマニフェストファイルを適用します。

```
$ kubectl apply -f mysqld-exporter.yaml
deployment.apps "mysqld-exporter" created
```

PrometheusのWeb UIの［Status］→［Target］から、mysqld-exporterがUPになっているか確認してください（**図8-17**）。

図8-17　PrometheusのTarget画面（mysqld-exporter）

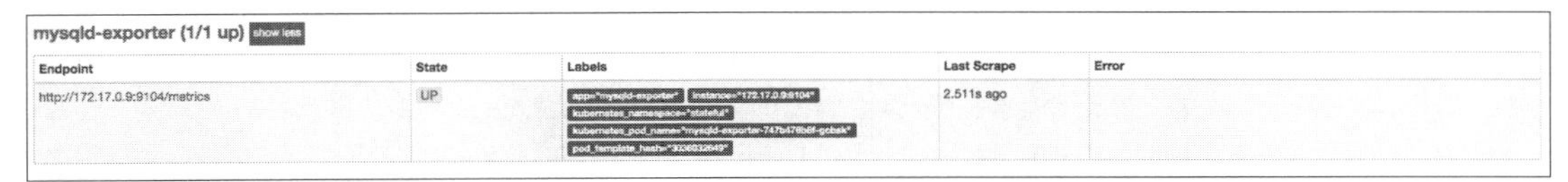

mysql_info_schema_table_rows{schema="mattermost", table="Posts"}というPromQLを入力してみましょう。［Graph］タブを選択すると、Mattermostのポスト数のグラフが示されます（**図8-18**）。

図8-18　PrometheusのGraph画面（mysqld-exporter）

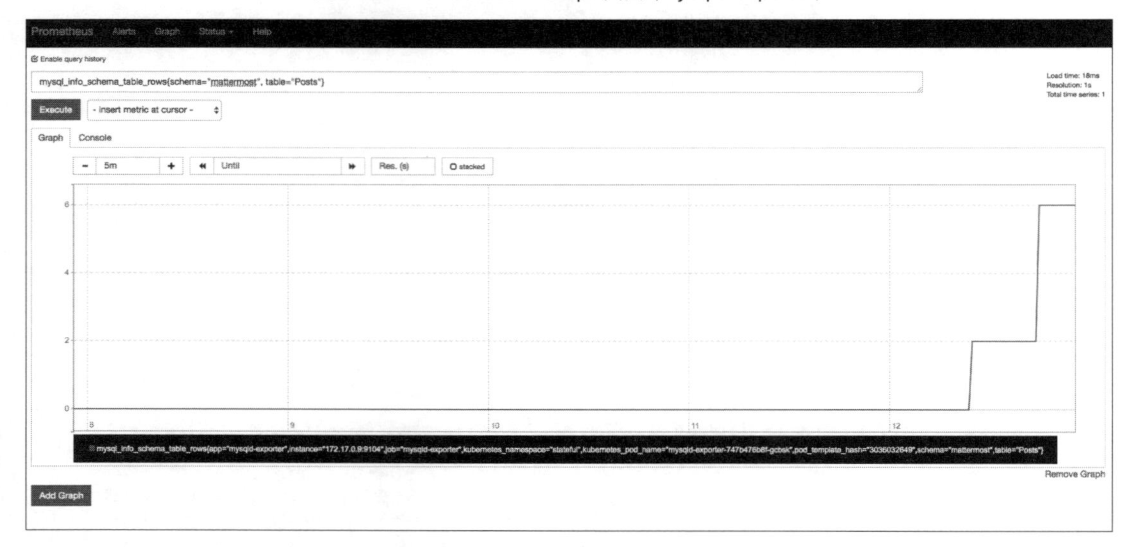

ここでは例としてMySQLのメトリクスを取得してみましたが、Prometheusでは、ほかにもWebサーバやメッセージキューなどのさまざまなミドルウェアのExporterが公開されています[注15]。現在使用しているミドルウェアのExporterがあれば、ぜひ利用してみてください。

8.2.7　Grafanaでメトリクスを可視化する

前項までで、クラスタのメトリクスをPrometheusで収集する方法を学びました。ここでは収集したメトリクスを可視化する方法について説明します。これまで見てきたように、PrometheusのWeb UI上でもグラフを表示することはできますが、PrometheusのWeb UIはPromQLの結果を確認するための、あくまで補助ツール的な位置付けとなっています。定常的にメトリクスを可視化するためには機能が不足していますので、Prometheusと組み合わせて使用されることの多いGrafanaを使って可視化してみましょう。

GrafanaはPrometheusをデータソースとしてネイティブサポートしており、グラフ作成時のPromQL補完など、Prometheusで収集・保存したメトリクスを可視化するのに適したツールです。

それでは、さっそくGrafanaもKubernetes上にデプロイしてみます。今回は、Deployment、Service、Prometheusのデータソースを設定するためのConfigMapを使用します。**リスト8-5**のマニフェストをgrafana.yamlという名前で保存してください。

注15　https://prometheus.io/docs/instrumenting/exporters/#third-party-exporters

リスト8-5 grafana.yaml

```
---
apiVersion: v1
kind: ConfigMap
metadata:
  name: grafana-datasources-config
  labels:
    app: grafana
data:
  datasources.yml: |
    apiVersion: 1
    deleteDatasources:
      - name: prometheus
        orgId: 1

    datasources:
    - name: prometheus
      type: prometheus
      access: proxy
      orgId: 1
      url: http://prometheus.default.svc.cluster.local:9090
      version: 1
      editable: false

---
apiVersion: v1
kind: Service
metadata:
  labels:
    app: grafana
  name: grafana
spec:
  ports:
  - port: 3000
    targetPort: 3000
  selector:
    app: grafana
  type: NodePort

---
apiVersion: apps/v1
kind: Deployment
metadata:
  labels:
    app: grafana
```

```
  name: grafana
spec:
  selector:
    matchLabels:
      app: grafana
  template:
    metadata:
      labels:
        app: grafana
    spec:
      containers:
      - name: grafana
        image: k8spracticalguide/grafana:5.2.4
        env:
        - name: GF_AUTH_ANONYMOUS_ENABLED
          value: "true"
        volumeMounts:
        - name: provisioning-datasources
          mountPath: /etc/grafana/provisioning/datasources
      volumes:
      - name: provisioning-datasources
        configMap:
          name: grafana-datasources-config
```

保存したマニフェストファイルを適用します。

```
$ kubectl apply -f grafana.yaml
configmap "grafana-datasources-config" created
service "grafana" created
deployment.apps "grafana" created
```

次のコマンドを実行してブラウザで確認してみましょう。

```
$ minikube service grafana
Opening kubernetes service default/grafana in default browser…
```

左下部の［Sign In］メニューから**図8-19**のログイン画面にアクセスします。unsername：admin、password：adminでログインできます。初回はパスワードの変更を求められるので、任意のパスワードを設定してください。

図8-19 Grafanaのログイン画面

ログインができたら、グラフを作ってみましょう。左メニューの［Create］からDashboardを選択し、［New dashboard］で［Graph］を選択します。［Panel title］をクリックして、［Edit］からグラフの編集ができます。［Data source］には、ConfigMapで設定したprometheusが選べるようになっています。［prometheus］を選択後、`sum(mysql_info_schema_table_size{schema="mattermost"}) by (table)`というPromQLを入力してください。凡例にテーブル名を表示するために、［Legend format］に`{{table}}`を指定します。

図8-20のように、mattermostスキーマのテーブルサイズがテーブルごとに表示されます。

図8-20 Grafanaのダッシュボード作成

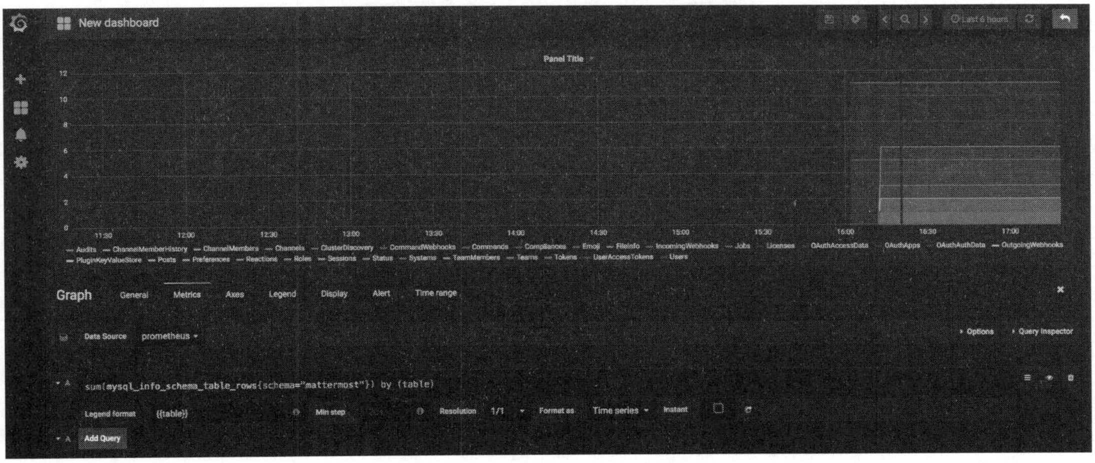

作成したダッシュボードは、上部の保存ボタンで保存できますが、GrafanaのPodが削除されると消えてしまいます。GrafanaのダッシュボードはJSON形式でエクスポートできます。実運用では、ダッシュボード作成後はJSONファイルにしてGitなどでバージョン管理し、Grafanaデプロイ時にプロビジョニングまたはインポートするのが良いでしょう。

ここではダッシュボードのJSONをConfigMapとして保存してPodにマウントし、Grafana起動時にプロビジョニングする方法を説明します。ダッシュボードのタイトルを「Mattermost dashboard」に変更して、[Settings]→[View JSON]でダッシュボードのJSONを表示してください。表示されたJSONを**リスト8-6**のように、ConfigMapのマニフェストとしてgrafana-dashboards.yamlというファイル名で保存します。

リスト8-6 grafana-dashboards.yaml

```
apiVersion: v1
kind: ConfigMap
metadata:
  name: grafana-dashboards
  labels:
    app: grafana
data:
  Settings→View JSONで表示したダッシュボードのJSON
  プロビジョニング用に"id"は削除しておく必要がある
  mattermost-dashboard.json: |
    {
      "annotations": {
        "list": [
          {
            "builtIn": 1,
            "datasource": "-- Grafana --",
            "enable": true,
            "hide": true,
            "iconColor": "rgba(0, 211, 255, 1)",
            "name": "Annotations & Alerts",
            "type": "dashboard"
          }
        ]
      },
      "editable": true,
      "gnetId": null,
      "graphTooltip": 0,
      "links": [],
      "panels": [
        {
          "aliasColors": {},
          "bars": false,
          "dashLength": 10,
          "dashes": false,
          "datasource": "prometheus",
          "fill": 1,
          "gridPos": {
```

```
            "h": 9,
            "w": 12,
(..略..)
```

作成したマニフェストを適用します。

```
$ kubectl apply -f grafana-dashboards.yaml
configmap "grafana-dashboards" created
```

次に、grafana.yaml（**リスト8-5**）を修正して、作成したダッシュボードがプロビジョニングされるようにします。**リスト8-7**のようにgrafana.yamlを修正してください。

リスト8-7 grafana.yaml（起動時にダッシュボードがプロビジョニングされるようにする）

```
ダッシュボードプロバイダの設定ファイルを追加
+ ---
+ apiVersion: v1
+ kind: ConfigMap
+ metadata:
+   name: grafana-dashboard-providers-config
+   labels:
+     app: grafana
+ data:
+   dashboard-providers.yml: |
+     apiVersion: 1
+     providers:
+     - name: 'default'
+       orgId: 1
+       folder: ''
+       type: file
+       disableDeletion: true
+       editable: false
+       options:
+         path: /var/lib/grafana/dashboards
+
---
ダッシュボードプロバイダの設定ファイルとダッシュボードのJSONファイルのConfigMapをPodのボリュームとしてマウント
(..略..)
          - name: provisioning-datasources
            mountPath: /etc/grafana/provisioning/datasources
+         - name: provisioning-dashboard-providers
+           mountPath: /etc/grafana/provisioning/dashboards
+         - name: dashboard-data
```

```
+           mountPath: /var/lib/grafana/dashboards
        volumes:
        - name: provisioning-datasources
          configMap:
            name: grafana-datasources-config
+       - name: provisioning-dashboard-providers
+         configMap:
+           name: grafana-dashboard-providers-config
+       - name: dashboard-data
+         configMap:
+           name: grafana-dashboards
```

修正したマニフェストを適用します。

```
$ kubectl apply -f grafana.yaml
configmap "grafana-datasources-config" unchanged
configmap "grafana-dashboard-providers-config" created
service "grafana" unchanged
deployment.apps "grafana" configured
```

これで作成したダッシュボードがGrafana起動時にプロビジョニングされるようになったので、GrafanaのPodが削除されて再作成されてもダッシュボードを継続して利用できます。

自分でダッシュボードを作成する以外にも、Grafana公式サイトではさまざまなダッシュボードが用途別に公開されており、ダウンロードできます[注16]。自分の用途にあったものがないか探してみる良いでしょう。

Metrics API

COLUMN

Metrics APIは、メトリクスの提供元をプラガブルにするために導入されたインターフェースです。Resource Metrics APIとCustom Metrics APIの2種類があります。いずれもKubernetesのAPI aggregation layerというしくみでKubernetes APIサーバを拡張する形で定義されています。

Resource Metrics APIは、Podやノードのリソース使用状況のメトリクスを取得するためのAPIです。`/apis/metrics.k8s.io`からメトリクスを取得できます。このインターフェースを実装しているのが、minikubeのアドオンで有効化したMetrics serverです。`kubectl top`、HPA (HorizontalPodAutoscaler)などから参照されます。

Custom Metrics APIは、ユーザが任意のメトリクスをKubernetes APIサーバから取得できるようにするAPIです。`/apis/custom.metrics.k8s.io`、`/apis/external.metrics.k8s.io`からメトリクスを取得でき

注16 https://grafana.com/dashboards

ます。Custom Metrics APIはサードパーティのモニタリングシステムと統合することが可能になるしくみで、Prometheusのメトリクスを取得できるPrometheus adaptorなどが実装されています。Custom Metrics APIを利用することで、HPAでアプリケーション固有のメトリクスを評価してオートスケールさせる、といった柔軟な設定が可能になります。

8.3 まとめ

この章では、Kubernetes環境におけるロギングとメトリクスモニタリングについて説明しました。動的にデプロイ状況が変わるKubernetesでは、以下のようにログ、メトリクスともに集約して可視化することがポイントになります。

- Fluentdなどのログ転送エージェントを利用して、コンテナのログをロギングバックエンドに転送・集約して可視化する
- Prometheusを利用して、ノード、コンテナ、Kubernetesリソース、アプリケーションのメトリクスを収集して可視化する

Podのセキュリティを高める管理者向けの機能

ここでは、第7章で説明したSecurityContext機能の補足として、管理者向けの機能であるPodSecurityPolicyについて説明します。

A.1 PodSecurityPolicyでPodのセキュリティ設定を強制する

第7章で説明したPodのSecurityContext機能を使うことで、Podのセキュリティを高めることができました。しかし、クラスタにデプロイしたすべてのPodについて、正しくSecurityContextが指定されていることを保証することはできません。

PodSecurityPolicyは、Podの設定が満たすべきポリシーを定義することで、それを満たさないPodのデプロイを禁止する機能です。ポリシーは複数定義でき、Podを作成するユーザによって違うポリシーを適用できます。この機能を使うことで、クラスタ全体のPodのセキュリティ設定の品質を一定に保つことができます。

この機能はKubernetes v1.11時点ではベータ版です。今後のバージョンアップで機能の変更や、構造の変更が入る可能性があります。

A.1.1 PodSecurityPolicyを有効にする

PodSecurityPolicyを有効にすると、明示的にポリシーを指定しない限りPodをデプロイできなくなります。デフォルトではこの機能は無効になっていますが、有効にして適切なポリシーを適用することが推奨されています。

minikubeでこの機能を有効にするためには、次のようなパラメータでクラスタを生成します。

```
$ minikube start --extra-config=apiserver.enable-admission-plugins=PodSecurityPolicy \
  --kubernetes-version=v1.11.3
```

`--extra-config=apiserver.enable-admission-plugins=`に続いて、`PodSecurityPolicy`を指定しています。これはadmission controlというKubernetes APIサーバに指定するパラメータです。admission controlは、Kubernetes APIサーバがリクエストを処理する際に認証、認可を終えたのち、リクエストをインターセプトして処理を追加する機能です。Kubernetesはこの機能でリクエストのバリデーションやデフォルトの値の設定などさまざまな処理を行っています。PodSecurityPolicyはこのadmission controlで実現されており、Podを作ろうとするリクエストに対して、ポリシーを満たしているかを検証します。

minikubeでは何も指定しない場合も、デフォルトでいくつかの機能を有効にしています。前述のコマンドの指定は、それに加えて`PodSecurityPolicy`を追加したものとなっています。

PodSecurityPolicyはadmission controlとして実装されているため、Podを作る際に動作します。そのため、Podを作ったあとでPodSecurityPolicyやその権限を変更しても、すでに作成済みのPodには反映されないことに注意してください。

A.1.2 PodSecurityPolicyの作成

PodSecurityPolicyを有効にしましたが、ポリシーの作成をしていません。ポリシーの指定がないとKubernetes APIサーバはあらゆるPodの作成を失敗させます。そのため、このままではKubernetesの動作に必要なコンポーネントも動きません。

そこで、まずはどのようなPodでも作成できるprivilegedというポリシーを作成します（**リストA-1**）。

リストA-1　privileged.yaml

```
apiVersion: policy/v1beta1
kind: PodSecurityPolicy
metadata:
  name: privileged
  annotations:
    seccomp.security.alpha.kubernetes.io/allowedProfileNames: '*'
spec:
  privileged: true
  allowPrivilegeEscalation: true
  allowedCapabilities:
  - '*'
  volumes:
  - '*'
  hostNetwork: true
  hostPorts:
  - min: 0
    max: 65535
  hostIPC: true
  hostPID: true
  runAsUser:
    rule: 'RunAsAny'
  seLinux:
    rule: 'RunAsAny'
  supplementalGroups:
    rule: 'RunAsAny'
  fsGroup:
    rule: 'RunAsAny'
```

privilegedのPodSecurityPolicyをデプロイ

```
$ kubectl apply -f privileged.yaml
podsecuritypolicy.policy/privileged created
```

リストA-1を見ると、第7章で説明したSecurityContextで見たことのある要素がたくさんあるのがわかります。PodSecurityPolicyは、Podの設定のうちセキュリティに関わるパラメータを強制するためのものです。たとえば、`privileged: true`となっているのは、このポリシーが`privileged: true`のPodを作成することを許可するということです。

ほかにも`allowPrivilegeEscalation`や、`seccomp`、`runAsUser`、`fsGroup`など第7章で説明した機能についてのポリシーを定義しています。

`runAsUser`、`fsGroup`については、真偽値ではなく文字列でポリシーを記載します。具体的には次のものが指定できます。

- **MustRunAsNonRoot**
  Podを実行するユーザがrootではないことを強制する。PodのSpecにrunAsUserで非rootのユーザを指定している場合、またはもともとコンテナに非rootのユーザが指定されている場合のみPodを作成できる
- **MustRunAs**
  次のようにUIDの範囲でユーザを指定する。以下の例は、範囲外のユーザはrootユーザの0だけであるため、実質MustRunAsNonRootと同じである

```
(..略..)
  fsGroup:
    rule: 'MustRunAs'
    ranges:
      - min: 1
        max: 65535
(..略..)
```

- **RunAsAny**
  Podを実行するユーザは何でも良い

次に、ある程度制限したポリシーとして、restrictedを定義します（**リストA-2**）[注1]。このポリシーは単純なPodは作成できますが、ホストの情報にアクセスできるようなPodや、rootで動作するようなPodの作成は許可しません。

リストA-2　restricted.yaml

```
apiVersion: policy/v1beta1
kind: PodSecurityPolicy
metadata:
```

注1　このポリシーは、https://kubernetes.io/docs/concepts/policy/pod-security-policy/#example-policiesを参考にしていますが、minikubeではAppArmorが有効ではないため、AppArmorに関するポリシーは除いています。

```
  name: restricted
  annotations:
    seccomp.security.alpha.kubernetes.io/allowedProfileNames: 'docker/default'
    seccomp.security.alpha.kubernetes.io/defaultProfileName:  'docker/default'
spec:
  privileged: false
  allowPrivilegeEscalation: false
  requiredDropCapabilities:
    - ALL
  volumes:
    - 'configMap'
    - 'emptyDir'
    - 'projected'
    - 'secret'
    - 'downwardAPI'
    - 'persistentVolumeClaim'
  hostNetwork: false
  hostIPC: false
  hostPID: false
  runAsUser:
    rule: 'MustRunAsNonRoot'
  seLinux:
    rule: 'RunAsAny'
  supplementalGroups:
    rule: 'MustRunAs'
    ranges:
      - min: 1
        max: 65535
  fsGroup:
    rule: 'MustRunAs'
    ranges:
      - min: 1
        max: 65535
  readOnlyRootFilesystem: false
```

restrictedのPodSecurityPolicyをデプロイ

```
$ kubectl apply -f restricted.yaml
podsecuritypolicy.policy/restricted created
```

A.1.3 システムコンポーネントのためのポリシーのひもづけ

ポリシーを作成したら、適切なユーザに対してRBAC（Role-Based Access Control）でひもづけを行う必要があります。しかし、cluster-adminというクラスタの管理者だけは例外で、とくに設定を行わずとも、すべてのリソースに対して権限を持っています。そのため、cluster-adminは先ほど用意したprivilegedとrestrictedのポリシーを利用できます。複数のポリシーの権限がある場合は、どれか1つでも有効なポリシーがあればPodを作ることができます。

cluster-admin以外のユーザには、まだ何のポリシーも定義されていません。ここでは、「Kubernetesに認証済みとして扱われているユーザであれば、restrictedのポリシーのPodは作成しても良い」というルールを想定して、**リストA-3**のClusterRoleとClusterRoleBindingを作成します。**リストA-3**の（a）にあるとおり、Kubernetesに認証済みとして扱われているユーザは、Kubernetesが用意した特別なグループであるsystem:authenticatedとして扱うことができます。

リストA-3　psp-restricted.yaml

```
apiVersion: rbac.authorization.k8s.io/v1
kind: ClusterRole
metadata:
  name: psp-restricted
rules:
- apiGroups:
  - extensions
  resourceNames:
  - restricted
  resources:
  - podsecuritypolicies
  verbs:
  - use
---
apiVersion: rbac.authorization.k8s.io/v1beta1
kind: ClusterRoleBinding
metadata:
  name: psp-restricted
roleRef:
  apiGroup: rbac.authorization.k8s.io
  kind: ClusterRole
  name: psp-restricted
subjects:
- apiGroup: rbac.authorization.k8s.io
  kind: Group
  name: system:authenticated  …(a)
```

psp-restrictedのClusterRoleとClusterRoleBindingをデプロイ

```
$ kubectl apply -f psp-restricted.yaml
clusterrole.rbac.authorization.k8s.io/psp-restricted created
clusterrolebinding.rbac.authorization.k8s.io/psp-restricted created
```

ここまでで、cluster-adminはprivilegedかrestrictedのポリシー、それ以外のユーザはrestrictedのポリシーのPodが作れるように設定できました。

ところで、今の状態でKubernetesのシステムコンポーネントがどうなっているかを確認してみましょう。

```
$ kubectl get pod -n kube-system
NAME                                        READY     STATUS             RESTARTS   AGE
default-http-backend-579fd6567c-9xpmd       1/1       Running            0          2m
kubernetes-dashboard-6f66c7fc56-klfg5       0/1       CrashLoopBackOff   2          2m
nginx-ingress-controller-7c56b89fcf-6nl9m   0/1       Running            1          2m
storage-provisioner                         1/1       Running            1          2m
```

かなりPodが少ないように見えます。また、エラーになっているPodもあります。コマンド実行のタイミングでSTATUSが異なることがありますが、ContainerCreatingと出ている場合は、しばらく待って再度実行してみてください。PodSecurityPolicyを有効にする前のクラスタで同じコマンドを打つと次のような結果でした。

```
PodSecurityPolicyを有効にする前に実行したもの
$ kubectl get pod -n kube-system
NAME                                        READY     STATUS    RESTARTS   AGE
coredns-78fcdf6894-tqsnf                    1/1       Running   0          2m
coredns-78fcdf6894-wkwps                    1/1       Running   0          2m
default-http-backend-579fd6567c-2b6hh       1/1       Running   0          2m
etcd-minikube                               1/1       Running   0          2m
kube-addon-manager-minikube                 1/1       Running   0          1m
kube-apiserver-minikube                     1/1       Running   0          2m
kube-controller-manager-minikube            1/1       Running   0          2m
kube-proxy-k7w82                            1/1       Running   0          2m
kube-scheduler-minikube                     1/1       Running   0          1m
kubernetes-dashboard-6f66c7fc56-8m48s       1/1       Running   0          2m
nginx-ingress-controller-7c56b89fcf-xtxd6   1/1       Running   0          2m
storage-provisioner                         1/1       Running   0          2m
```

比較すると通常存在するはずのetcdやKubernetes APIサーバ、kube-proxy、corednsなどが動作していないことがわかります。

Kubernetesを構成するコンポーネントは、それぞれ独自のユーザとして、Kubernetes APIサーバにリクエストを行っています。ここまでの手順でcluster-adminのユーザとしてKubernetes APIサーバにアクセスするコンポーネントは正しく動作していますが、それ以外のユーザで動作するコンポーネントはrestrictedのポリシーのPodしか作ることができないため、うまく動作していません。そのため、クラスタに必要なコンポーネントがすべて構築できているわけではありません。

minikubeではkubeletがシステムに必要なPodを動作させます。kubeletはsystem:nodesグループのユーザとして動作しています。そこで、system:nodesグループにprivilegedの権限を与えます（**リストA-4、A-5**）。

リストA-4　psp-privileged.yaml

```
apiVersion: rbac.authorization.k8s.io/v1
kind: ClusterRole
metadata:
  name: psp-privileged
rules:
- apiGroups:
  - extensions
  resourceNames:
  - privileged
  resources:
  - podsecuritypolicies
  verbs:
  - use
```

リストA-5　psp-privileged-nodes.yaml

```
apiVersion: rbac.authorization.k8s.io/v1beta1
kind: ClusterRoleBinding
metadata:
  name: psp-privileged-nodes
roleRef:
  apiGroup: rbac.authorization.k8s.io
  kind: ClusterRole
  name: psp-privileged
subjects:
- apiGroup: rbac.authorization.k8s.io
  kind: Group
  name: system:nodes
```

```
psp-privilegedのClusterRoleをデプロイ
$ kubectl apply -f psp-privileged.yaml
clusterrole.rbac.authorization.k8s.io/psp-privileged created

psp-privileged-nodesのClusterRoleBindingをデプロイ
$ kubectl apply -f psp-privileged-nodes.yaml
clusterrolebinding.rbac.authorization.k8s.io/psp-privileged-nodes created
```

ここまでのポリシーを設定すると、次のようになります。

```
$ kubectl get pod  -n kube-system
NAME                                        READY   STATUS             RESTARTS   AGE
default-http-backend-579fd6567c-9xpmd       1/1     Running            0          4m
etcd-minikube                               1/1     Running            0          54s
kube-addon-manager-minikube                 1/1     Running            0          54s
kube-apiserver-minikube                     1/1     Running            0          1m
kube-controller-manager-minikube            1/1     Running            0          31s
kube-scheduler-minikube                     1/1     Running            0          1m
kubernetes-dashboard-6f66c7fc56-klfg5       0/1     CrashLoopBackOff   4          4m
nginx-ingress-controller-7c56b89fcf-6nl9m   0/1     Running            5          4m
storage-provisioner                         0/1     CrashLoopBackOff   3          4m
```

etcdやKubernetes APIサーバがデプロイされましたが、いくつかのPodがエラー、kube-proxyとcorednsがまだ作成されていません。ここでもコマンド実行のタイミングによってSTATUSは異なることがありますが、上記のようにetcd、Kubernetes APIサーバのPodが出そろうまで何度も上記コマンドを実行してみてください。

kube-proxyのPodは、DaemonSetというノードごとにPodを作成するリソースにより管理されています。kube-proxyのPodが作成されていないのは、管理しているDaemonSetオブジェクトに問題がある可能性が高いため、確認をしてみます。

```
$  kubectl get daemonset -n kube-system
NAME         DESIRED   CURRENT   READY   UP-TO-DATE   AVAILABLE   NODE SELECTOR                   AGE
kube-proxy   0         0         0       0            0           beta.kubernetes.io/arch=amd64   6m

$ kubectl describe daemonset -n kube-system kube-proxy
(..略..)
Events:
  Type     Reason        Age                 From                  Message
  ----     ------        ----                ----                  -------
  Warning  FailedCreate  5m (x13 over 6m)    daemonset-controller  Error creating: pods "kube-proxy-" ⏎
is forbidden: no providers available to validate pod request
  Warning  FailedCreate  5m                  daemonset-controller  Error creating: pods "kube-proxy-" ⏎
is forbidden: unable to validate against any pod security policy: []
  Warning  FailedCreate  46s (x3 over 4m)    daemonset-controller  Error creating: pods "kube-proxy-" ⏎
is orbidden: unable to validate against any pod security policy: [spec.securityContext.hostNetwork: ⏎
Invalid value: true: Host network is not allowed to be used spec.volumes[1]: Invalid value: ⏎
"hostPth": hostPath volumes are not allowed to be used spec.volumes[2]: Invalid value: "hostPath": ⏎
hostPath volumes are not allowed to be used spec.containers[0].securityContext.privileged: ⏎
Invalid value: true: Privileged containers are not allowed]
```

DaemonSetは作成されていますが、Podを作るには至っていません。

corednsのPodは、Deploymentで管理されているReplicaSetがPodを作るので、ReplicaSetリソースに問題がある可能性が高いため、こちらも確認してみます。

```
$  kubectl get replicaset -n kube-system
NAME                                DESIRED   CURRENT   READY     AGE
coredns-78fcdf6894                  2         0         0         6m
default-http-backend-579fd6567c     1         1         1         5m
kubernetes-dashboard-6f66c7fc56     1         1         0         5m
nginx-ingress-controller-7c56b89fcf 1         1         0         5m

$ kubectl describe replicaset -n kube-system coredns-78fcdf6894
(..略..)
Events:
  Type     Reason        Age                 From                   Message
  ----     ------        ----                ----                   -------
  Warning  FailedCreate  6m (x13 over 6m)    replicaset-controller  Error creating: pods "coredns-↵
78fcdf6894-" is forbidden: no providers available to validate pod request
  Warning  FailedCreate  6m                  replicaset-controller  Error creating: pods "coredns-↵
78fcdf6894-" is forbidden: unable to validate against any pod security policy: []
  Warning  FailedCreate  1m (x3 over 5m)     replicaset-controller  Error creating: pods "coredns-↵
78fcdf6894-" is forbidden: unable to validate against any pod security policy: [capabilities.add: ↵
Invalid value: "NET_BIND_SERVICE": capability may not be added]
```

kube-proxy、corednsともにrestrictedのポリシーを満たさないPodを作ろうとして失敗している旨が、Eventとして記録されています。

ReplicaSetやDaemonSetからPodを作成するのは、KubernetesのコンポーネントのReplicaSetコントローラ、DaemonSetコントローラが行っています。これらはcluster-adminではなく、それぞれのServiceAccountで動作しているため、`system:authenticated`のグループとして扱われ、restrictedのポリシーでPodを作っています。

ここで、それぞれのServiceAccountにprivilegedのポリシーをひもづけることもできますが、そうするとせっかく制限しようとしているのに、すべてのDaemonSetとReplicaSetから生成されるPodがprivilegedのポリシーで作成できてしまうことになります。これはやりたいことではありません。

ここまではPodを作成しようとするユーザにポリシーをひもづける方法を説明しましたが、もう1つの方法として、作成しようとしているPodのServiceAccountにポリシーをひもづける方法があります。ここでは、この方法を利用してkube-proxy、corednsを作成できるようにポリシーを設定します（**リストA-6**）。

リストA-6　psp-privileged-sa.yaml

```
apiVersion: rbac.authorization.k8s.io/v1beta1
kind: ClusterRoleBinding
```

```
metadata:
  name: psp-privileged-sa
roleRef:
  apiGroup: rbac.authorization.k8s.io
  kind: ClusterRole
  name: psp-privileged
subjects:
- kind: ServiceAccount
  name: kube-proxy
  namespace: kube-system
- kind: ServiceAccount
  name: coredns
  namespace: kube-system
```

```
psp-privileged-saのClusterRoleBindingをデプロイ
$ kubectl apply -f psp-privileged-sa.yaml
clusterrolebinding.rbac.authorization.k8s.io/psp-privileged-sa created
```

kube-proxyとcorednsのPodがデプロイされるまでには、しばらく時間がかかります。Kubernetesはエラー時の再試行の際、待ち時間を指数関数的に延ばしていくことで、システムがビジーループ状態になることを防ぐ機能があります。そのため、エラー状態が長く続いている場合は、かなり待たないと再生成されません。

エラー状態から抜けるためには、対象のオブジェクトを再生成するのが簡単です。minikubeのaddonとして管理しているDeploymentやDaemonSetについては、kubectl deleteで削除することで、minikubeのaddonのしくみで再生成が行われます。また、ReplicaSetやPodは、それぞれ上位のリソースに管理されているため、これらもkubectl deleteで削除することで、再生成を促すことができます。再生成されたオブジェクトは以前のエラー状態とは無関係なので、即座に作成が開始されます。今回の手順ではkube-proxyだけは、このような手法で再生成を促すことができないので、STATUSがRunningになるまで気長に待ちましょう（もし待てなければ、一度クラスタの作成からやりなおして、ここまでのマニフェストを一気にデプロイしてください）。

最終的に次のようにすべてがRunningになることを確認してください。

```
$ kubectl get pod -n kube-system
NAME                                  READY   STATUS    RESTARTS   AGE
coredns-78fcdf6894-qv2bv              1/1     Running   0          5m
coredns-78fcdf6894-xdw5k              1/1     Running   0          5m
default-http-backend-579fd6567c-9xpmd 1/1     Running   0          15m
etcd-minikube                         1/1     Running   0          11m
kube-addon-manager-minikube           1/1     Running   0          11m
kube-apiserver-minikube               1/1     Running   0          12m
kube-controller-manager-minikube      1/1     Running   0          11m
```

```
kube-proxy-hch6t                              1/1     Running   0          5m
kube-scheduler-minikube                       1/1     Running   0          12m
kubernetes-dashboard-6f66c7fc56-klfg5         1/1     Running   7          15m
nginx-ingress-controller-7c56b89fcf-6nl9m     1/1     Running   8          15m
storage-provisioner                           1/1     Running   6          15m
```

これでKubernetesを構成するコンポーネントを正常に起動できました。

A.1.4　ポリシーの例

クラスタを複数のチームなどで扱う場合には、アプリケーション開発者には強い権限を与えたくない場合があります。そのような場合を想定したアカウントの設定方法を説明します。

minikubeで作成したクラスタへkubectlコマンドでアクセスする際は、cluster-adminの権限で行うように設定されています（第5章のコラム「minikubeの認証・認可」を参照）。cluster-adminはすべてのリソースに対して権限を持っているため、すでに今まで作成したprivileged、restrictedのどちらのポリシーも利用できます。そのため、PodSecurityPolicyを設定した今でも、どんなPodもデプロイできます。ここでは、restrictedのポリシーだけを許したServiceAccountであるdevelopperを作成します（**リストA-7、A-8**）。

リストA-7　developper.yaml

```
apiVersion: v1
kind: ServiceAccount
metadata:
  name: developper
```

リストA-8　psp-developper.yaml

```
apiVersion: rbac.authorization.k8s.io/v1beta1
kind: ClusterRoleBinding
metadata:
  name: psp-developper
roleRef:
  apiGroup: rbac.authorization.k8s.io
  kind: ClusterRole
  name: psp-restricted
subjects:
- kind: ServiceAccount
  name: developper
  namespace: default
---
apiVersion: rbac.authorization.k8s.io/v1beta1
kind: ClusterRoleBinding
```

```
metadata:
  creationTimestamp: null
  name: psp-developper-edit
roleRef:
  apiGroup: rbac.authorization.k8s.io
  kind: ClusterRole
  name: edit
subjects:
- kind: ServiceAccount
  name: developper
  namespace: default
```

```
developperのServiceAccountをデプロイ
$ kubectl apply -f developper.yaml
serviceaccount/developper created

psp-developperとpsp-developper-editのClusterRoleBindingをデプロイ
$ kubectl apply -f psp-developper.yaml
clusterrolebinding.rbac.authorization.k8s.io/psp-developper created
clusterrolebinding.rbac.authorization.k8s.io/psp-developper-edit created
```

このServiceAccountは、Kubernetesに最初から組み込まれているロールであるeditの権限を持ち、それに加えてrestrictedのポリシーでPodを作成できます。

このServiceAccountの権限を確かめるために、kubectlの--asオプションを使います。--asオプションを指定することで、そのユーザに偽装してアクセスできます。ServiceAccountの場合は、ユーザ名としてsystem:serviceaccount:Namespace名:ServiceAccount名を指定します。たとえば、次のようにServiceAccountでPodを作ろうとすると、restrictedのポリシーでPodが作成されます。

```
$ kubectl --as=system:serviceaccount:default:developper run nginx \
  --image=k8spracticalguide/nginx:1.15.5
```

この例では、nginxのPodはrootで動作しようとするため、PodはCreateContainerConfigErrorとなっています。もしSTATUSがContainerCreatingの場合は、しばらく待ってからコマンドを再度実行してください。

```
$ kubectl get pod
NAME                     READY   STATUS                       RESTARTS   AGE
nginx-6d867bc5d7-gpmch   0/1     CreateContainerConfigError   0          43s

$ kubectl describe pod nginx-6d867bc5d7-gpmch
```

```
(..略..)
Events:
  Type     Reason     Age                From               Message
  ----     ------     ----               ----               -------
  Normal   Scheduled  1m                 default-scheduler  Successfully assigned default/nginx-⏎
6d867bc5d7-gpmch to minikube
  Normal   Pulling    1m                 kubelet, minikube  pulling image "nginx:1.15"
  Normal   Pulled     32s                kubelet, minikube  Successfully pulled image "nginx:1.15"
  Warning  Failed     6s (x4 over 32s)   kubelet, minikube  Error: container has runAsNonRoot and ⏎
image will run as root
  Normal   Pulled     6s (x3 over 31s)   kubelet, minikube  Container image "nginx:1.15" already ⏎
present on machine
```

終わったら消しておきます。

```
$ kubectl delete deployment nginx
```

このようにPodSecurityPolicyを利用することで、管理者ではないユーザには危険なPodを作らせない、といった制限を実施できます。ここでは説明を簡単にするために、ServiceAccountにPodSecurityPolicyの権限を付与しましたが、同様にユーザアカウントについてもPodSecurityPolicyの権限を付与することができます。

索引

記号・数字

A

B

C

D

E

F

G

H

I

J

K

L

M

N

O

P

Q

R

S

T

U

V

W

あ

い

お

か

き

く

け

こ

さ

し

す

せ

た

つ

て

と

な

に

ね

の

は

ひ

ふ

へ

ほ

ま

め

ゆ

よ

り

れ

ろ

著者紹介

須田 一輝（すだ かずき） @superbrothers

2009年にヤフー株式会社に入社。2014年に同僚との会話の中で初めてKubernetesを知る。2015年からゼットラボ株式会社に出向し、Kubernetesを中心としたインフラ基盤の研究開発・技術支援に従事。その他、OSS開発や登壇、Kubernetes Meetup Tokyoなどのミートアップ主催、Kubernetes GitHub Orgメンバーとしての貢献も行う。好きなコマンドはkubectl completion。

稲津 和磨（いなづ かずま） @ina_ani

2010年にヤフー株式会社に入社。さまざまなWebサービスのバックエンド、フロントエンドの開発に従事。2015年からゼットラボ株式会社の初期メンバーとして出向し、Yahoo! JAPANの次世代インフラ基盤の構築に携わる。Webサービスに限らずものづくりが好きで、趣味として電子工作に取り組み、自宅に3Dプリンタを持っている。ここ最近は格安VPSでいかにKubernetesクラスタを構築するかに挑戦中。

五十嵐 綾（いがらし あや） @Ladicle

OpenStackをベースとしたIaaS/PaaSのクラウドサービス基盤を5年ほど開発したのち、2017年よりゼットラボ株式会社でヤフー社向けのKubernetes管理基盤の研究開発を担当。ほかにも、Kubernetes周辺のOSSの開発やコミュニティの運営、登壇などをしつつ、日本での仲間集めを目論む。k8sではCRD（Custom Resource Definitions）周りが好き。

坂下 幸徳（さかした ゆきのり）

2003年に株式会社日立製作所 システム開発研究所に入社。主任研究員として運用管理・クラウド技術の研究開発に従事。2014年に米国シリコンバレーのHitachi America Ltd, R&D/IT Platform Systems Labのラボ長に就任、同国で2017年まで活動。

2018年よりゼットラボ株式会社に移り、Kubernetesを中心とした運用管理・クラウド技術の研究開発に従事。また、2012年よりストレージの業界団体SNIA（Storage Networking Industry Association）でも活動。2013年～2017年の間、SNIA本部@米国コロラドのTechnical Working Groupを取りまとめるTechnical Councilに日本人初で就任し、ISO/ANSIの標準化にも貢献。2018年現在はSNIA日本支部技術委員会副委員長としても活動中。お酒を嗜(たしな)みつつKubernetesでのストレージ活用、Statefulアプリケーションの普及を狙い奮戦中。博士（情報科学）、情報処理学会会員。

吉田 拓弘（よしだ たくひろ）

2009年にヤフー株式会社に入社。決済システムや内製モニタリングプラットフォームの開発に従事。その後、ランニングの趣味が高じてマラソン関連の事業会社にてAndroidアプリの開発やサーバーレスアーキテクチャを活用したモバイルバックエンドの開発を行う。2017年よりゼットラボ株式会社にてKubernetes管理基盤の開発や導入支援を担当。最近はPrometheusを触ることが多い。

河 宣成（こう たかなり）

2008年にヤフー株式会社に入社。さまざまなプロジェクトにおいてWebサービス開発、Androidアプリ開発を経て、開発部長に就任。

2015年ゼットラボ株式会社の立ち上げに参画し、ソフトウェアエンジニア・開発マネージメントを担当。2017年より同社代表取締役に就任。以降、最新技術をヤフー社に提供し続けるため邁進（まいしん）している。プライベートではAndroidアプリを細々と開発し続け、いつか大当たりすれば良いと考えている。

久住 貴史（くすみ たかし）

2007年にヤフー株式会社に入社。決済システムや認証技術の研究開発に従事。2015年からゼットラボ株式会社の初期メンバーとして参加し、Kubernetesをベースとしたインフラ基盤の研究開発・導入支援を担当する。Kubernetesで一番興味のある分野はsig-auth。

村田 俊哉（むらた しゅんや）

2010年にヤフー株式会社に入社。2014年からKubernetesを触り始め、Kubernetesを利用したPaaSの開発や構成管理基盤の整備業務に従事。2015年からゼットラボ株式会社の初期メンバーとして参加し、Kubernetesクラスタを管理するシステムの開発やKubernetesの導入支援を担当する。Kubernetesで最近興味のある分野はsig-autoscaling。CKA（Certified Kubernetes Administrator）保有。

カバーデザイン●トップスタジオデザイン室（宮崎 夏子）
本文設計●トップスタジオデザイン室（徳田 久美）
組版●株式会社トップスタジオ
編集担当●吉岡 高弘

Software Design plus シリーズ

Kubernetes 実践入門

プロダクションレディなコンテナ&アプリケーションの作り方

2019年3月16日　初　版　第1刷発行

著　者　須田 一輝、稲津 和磨、五十嵐 綾、坂下 幸徳、吉田 拓弘、河 宜成、久住 貴史、村田 俊哉
発行者　片岡　巌
発行所　株式会社技術評論社
東京都新宿区市谷左内町21-13
電話　03-3513-6150　販売促進部
03-3513-6170　雑誌編集部
印刷／製本　日経印刷株式会社

定価はカバーに表示してあります。

ISBN978-4-297-10438-2 C3055
Printed in Japan

■お問い合わせについて

本書の内容に関するご質問につきましては、下記の宛先までFAXまたは書面にてお送りいただくか、弊社ホームページの該当書籍コーナーからお願いいたします。お電話によるご質問、および本書に記載されている内容以外のご質問には、一切お答えできません。あらかじめご了承ください。

また、ご質問の際には「書籍名」と「該当ページ番号」、「お客様のパソコンなどの動作環境」、「お名前とご連絡先」を明記してください。

【宛先】
〒162-0846
東京都新宿区市谷左内町21-13
株式会社技術評論社　雑誌編集部
「Kubernetes 実践入門」質問係
FAX：03-3513-6179

■技術評論社 Web サイト
https://gihyo.jp/book

お送りいただきましたご質問には、できる限り迅速にお答えするよう努力しておりますが、ご質問の内容によってはお答えするまでに、お時間をいただくこともございます。回答の期日をご指定いただいても、ご希望にお応えできかねる場合もありますので、あらかじめご了承ください。

なお、ご質問の際に記載いただいた個人情報は質問の返答以外の目的には使用いたしません。また、質問の返答後は速やかに破棄させていただきます。